JA[illegible] LOVEGROVE DAYS

JAMES LOVEGROVE

DAYS

Przełożył
ARKADIUSZ NAKONIECZNIK

Warszawskie Wydawnictwo Literackie
MUZA SA

Tytuł oryginału: ***Days***
Projekt okładki: *Maciej Sadowski*
Redakcja: *Stanisława Staszkiel*
Redakcja techniczna: *Zbigniew Katafiasz*
Korekta: *Irma Iwaszko*

ISBN 83-7319-132-1

Warszawskie Wydawnictwo Literackie
MUZA SA
Warszawa 2002

Prolog

Siedem miast: według *Podręcznika dla czytelników* Brewera siedem najwspanialszych miast wszech czasów, a mianowicie: Aleksandria, Jerozolima, Babilon, Ateny, Rzym, Konstantynopol oraz Londyn (jako ośrodek ekonomiczny) lub Paryż (ze względu na piękno)

5.30

To taka pora, ani noc, ani dzień, kiedy niebo wypełnione jest rozmazaną szarością, niczym kartka, z której ktoś usiłował zetrzeć gumką ślady ołówka, a na opustoszałych ulicach miasta słychać kojący szum – wszechobecny szmer westchnień, na który zwracamy uwagę tylko wtedy, gdy wszystko dookoła milknie. O tej właśnie godzinie uliczne latarnie gasną kolejno, niczym opróżnione ze snów głowy, a nastroszone siwopióre gołębie otwierają oczy. O tej porze wschodzące słońce rozsiewa srebrzyste promienie, wszystkim budynkom wyrastają zaś długie wachlarzowate ogony cienia, otulające sąsiadów od zachodniej strony.

Jedna budowla rzuca obszerniejszy, głębszy cień. Ogromny, przysadzisty prostopadłościan wznosi się w samym sercu miasta. Widoczny z odległości wielu kilometrów, zdaje się jedyną przyczyną, dla której istnieją stłoczone wokół niego domy i domki, fabryki i magazyny. Ulewne deszcze i upalne lata sprawiły, że ceglane ściany przybrały barwę zaschniętej krwi. Dach wieńczy wielka szklana kopuła, która iskrzy się i błyszczy, obracając się dostojnie i tak powoli, że aż prawie niezauważalnie. Dzięki niewidocznemu mechanizmowi dokonuje pełnego obrotu w ciągu dwudziestu czterech godzin. Jest podzielona na dwie części: całkowicie przezroczystą i nieprzejrzyście czarną.

Budynek ma siedem kondygnacji o wysokości czternastu metrów każda. Ściany mają po dwa i pół kilometra długości, łatwo więc obliczyć, iż budowla zajmuje obszar ponad sześciuset hektarów. Ponieważ ściany są zupełnie gładkie, wygląda jak jakiś upiorny ciężar spoczywający na naszej planecie, jak coś, co zostało wbite w glebę młotem samego Boga.

To Days, pierwszy i (jak wciąż niektórzy twierdzą) najlepszy gigamarket na świecie.

Wnętrze oświetlają świecące połową mocy lampy. Nocni strażnicy robią ostatni obchód sześciuset sześćdziesięciu sześciu działów; snopy światła z ich latarek przecinają pogrążony w półmroku bezruch, aureolami skupionego blasku omiatają półki i gabloty, stelaże i regały, niewyobrażalne bogactwo towarów wystawionych na sprzedaż. Wędrówkę strażników automatycznie śledzą kamery poruszane przez szemrzące siłowniki. Zielone diody na obudowach jeszcze się nie świecą.

Po zielonych jak morskie fale marmurowych posadzkach czterech głównych hallów wejściowych suną wielkie jak ciągniki maszyny czyszczące, z wirującymi filcowymi tarczami zamiast kół. Pojazdy warkoczą i zataczają kręgi, przywracając marmurowej zieleni lustrzany połysk. Pośrodku każdego hallu widnieje mozaika: koło o średnicy siedmiu metrów, podzielone na dwie części, białą i czarną. Biała część jest zrobiona z pociętych na plasterki opali, czarna z onyksów; elementy są rozmaitej wielkości, od takich jak maleńka jednopensówka po tak duże jak medale. Operatorzy maszyn czyszczących poświęcają mozaikom szczególnie wiele uwagi, by nic nie mąciło blasku drogocennych kamieni.

W centralnym punkcie gigamarketu usytuowano ogromne atrium, sięgające od parteru aż po wieńczącą dach szklaną kopułę. Barierki na kolejnych piętrach są pomalowane w kolorach widma optycznego, od czerwieni po fiolet. Sączące się przez przezroczystą część kopuły światło wstającego dnia spływa aż na delikatną siatkę z mikrowłókna rozpiętą na poziomie Piętra Czerwonego. Naciągnięta mocno jak skóra na bębnie okrywa rozbudowany system nawadniający z miedzianych rur, niżej zaś las z przewagą palm i paproci.

Z niezliczonych otworów w rurach bucha z donośnym sykiem ciepła para, liście prężą się w oczekiwaniu, para stopniowo opada, coraz chłodniejsza i coraz rzadsza, aż wreszcie osiada na gliniastym podłożu, pokrytym trawą, liśćmi i kamieniami.

Tutaj, na samym dole, jest Menażeria. Owady już pracują, zwierzęta zaczynają się poruszać. Słychać parskania i skowyty, ciche stąpanie łap i szelest poszycia; wielkie i małe stworzenia zaczynają codzienną krzątaninę.

Na zewnątrz uzbrojeni strażnicy ziewają i prostują zdrętwiałe kończyny. Dookoła budynku, przytuleni do wielkich szklanych tafli na parterze – to jedyne okna w budynku – leżą ludzie; większość śpi, sporo jednak znajduje się w połowie drogi między snem a jawą, a ich marzenia senne mieszają się z równie przykrą rzeczywistością. Szczęśliwcy mają śpiwory, rękawiczki, szaliki i czapki, pozostali owijają się jak mogą szmatami, kocami oraz ukradzionymi albo wyżebranymi łachmanami.

Wreszcie zbliża się godzina szósta. Na lotnisku w zachodniej części miasta ryk odrzutowych silników rozdziera ciszę. W niemal poziomych promieniach słońca końcówki skrzydeł samolotu lśnią jak polerowane srebro, maszyna nabiera prędkości na pasie startowym, odrywa się od ziemi i stromo wznosi w niebo. Wszystkie miejsca na pokładzie zajmują wyruszający na zachód emigranci - kolejnych kilkaset zdrowych komórek, które opuszczają stoczony rakiem organizm rodzinnego kraju.

Echo przetacza się po dachach, dociera do najdalszych zakamarków miasta, wbija się w mózgi mieszkańców. Za cztery szósta, jak każdego ranka, cała ludność miasta myśli to samo: znów jest nas trochę mniej niż wczoraj. Tych, którzy jeszcze śpią, dręczą koszmary; ci zaś, co się obudzili i już nie zdołali zasnąć, muszą się zmagać z goryczą i zwątpieniem.

A dzień wstaje jakby nigdy nic, niczym chwast, który będzie rósł bez względu na okoliczności.

I

Siedmiu śpiących: siedmiu szlachetnych młodzieńców z Efezu, którzy w roku 250, za panowania cesarza Decjusza, zginęli śmiercią męczeńską. Uciekając przed prześladowaniami, schronili się w górskiej jaskini i zasnęli. Decjusz, który ich tam znalazł, kazał zamurować wejście

6.00

Metalowe wskazówki budzika stojącego przy łóżku Franka Hubble'a dzielą tarczę na dwie równe części. Doskonale prosta linia, którą tworzą, pokrywa się z granicą między połówkami tarczy, czarną i białą. W mechanizmie opada ze stuknięciem zapadka i rozlega się dzwonek.

Ręka Franka sięga do budzika, ucisza go, zanim ten zdąży rozdzwonić się na dobre. Frank na powrót wtula głowę w wygniecioną poduszkę. Huk silników przeistoczył się w odległy pomruk, raczej zapamiętany niż słyszalny. Mężczyzna usiłuje poskładać w całość fragmenty snu, z którego wyrwała go świadomość, że za chwilę rozlegnie się dzwonek budzika, lecz obrazy rozbiegają się we wszystkie strony. Im bardziej stara się je schwytać, tym szybciej uciekają. Niebawem nikną bez śladu; zostaje mu tylko wspomnienie tego, że śnił, a to i tak chyba więcej niż nic.

Ulicą, na którą wychodzi okno sypialni, wstrząsa ryk uruchamianego silnika. Rdzawe zasłony wydyma lekki podmuch, po chwili znowu zwisają bezwładnie. Frank słyszy, jak w kuchni zaczyna pykać samoczynnie włączający się o tej godzinie ekspres do kawy; przesuwa językiem po wyschniętych wargach i wyobraża sobie, jak do dzbanka spływają wielkie brązowe krople ostrej arabiki. Czeka, aż intensywny zapach kawy przeczołga się pod drzwiami sypialni i dotrze do jego nosa, po czym odchrząkuje, odgarnia kołdrę i opuszcza stopy na podłogę.

Przez jakiś czas siedzi na krawędzi łóżka i gapi się na swoje kolana. Jest średniego wzrostu, proporcjonalnie zbudowany i w całkiem niezłej formie, choć czas przygiął mu nieco barki oraz wygiął w łuk górny odcinek kręgosłupa, w związku z czym Frank jest zawsze lekko przygarbiony, jakby dźwigał na grzbiecie jakiś niewidzialny ciężar. Twarz ma równie wymiętą jak piżamę, włosy szare, pozbawione jakiegokolwiek sprecyzowanego odcienia. Jego oczy też są szare. Jak nagrobki.

Długo oddaje mocz w łazience o ciemnogranatowych ścianach upstrzonych naklejonymi złocistymi gwiazdkami. Spuszcza wodę, zamyka deskę klozetową, po czym napełnia umywalkę gorącą wodą, moczy w niej flanelowy ręcznik i przykłada go do twarzy. Chociaż skóra protestuje, zdejmuje ręcznik z twarzy dopiero wtedy, kiedy ostygnie, a następnie nakłada piankę z aerozolowego pojemnika ozdobionego identycznym logo jak to, które widnieje na tarczy budzika, i goli się kilkoma pociągnięciami niklowanej brzytwy. Tak doskonale opanował tę sztukę, że nawet nie musi patrzeć w wiszące przed nim lustro.

Frank boi się luster. Nie dlatego, iż mówią mu, że jest stary (bo o tym wie), ani nie dlatego, że mówią mu, na jak zmęczonego i wyniszczonego wygląda (bo do tego zdążył się przyzwyczaić), ale dlatego, że ostatnio zaczęły mówić mu jeszcze jedną prawdę, prawdę, z którą nie chce się pogodzić.

Jednak konfrontacja z tą prawdą stała się już nieodłącznym elementem porannych ablucji, więc opiera ręce na umywalce, podnosi głowę i patrzy w swoje odbicie.

A raczej w miejsce, w którym powinno być. W lustrze odbija się tylko granatowa rozgwieżdżona ściana łazienki.

Frank jak zwykle poskramia atak paniki i próbuje się skupić. Jest tutaj, wie o tym. Lustro kłamie. Czuje swoje ciało, tę organiczną maszynę do podtrzymywania życia, dzięki której funkcjonuje mózg. Wie, że pod stopami ma chłodną podłogę i że zaciska ręce na krawędzi umywalki, ponieważ zakończenia nerwów w skórze donoszą o tym mózgowi, skóra ta zaś otacza ze wszystkich stron niepowtarzalny przekładaniec z mięsa, kości, żył i ścięgien zwany Frankiem Hubble'em. Powietrze prześlizgujące się z każdym wdechem i wydechem przez jego usta podpowiada mu, że jest. Czuje, więc istnieje.

Lecz lustro wciąż twierdzi inaczej.

Frank wbija wzrok w miejsce, gdzie powinny się znajdować jego oczy. Czuje się tak, jakby jego umysł mknął szybkobieżną windą w dół bezdennej studni szaleństwa, gdzie wiją się nie mamrotliwe demony, lecz zwiastujące zgubę widma, całe stada widm z rozdziawionymi w bezgłośnym krzyku ustami. Wiją się wokół siebie, lecz nic dla siebie nie znaczą, nie zdają sobie bowiem sprawy ze swojej obecności. Nie wina i nie wstyd przerażają go najbardziej, lecz anonimowość. Bezimienne widma trzepoczą niczym nieuchwytne ćmy. W lustrze wciąż nic. Być może właśnie dzisiaj ostatecznie i nieodwołalnie pochłonie go wypełniająca jego wnętrze pustka. Jeżeli natychmiast nie zdoła siebie zobaczyć, zginie. Zniknie. Rozpłynie się w zapomnieniu.

Musi sobie przypomnieć, jak wyglądają jego oczy. Jeśli one się pojawią, zdoła poskładać resztę.

Powoli, z wysiłkiem wyciąga z granatowej ściany dwoje oczu – najpierw matowoszare tęczówki, potem białe otoczki.

Mrugnięciem udowadnia, że to jego oczy.

Teraz pojawiają się powieki, fioletowe i opuchnięte od snu i wieku.

Teraz brwi, równie szare i nieokreślone jak włosy.

Teraz czoło, a zaraz potem reszta twarzy: spłaszczony nos, mocno zarysowana szczęka, pobrużdżone policzki, uszy w kształcie embrionów.

Poniżej brody ma szyję, poniżej szyi obojczyk rozchodzący się na boki ku barkom, z których wyrastają ramiona zakończone rękami zaciśniętymi na umywalce. Ukazują się pofałdowane równoległe pasy piżamy. Na kieszonce na piersi rozkwita haftowany czarno-biały emblemat.

Jeszcze kilka chwil i widzi siebie całego – to znaczy tyle, ile mieści się w lustrze. Kolejne starcie wygrane.

Ale Frank nie odczuwa ulgi, kiedy odwraca się od umywalki. Kto wie, może ułamek sekundy po tym, jak skieruje wzrok w inną stronę, odbicie znika? Kto wie, co dzieje się w lustrach za naszymi plecami?

Woli nie zgłębiać tego problemu. Pochyla się nad wanną, opuszcza dźwignię mieszacza i z prysznica tryska napowietrzony stożek wody. Na głowicy mieszacza widnieją dwa stykające się półkola: białe z czarną literą Z i czarne z białą literą C. Frank dobiera temperaturę – ani za wysoką, ani zbyt niską – zrzuca piżamę, wchodzi do wanny i zasuwa zasłonkę.

Zasłonka, myjka, którą się szoruje, plastikowa buteleczka, z której wyciska na rękę porcję szamponu z odżywkami, bezzapachowe mydło – wszystko jest oznakowane czarno-białym godłem. Podobnie dywanik, na którym staje po wyjściu z wanny, ręcznik, którym się wyciera, oraz szlafrok, który wkłada. Czarno-białe logo, w rozmaitych rozmiarach i wykonane z rozmaitych materiałów, widnieje dokładnie na czterdziestu siedmiu przedmiotach w łazience. Nawet zdradzieckie lustro jest ozdobione małą czarno-białą nalepką w rogu.

Rozgrzany, ze skórą swędzącą od czystości, idzie do kuchni, powłócząc nogami. Po drodze usiłuje palcami nadać fryzurze mniej więcej taki wygląd, jaki będzie miała później, kiedy włosy wyschną. Poranny rytuał jest doprowadzony do perfekcji; w chwili kiedy Frank wkracza do kuchni, ostatnie krople kawy skapują do dzbanka. Może od razu ją nalewać. Zdmuchuje parę poza krawędź kubka, podchodzi do okna, podnosi żaluzje, spogląda na miasto okryte srebrzystą mgiełką i pociąga pierwszy łyk kawy.

Zazwyczaj napawa się widokiem przez równe trzy sekundy, tym razem jednak patrzy nieco dłużej. Chociaż doskonale zna usytuowanie wszystkich budynków, ulic i opustoszałych kwartałów ruin, i choć te szczegóły tworzą w jego mózgu dokładną, wciąż aktualizowaną mapę, to jednak uważa, iż ze względu na potomność powinien prosty akt obserwacji zamienić w coś w rodzaju ceremonii, aby później wspominać, jak to przez trzydzieści trzy lata, codziennie o 6.17, stał przy oknie i patrzył.

Prawdopodobnie przez cały dzień będzie zwracał szczególną uwagę na takie jak ta zwyczajne chwile i kolejne codzienne czynności, które w normalnych okolicznościach wykonywałby zupełnie automatycznie; dziś będzie usiłował zatrzymać je w pamięci niczym długoletni skazaniec, który ostatniego dnia odsiadki celebruje ostatni posiłek w blaszanej misce, ostatni spacer, ostatni apel. To będzie wspaniałe, ale i dziwne uczucie... nigdy więcej tego nie robić... Po trzydziestu trzech latach rutyna stała się nieodłącznym składnikiem jego życia. Nienawidzi jej, ale wcale nie jest pewien, czy zdoła sobie bez niej poradzić.

Tak więc świadomie i skrupulatnie chłonie widok, który oglądał już tysiące razy, zarówno w ciemności, jak o pierwszym brzasku lub w pełnym świetle dnia. Patrzy na podpartą solidnymi filarami autostradę, na poprowadzone licznymi estakadami tory miejskiej kolejki dojazdowej, po których wagoniki suną niczym stalowe gąsienice, na ogromny, pozbawiony drzew ponury obszar zabudowany magazynami i domami mieszkalnymi. Podobnie jak z mieszkań wszystkich pracowników gigamarketu, również z jego okien widać gmach Days, który z tej odległości przypomina monstrualną pokrywę przygniatającą miasto; wystarczy jednak, by Frank nieco się pochylił, a ogromna budowla kryje się za dachami.

Dość tego. W ciasno wypełnionym rozkładzie poranka są przewidziane dwie minuty rezerwy, dzięki czemu zawsze w porę wychodzi do pracy. Zużył już jedną z nich, drugą powinien mieć w zapasie na wypadek jakiejś nieprzewidzianej awarii.

Trochę go śmieszy świadomość, że obawia się spóźnienia w dniu, który najprawdopodobniej będzie jego ostatnim dniem pracy w Days, ale trudno walczy się z trzydziestotrzyletnimi przyzwyczajeniami. Ile czasu minie, zanim robot, w którego się zamienił, przystosuje się do nowego życia? Czy aż do śmierci będzie się budził punktualnie o szóstej rano, chociaż nikomu to już nie będzie potrzebne? Czy już zawsze o 10.30 będzie sobie robił przerwę na kawę, o 12.45 na lunch, a o 16.30 na herbatę? Od schematów wbitych w mózg poprzez wieloletnie powtarzanie niełatwo się wyzwolić i wprowadzić na ich miejsce coś bardziej przydatnego w zwyczajnym, bardziej swobodnym życiu. Przez ponad połowę swej dotychczasowej egzystencji niewiele się różnił od miniaturowej lokomotywy przez sześć dni w tygodniu pokonującej tę samą trasę po zamkniętym torze. Niedziele wypełnia mu nerwowy letarg: budzi się jak zwykle o szóstej, później zabija czas, drzemiąc, czytając gazety i oglądając telewizję. Przez cały dzień jest senny i nieswój, jego organizm nie potrafi sobie poradzić z czkawką spowodowaną zaburzeniem rytmu dnia. Czy od tej pory tak właśnie ma wyglądać jego życie? Jak długi łańcuch niedziel?

Spróbuje sobie z tym poradzić, kiedy nadejdzie pora. Na razie musi stawić czoło dniowi dzisiejszemu.

Wkłada kromkę chleba do opiekacza przypominającego nieco zabytkowy samochód, włącza stojący tuż obok przenośny telewizor. Nie trzeba chyba dodawać, że zarówno toster, jak telewizor mają na obudowach czarno-białe logo złożone z dwóch stykających się plecami liter D.

Telewizor jest zaprogramowany w taki sposób, że po każdorazowym włączeniu na ekranie pojawia się kanał handlowy Days. Dwie kobiety w nieokreślonym wieku o woskowych twarzach zachwycają się łańcuszkiem z hodowlanych pereł, oferowanym do sprzedaży w Dziale Jubilerskim. Za ich plecami przesuwa się komputerowy obraz wnętrza największego i (prawdopodobnie) najlepszego gigasklepu na świecie.

Frank sięga po pilota, włącza kanał informacyjny i ogląda relację z placu budowy pierwszego na świecie teramarketu w Australii. Oficjalna nazwa: Cholernie Wielki Sklep. Ma obsługiwać klientów nie tylko z Australii i Nowej Zelandii, lecz również z niemal wszystkich państw położonych nad Pacyfikiem oraz w Azji Południowo-Wschodniej. Do ukończenia budowy pozostało jeszcze półtora roku, lecz nawet teraz, będąc zaledwie szkieletem, nie ustępuje wielkością położonej nieopodal Ayers Rock.

Opiekacz wyrzuca ładunek przyrumienionego chleba. W jednym narożniku małe, niemal zwęglone półkole sąsiaduje ze swoim negatywowym odbiciem. Frank właśnie od tego miejsca grzanki zaczyna swoje śniadanie.

Je niewiele, niecałą grzankę. Nalewa sobie jeszcze jeden kubek kawy, wyłącza telewizor i udaje się do garderoby.

Idąc wysoko sklepionym korytarzem, mija pokoje, z których rzadko korzysta; gdyby nie starania sprzątaczki, której Frank nie widział na oczy, wypełniające je kosztowne meble byłyby pokryte grubą warstwą kurzu. Po jednej stronie korytarza ciągną się półki zastawione książkami, z których żadnej nigdy nie wziął do ręki, po drugiej wiszą obrazy, których prawie nie zauważa. Zarówno książki, jak i obrazy, a także meble, wybrał rozkapryszony dekorator wnętrz z Days, należność zaś obciążyła Irydową Kartę Franka. Nie zdążył jeszcze spłacić długu, więc odchodząc, będzie musiał oddać pracodawcom niemal cały dobytek. Wcale nie jest z tego powodu nieszczęśliwy.

W garderobie czeka już na niego czwartkowy strój. Każda część wisi lub leży osobno. Wczoraj, tuż przed położeniem się spać, Frank włożył czwartkowe spodnie do prasowarki. Kanty są teraz przyjemnie ostre.

Ubiera się metodycznie i spokojnie, po każdej zakończonej czynności pociąga łyk kawy. Wkłada modną bawełnianą koszulę w granatowe prążki, z gładkimi białymi guzikami, zawiązuje kasztanowy jedwabny krawat, zakłada ciemnoszarą marynarkę, granatowe skarpetki oraz czarne pantofle o miękkich podeszwach, raczej wygodne niż eleganckie. Następnie staje przed dużym, lekko przekrzywionym lustrem.

Cierpliwie czeka, aż cały się w nim pojawi.

Ubranie bardzo pomaga. Jak to się mówi, strój czyni człowieka, więc przyobleczony w najlepsze, co ma do zaproponowania klientom Dział Odzieży Męskiej, Frank czuje się w pełni ukształtowany. W lustrze pokazują się najpierw ostre linie garnituru. Potem krawat, koszula i buty. Dopiero na końcu głowa, kark i ręce. Święty Boże, czasem nie potrafi sobie nawet przypomnieć, jak wygląda jego twarz! Co prawda zaraz po tym, jak jego oblicze pojawi się w głębi lustra, wydaje mu się, że wcześniej też wszystko było w porządku, ale przez tych kilka chwil, gdy z trudem usiłuje sobie przypomnieć choć jeden charakterystyczny szczegół, obawia się zupełnie serio, iż całkiem przestał istnieć, niepostrzeżenie odszedł w niebyt, stał się autentycznym duchem.

W prowadzonym w pamięci albumie ze wspomnieniami starannie zapisuje godzinę: 6.34. O tej właśnie porze, z dokładnością do jednej minuty, we wszystkie robocze dni staje przed tym lustrem, w ubraniu, którego każda część ma metkę z logo składającym się z dwóch stykających się półkoli, czarnego i białego. Jutro rano będzie inaczej. W jednej z szaf czeka spakowana walizka. Na odblaskowej przywieszce widnieje numer lotu i trzyliterowy kod jednego z portów lotniczych w Stanach. Na walizce leży bilet pierwszej klasy. Jutro o 6.34 Frank będzie siedział na pokładzie srebrzystoskrzydłego samolotu, mknącego nad chmurami w pogoni za słońcem. Bilet jest w jedną stronę.

Wciąż nie potrafi sobie wyobrazić, co to znaczy oddalać się z każdą chwilą od miasta, zerwać naraz wszystkie więzy łączące go z jedynym domem, jaki miał, bez żadnych konkretnych perspektyw. Jakiś głosik w głębi głowy pyta go cichutko, czy oszalał, inny zaś, znacznie donośniejszy, odpowiada ze spokojną pewnością, że nie.

Nie. Decyzja o wyjeździe jest chyba najrozsądniejszą w jego życiu. I najbardziej przerażającą.

Frank wraca do kuchni, po raz trzeci napełnia kubek kawą. W dzbanku nie zostaje ani kropla.

Mniej więcej w połowie ostatniej tego ranka dawki kofeiny czuje skurcz w głębi podbrzusza i ochoczo kieruje się do toalety, by z przyjemnością oddać się opróżnianiu jelit z suchej, stwardniałej zawartości. Na trójwarstwowym papierze toaletowym widnieją wyblakłe czarno-białe pary półkoli. Dawno temu, w młodości, Frank traktował logo Days z niemal religijną czcią. Wszechobecność tego symbolu świadczyła najdobitniej o jego potędze. Frank był dumny, że może się z nim utożsamiać. Wtedy z pewnością wzdragałby się przed takim świętokradztwem, teraz jednak jakby nigdy nic wyciera sobie tyłek.

Z powrotem w sypialni. Zakłada jedyny dodatek do ubioru: zegarek Days w złoconej kopercie, z paskiem z patentowej skóry i szwajcarskim mechanizmem. Przed włożeniem portfela do wewnętrznej kieszeni marynarki upewnia się, że Irydowa jest na swoim miejscu – nie dlatego, żeby obawiał się kradzieży, lecz dlatego, że od trzydziestu trzech lat to właśnie robi codziennie o 6.41 rano.

Wysuwa Irydową z zamszowego futerału. Karta lśni niczym tabliczka z macicy perłowej. Frank unosi ją do światła, zgina delikatnie i obserwuje, jak rozbiegane tęcze gonią się po powierzchni, rozpływając wokół wypukłych liter tworzących jego imię i nazwisko, wokół cyfr układających się w numer karty oraz wytłoczonego znaku firmowego Days. Trudno uwierzyć, żeby coś tak małego i lekkiego mogło mieć takie wielkie znaczenie. Trudno uwierzyć, żeby coś tak pięknego mogło być przyczyną tylu nieszczęść.

Chowa kartę do futerału, futerał wsuwa do portfela. Jest gotów. Nic już go nie zatrzymuje.

Z wyjątkiem...

Drugą „zapasową" minutę poświęca na wędrówkę po mieszkaniu; dotyka rzeczy, które teraz jeszcze są jego własnością, a już jutro nie będą do niego należeć. Przechodząc z pomieszczenia do pomieszczenia, przesuwa czubkami palców po drewnie, materiałach obiciowych i szkle. Gdyby wnioskować na podstawie stopnia emocjonalnego przywiązania do tego wszystkiego, równie dobrze mógłby być w muzeum.

Nie może zrozumieć, w jaki sposób zdołał zgromadzić tyle przedmiotów, tyle mebli, tyle *objets d'art*. Przypomina sobie mętnie, że podczas tych trzydziestu trzech lat wielokrotnie płacił swoją Irydową za sprawunki, których wybranie zajęło mu zaledwie kilka sekund, nie jest jednak w stanie przywołać na pamięć chwili, kiedy kupował konkretne przedmioty – na przykład tę wazę *art deco* albo tamten turecki kilim – ani tym bardziej ile kosztowały. Z pewnością znaczna część tych rzeczy znalazła się tu za sprawą dekoratora wnętrz z Days, ale przecież nie wszystkie. Oto jak mało znaczyły dla niego te transakcje, jak niemądre się dziś wydają! Kupował odruchowo, nie dlatego że c h c i a ł coś mieć, ale że dzięki Irydowej m ó g ł, teraz zaś tkwi po uszy w długach, które musiałby spłacać przez co najmniej dziesięć lat.

Ponieważ jednak nie zniósłby nawet myśli choćby o jeszcze jednym dniu w Days i ponieważ nie ma sentymentu i nie przywiązuje wagi do tego, co posiada, nie dręczą go najmniejsze wątpliwości, czy słusznie zdecydował, że dziś złoży wymówienie. Odejść, jak mawiają Amerykanie. (Oni są tacy bezpośredni. Wyrażają się jasno i treściwie i właśnie ze względu na to Frank tak bardzo się cieszy, że wśród nich zamieszka. Najbardziej podziwia u innych te cechy, których sam jest pozbawiony). Z jego obliczeń wynika, że kiedy byli pracodawcy przejmą mieszkanie wraz z całym wyposażeniem, powinni uznać dług za uregulowany, jeśli zaś nie... Cóż, będą musieli szukać go w Ameryce, Ameryka zaś to ogromny kraj, a Frank, jeżeli zechce, potrafi stać się nieuchwytny.

Koniec obchodu. Jest 6.43, wykorzystał czas do ostatniej sekundy, już nie może zwlekać. Z wieszaka przy drzwiach zdejmuje czarny płaszcz z kaszmiru, narzuca go na siebie.

Drzwi wypuszczają go z mieszkania, zamykają się za nim z cichym kliknięciem. Frank wychodzi na podest klatki schodowej wijącej się spiralnie wokół zamkniętego w klatce z żelaznych prętów szybu windy. Wciska guzik, głęboko w dole rozlega się zgrzyt przekładni i hurgot zębatych kół, stalowe liny zaczynają się przesuwać.

II

Siedem dzieł miłosierdzia: w niektórych chrześcijańskich wyznaniach siedem sposobów okazywania miłosierdzia związanych z konkretnymi uczynkami

6.52

Przejście z budynku do stacji kolejki dojazdowej zajmuje Frankowi pięć i pół minuty. Na początku swojej kariery w Days potrzebował tylko czterech minut. Nie to żeby się zestarzał; wciąż ma nogi dwudziestolatka, ale pokonuje tę trasę z coraz mniejszą werwą.

W automatycznym kiosku na stacji wsuwa Irydową w szczelinę czytnika i wybiera tytuł. Z podajnika wysuwa się gazeta, maszyna zwraca mu kartę. W taki sam sposób płaci za bilet i kawę w plastikowym kubku.

Przechodzi przez bramkę, a następnie wspina się po schodach na peron, gdzie czeka już kilkunastu pasażerów, co chwila spoglądających na tory. Tak jak Frank, wszyscy mają gazety, gorące napoje i niewidoczne jarzma. Doskonale zna ich twarze, z niektórymi zaś, dzięki niechcący podsłuchanym fragmentom zdawkowych rozmów, kojarzy nawet imiona. Tak jak i on są starymi żołnierzami, towarzyszami broni dzień w dzień ruszającymi do boju od tak dawna, że wolą o tym nie myśleć. Ku swemu zdumieniu Frank stwierdza, iż że smutkiem myśli o tym, że widzi ich wszystkich po raz ostatni. Idzie powoli, mamrocząc pod nosem prawie niesłyszalne słowa pożegnania. Tylko kilka osób na chwilę odrywa wzrok od gazet i spogląda na niego.

Zajmuje miejsce pod drewnianą wiatą, niegdyś pomalowaną na beżowo, teraz niemal całkowicie pokrytą graffiti. Podmuch lodowatego wiatru przesuwa ziarna żwiru po asfaltowej nawierzchni peronu i porywa porozrzucane papierki po cukierkach i czekoladowych batonach. Między rdzawymi podkładami drżą anemiczne chwasty. Wreszcie głośniki wypluwają niezrozumiałą zapowiedź (można by pomyśleć, że są zrobione z namoczonej tektury). Ku zadowoleniu oczekujących szyny zaczynają śpiewać.

Pociąg z łoskotem wtacza się na stację, zgrzytliwie hamuje, otwierają się drzwi. Frank zajmuje miejsce siedzące, drzwi się zamykają, pociąg rusza z klekotem, ociężale nabiera prędkości. Wagony są tak stare, że mogłyby być eksponowane w muzeum: skrzypią, kołyszą się na boki, koła krzeszą iskry, tapicerka foteli cuchnie przypieczonymi pomarańczami, szyby są brudnożółte.

Frank wie, że – o ile nie nastąpi jakieś opóźnienie – ma dokładnie trzydzieści jeden minut na lekturę gazety i wypicie kawy, dziś jednak zwleka i rozgląda się po wnętrzu wagonu, by utrwalić w pamięci jak najwięcej szczegółów. Wystrzępiony narożnik plakatu reklamującego zakończoną dawno temu wyprzedaż w Days. Puszka po piwie tocząca się w tę i z powrotem po brudnym linoleum. Napis nabazgrany granatowym flamastrem: PIEPSZYĆ GIGASKLEPA; Frank w duchu przyklaskuje autorowi. Zsynchronizowane ruchy głów pasażerów, powtarzane przez parciane uchwyty zwisające z sufitu. Przyżółcone rozmazane miasto za oknem.

Za tym na pewno tęsknić nie będzie.

Gazeta już go nie interesuje, o ile w ogóle kiedykolwiek go interesowała. Nie interesuje go nic, co dzieje się w tym kraju. Wydaje mu się, że już wcześniej słyszał wszystkie wiadomości: zamieszki, niepokoje, wieczne dyskusje, przestępstwa, krętactwa polityków, pyszałkowatość kleru, intrygi rodziny królewskiej... Odkąd pamięta, a nawet dłużej, nic się tu nie zmieniło. Zmieniają się tylko nazwiska.

Ameryka natomiast... W Ameryce wciąż się coś dzieje. A to huragan, który tysiące ludzi pozbawił dachu nad głową, a to seryjny zabójca z kilkunastoma trupami na sumieniu, a to proces, w którym oskarżony zostaje uniewinniony na przekór oczywistym dowodom winy, a to urzędnik państwowy spektakularnie odmawiający przyjęcia łapówki... Wielkie pieniądze i wielkie dramaty. Wszystko na wielką skalę. Dwa gigamarkety! Nie to, żeby gigamarket koniecznie był miernikiem wielkości, ale tylko w Ameryce Północnej wybudowano dwa sklepy tych rozmiarów. Trzeba to docenić, tym bardziej że są otwarte przez dwadzieścia cztery godziny na dobę.

Frank zamierza odwiedzić zarówno Blumberga w Nowym Jorku, jak i w Los Angeles, choćby z zawodowej ciekawości. Planuje odbyć podróż od wybrzeża do wybrzeża pociągiem, samochodem i autobusem, by ukradkiem obserwować kraj i ludzi. W państwie tej wielkości nietrudno będzie mu zniknąć; nie uczyni tego zresztą jako pierwszy. W Ameryce jest mnóstwo ludzi kochających puste, niedostępne obszary i pędzących tam życie. Być może tam, w jakimś tajemnym subnarodzie, znajdzie dom i zrozumienie.

Ten kraj, tak dla niego, jak i dla wielu innych, już nie istnieje. Wysechł. Strupieszał. Jak pozostali, mógłby tu jedynie oczekiwać jeszcze wielu lat pracy, krótkotrwałej emerytury, a potem anonimowej śmierci. Ten kraj spaskudniał od środka, stracił niemal wszystko, czym się szczycił, a następnie zaczął gorąco, wręcz obsesyjnie bronić tego, co zostało. Ten kraj z lęku przed przyszłością utkwił wzrok w przeszłości. Nie jest już domem dla swoich mieszkańców, lecz muzeum starych dobrych czasów.

Głos, który dwukrotnie powtarza nazwę zbliżającej się stacji, pochodzi oczywiście z taśmy, lecz mimo to wydaje się potwornie znudzony. Pociąg zwalnia, zatrzymuje się, wagony ostatkiem sił wpadają na siebie niczym maszerujące rzędem słonie. Do wagonu wsiada wychudzona dziewczyna w postrzępionych dżinsach i obszernej kurtce. Spokojnie kroczy środkowym przejściem, po czym siada na ławeczce obok dostojnej matrony. Ta parska nieżyczliwie i potrząsa kolorowym czasopismem z ploteczkami – daje jej do zrozumienia, że w wagonie jest jeszcze mnóstwo innych, co najmniej równie dobrych miejsc, lecz dziewczyna zupełnie się tym nie przejmuje. Siedzi z opuszczoną głową, rzucając na boki ukradkowe spojrzenia.

Frank czuje na karku znajome ukłucia szpilek i obserwuje rozwój wydarzeń.

Przeczucie go nie zawodzi. Ledwo pociąg zdążył ruszyć, a już ręka dziewczyny rozpoczyna ukradkową wędrówkę w kierunku torebki matrony. Twarz bez wyrazu, obojętne spojrzenie utkwione gdzieś w przestrzeni. Frank musi przyznać, że dziewczyna zna się na rzeczy. Dobrze nauczyła się fachu, a lekcje z pewnością bywały bolesne, kiedy zawiodła ją sprawność palców lub chyżość nóg. Wie, czego szuka; jeśli sprzeda kartę Days na czarnym rynku, będzie mogła jeść do syta przez parę tygodni. Jeśli sprzeda ją tajniakowi, przez parę lat będzie jadała wyłącznie więzienne posiłki.

Zerkając ukradkiem zza gazety, Frank śledzi postępy czynione przez dziewczynę. Ręka, która rozpina zamek torebki i wślizguje się do środka, zdaje się być zupełnie niezależną, działającą na własny rachunek, podobną do pająka istotą. Matrona nie ma pojęcia, że sprytne palce badają zawartość jej torebki. Jest całkowicie pochłonięta treścią czytanego artykułu, od czasu do czasu zawzięcie ssie palec dotknięty zanokcicą.

Frank czeka, aż ręka wynurzy się z torebki. Jest! Srebrnoszara plastikowa płytka miga między palcami, znika prawie równie szybko, jak się pojawiła. Frank wstaje, kładzie gazetę na ławce, robi kilka kroków, łapie za uchwyt, pochyla się nad dziewczyną i patrzy jej prosto w oczy.

– Oddaj to – mówi.

Puste spojrzenie zaprzecza oskarżeniu.

– Daję ci szansę. Jeśli z niej nie skorzystasz, pociągnę za linkę, zaraz zjawi się straż kolejowa i będziesz mogła im wyjaśnić, skąd karta tej kobiety wzięła się w twojej kieszeni.

– Czy pan ma na myśli moją kartę? – pyta matrona, marszcząc brwi.

Frank wciąż patrzy dziewczynie w oczy.

– A więc?

Jeszcze przez kilka sekund wytrzymuje jego spojrzenie, ale w końcu opuszcza głowę, wzdycha, sięga do kieszeni i wyjmuje kartę.

– To i tak tylko zakichane Aluminium.

Kobieta gwałtownie łapie powietrze ustami, nie wiadomo, czy ze zdumienia na widok swojej karty w ręce dziewczyny, czy też z wściekłości, ponieważ teraz wszyscy dookoła wiedzą, że ma najniższy dostępny kredyt w Days. Wyrywa dziewczynie kartę i pospiesznie chowa ją do torebki.

Pociąg znów zwalnia. Z głośników dwukrotnie pada nazwa kolejnej stacji.

– Wysiadaj – mówi Frank i cofa się o krok.

Dziewczyna wstaje, zgarnia włosy z czoła, chyłkiem przemyka się do najbliższych drzwi.

– Pozwoli jej pan tak po prostu odejść? – oburza się matrona. – Przecież ukradła mi kartę! Powinna zostać aresztowana! Niech pan ją zatrzyma! – Odwraca się do pozostałych pasażerów. – Niech ktoś ją zatrzyma!

Nikt się nie rusza.

– Ma pani swoją kartę – mówi Frank. – Jeśli tak bardzo pani chce, by zatrzymano tę dziewczynę, może pani zrobić to sama.

Drzwi się otwierają. Dziewczyna, nie skruszona ani trochę, macha szyderczo na pożegnanie i znika.

– Coś takiego! – wykrzykuje matrona.

Frank rusza z powrotem w kierunku swojego miejsca. Drzwi się zamykają, pociąg rusza, nagłe szarpnięcie rzuca go na ławkę, ląduje na gazecie. Wyciąga ją spod siedzenia, rozprostowuje na kolanach, ale zanim wróci do lektury, zerka na matronę.

Kobieta wpatruje się w niego, kręcąc głową. Dopiero kiedy nabierze pewności, że dość wyraźnie dała wyraz swej dezaprobacie, ponownie koncentruje uwagę na czasopiśmie i zanokcicy.

Tak, naprawdę nic tu po nim.

III

Pycha: jeden z siedmiu grzechów głównych

7.42

Linda Trivett nie śpi od piątej, obserwuje, jak poświata sącząca się przez szczeliny wokół zasłon w oknie sypialni robi się coraz jaśniejsza. Jest już za późno, by się łudzić, że jeszcze zaśnie. Poza tym jest zanadto podekscytowana. Prawdę mówiąc, nie przypuszczała, że w ogóle uda jej się zasnąć, więc na wszelki wypadek połknęła parę pastylek i chociaż nie wierzyła zbytnio w ich skuteczność, one jednak podziałały. Gordon - nic w tym dziwnego - nie potrzebował farmaceutycznej pomocy. Zupełnie jakby to był najzwyklejszy wieczór, przeczytawszy zaledwie jedną stronę, zamknął książkę, którą Linda wypożyczyła mu z biblioteki (podręcznik asertywności), odłożył ją na nocną szafkę, położył na niej okulary, wyłączył lampkę, przekręcił się na bok i niemal natychmiast zaczął chrapać.

Wciąż chrapie w zgrzytliwym świszcząco-gulgoczącym rytmie, który Linda nauczyła się prawie (ale nie całkiem) ignorować. Kiedy tak leży z poduszką upchniętą pod głową, z kosmykiem cienkich jasnych włosów opadającym na brwi i cieniutką strużką śliny wypływającą z ust, wygląda jak dziecko. Sen starł piętno lat z jego twarzy.

Lindę na krótko ogarnia czułość, ale nie miłość. Zbyt dobrze zna Gordona, żeby go kochać. Delikatnie odgarnia mu włosy z czoła.

Ostrożnie, żeby go nie obudzić, wstaje z łóżka, chociaż z fazy głębokiego snu zdołałaby go wyrwać tylko bliska eksplozja armatniego pocisku. Zarzuca na nocną koszulę welurową podomkę, schodzi do kuchni i zaparza sobie kawę.

Nie może uwierzyć, że wreszcie nadszedł ten dzień. Czekała na tę chwilę z utęsknieniem ponad tydzień, od kiedy dowiedzieli się z Gordonem, że ich prośba o założenie rachunku w Days została rozpatrzona pozytywnie i że jeszcze tego samego dnia pocztą kurierską dotrze do nich upragniona Srebrna. Linda odwołała klientkę i specjalnie została w domu, żeby osobiście otworzyć drzwi posłańcowi. Sąsiedzi będą mieli o czym mówić: przed dom zajeżdża człowiek w uniformie Days, ustawia motocykl na podpórce, rozpina kaburę, rozgląda się podejrzliwie dokoła, po czym kroczy ścieżką, puka do drzwi i wręcza jej niewielką, starannie zapakowaną przesyłkę, którą wyjął z sakwy. Podpisując dokumenty, Linda widziała kątem oka, jak poruszają się zasłony we wszystkich oknach od strony ulicy. Zjawisko to przybrało na sile, kiedy posłaniec ruszył z powrotem w kierunku motocykla, dopinając pod brodą pasek hełmu.

Do dzisiaj nie jest w stanie zrozumieć, jak zdołała nad sobą zapanować na tyle, żeby zaczekać z otwarciem przesyłki do powrotu Gordona z pracy. Ta niebywała samokontrola przepełniła ją dumą, dla Margie zaś, Pat i Belli, które wpadły pod różnymi pretekstami, żeby choć zerknąć na najprawdziwszą pod słońcem Srebrną, stanowiła niemiłą niespodziankę. Margie wraz z mężem złożyła podanie o Aluminiową, lecz wciąż jeszcze nie dostała odpowiedzi, więc to właśnie ona zerkała na przesyłkę z największą zazdrością.

– Srebrna! – westchnęła. – Przy pensji Tima nigdy nie będziemy mogli sobie na to pozwolić.

Linda pomyślała, że przy takiej pensji jest wysoce wątpliwe, czy będą mogli sobie pozwolić choćby na Aluminiową.

Takie myśli być może świadczyły o kołtuństwie, ale jeśli kiedykolwiek miała prawo do odrobiny kołtuństwa, to chyba właśnie wtedy.

– Ostatnio Gordon dostał w banku niewielką podwyżkę, a jeśli dodać do tego to, co zarabiam jako fryzjerka...

Wzruszyła ramionami, jakby to całkowicie wystarczyło, żeby zdobyć Srebrną Kartę Days.

Nie wystarczyło. Tym jednym wzruszeniem ramion skwitowała pięć lat starań, harówki, poświęceń i samoograniczeń, oszczędzania na czym się da i przepracowanych weekendów. Pięć lat cerowania i łatania, pięć lat wieczorów spędzanych w domu, pięć zim przy ledwo ciepłych grzejnikach, pięć Bożych Narodzeń bez choinki i świątecznych dekoracji, za to z najskromniejszymi prezentami, jakie można sobie wyobrazić. Pięć lat odsuwania decyzji o posiadaniu dzieci, bo przecież dzieci tyle kosztują. Pięć długich lat, aż wreszcie zdołali uciułać minimalną sumę upoważniającą do złożenia wniosku o przyznanie Srebrnej. (Rzecz jasna mogli dostać Aluminiową zaraz po tym, jak wprowadzono tę nową kategorię, ale Linda zdecydowała, że będą dalej zbierać na Srebrną, ponieważ taki cel postawili sobie wcześniej, a poza tym, co nawet ważniejsze, Aluminium było zbyt pospolite, we wszystkich znaczeniach tego słowa).

A czy było warto? Oczywiście! Wszystko było warte tej chwili, kiedy usiedli z Gordonem, rozerwali bury pakowy papier i wyjęli katalog Days oraz podłużną kopertę.

Katalog dorównywał grubością trzem książkom telefonicznym. Krawędzie cieniutkich jak naskórek cebuli stron zostały zabarwione na sześć kolorów tęczy odpowiadających sześciu wciąż jeszcze czynnym piętrom, od czerwieni po indygo. Gordon natychmiast zaczął go wertować, Linda natomiast ostrożnie rozcięła kopertę kuchennym nożem, wsunęła do środka rękę i wydobyła kartę.

Srebrną Kartę Days z wytłoczonymi ich imionami i nazwiskiem.

Ogarnęła ją prawdziwa ekstaza. Trzymała kartę w rękach, poruszała nią w lewo i prawo, obserwowała, jak światło lśni na powierzchni i opływa wypukłe litery układające się w napis:

GORDON & LINDA TRIVETT

Och, tak! Ta chwila była warta wszystkich cierpień.

Chciała pojechać na zakupy już nazajutrz, ale Gordon zwrócił jej uwagę, że będą mogli wejść do gigamarketu dopiero wtedy, gdy wypełnią i wyślą załączony formularz, a z Days przyjdzie potwierdzenie jego otrzymania.

Przeczytał treść umowy na głos, mamrocząc tam, gdzie trafiał na gęsty prawniczy żargon – obiecał, że spróbuje rozgryźć to później. Ogólnie rzecz biorąc, chodziło o to, że Days nie ponosi żadnej odpowiedzialności za to, co może się zdarzyć Trivettom na terenie sklepu, oraz że gdyby wspomniani Trivettowie naruszyli którykolwiek z „wymienionych powyżej i poniżej" przepisów, nie będą mogli domagać się od sklepu żadnego odszkodowania ani zadośćuczynienia.

Linda słuchała cierpliwie, lecz niezbyt uważnie; jak tylko Gordon skończył, drżącą z podniecenia ręką złożyła podpis w odpowiednim miejscu u dołu strony. Nazajutrz wysłała formularz wraz z dwoma zdjęciami paszportowymi – dla celów bezpieczeństwa. Potwierdzenie odbioru nadeszło dwa dni później, w sobotę rano. Linda zaproponowała Gordonowi, żeby od razu pojechać do sklepu. Gdyby natychmiast wyruszyli z domu, dotarliby na miejsce jeszcze przed otwarciem. Niestety, Gordon stwierdził, że nie jest przygotowany, oprócz tego bolała go głowa, miał za sobą ciężki tydzień, a poza tym docierały do niego różne historie niezbyt zachęcające do sobotnich zakupów w Days. Opowieści o potwornym tłoku, przepychankach przy kasach, awanturach, ekscesach, a nawet o przypadkach śmierci.

Linda odparła, że podobne rzeczy mówi się nie tylko o zakupach w soboty, w związku z czym postanowiła uznać je za zwykłe plotki albo przynajmniej za znacznie wyolbrzymione relacje z drobnych i niegroźnych incydentów, rozpowszechniane przez osoby nieposiadające otwartego rachunku w gigamarkecie i skwapliwie krytykujące to, co jest dla nich nieosiągalne. Musiała jednak przyznać, iż Gordon rzeczywiście wygląda na mocno zmęczonego, postanowiła więc wziąć jego wyjaśnienia za dobrą monetę i zaproponowała, żeby w takim razie udali się na pierwsze zakupy w najbliższy poniedziałek. Gordon zwrócił jej uwagę, że jeśli zamierza utrzymać swoje dochody na poziomie wystarczającym dla obsługi nowo otwartego rachunku, to nie może sobie pozwolić na wzięcie choćby jednego wolnego dnia, więc jedynym dniem, kiedy będą mogli pojechać na zakupy, jest sobota. Linda natychmiast skontrowała, mówiąc, iż w soboty ona z kolei ma najwięcej klientek, a więc najwięcej zarabia, i że w przeciwieństwie do niej on dostanie jakieś wynagrodzenie nawet za dzień, kiedy nie będzie go w pracy. A poza tym czy przed chwilą nie przekonywał jej, że sobotnie zakupy mogą okazać się niebezpieczne? Niech się wreszcie zdecyduje: albo zaryzykują i pojadą w sobotę, albo wybiorą się w jakiś zwykły dzień.

Już wtedy przyszło jej do głowy (ale nie powiedziała tego głośno), że Gordon chyba najzwyczajniej w świecie szuka wymówki, żeby w ogóle nie odwiedzić gigamarketu. Czyżby stchórzył? Po tylu wyrzeczeniach?

Zaproponowała wtorek. Do wtorku jakoś powinna wytrzymać.

Zgodnie z jej przewidywaniami Gordon ponownie stwierdził stanowczo, iż pod żadnym pozorem nie może wziąć wolnego dnia, na co Linda, tracąc powoli cierpliwość, odparła, że w takim razie pojedzie sama. Co prawda bardzo chciała, żeby towarzyszył jej w pierwszej wyprawie, ale doskonale zdawała sobie sprawę, że po prostu nie będzie w stanie wytrzymać do następnej soboty.

Tak jak się spodziewała, przyniosło to zamierzony efekt. Nie było mowy o tym, żeby Gordon puścił ją do Days samą z ich wspólną kartą. Westchnął, po czym zaproponował kompromis: najbliższy czwartek.

Linda, wielkoduszna zwyciężczyni, wzięła męża za rękę, obdarzyła najlepszą imitacją wyuzdanego uśmiechu, na jaką było ją stać, zaprowadziła do sypialni na piętrze i uraczyła Specjalną Usługą, zarezerwowaną zwykle wyłącznie na jego urodziny i Wigilię. Niesmak, który potem odczuwała (dosłownie i w przenośni), był tym razem wyjątkowo łatwy do zniesienia. Kiedy wróciła z łazienki, gdzie skorzystała z płynu do płukania ust, leżący na wznak na łóżku nagi Gordon nie sprawiał już wrażenia kogoś pokonanego i niemal ubezwłasnowolnionego, jak jeszcze całkiem niedawno na parterze.

A teraz, w ten czwartkowy poranek, o którym myślała, że już nigdy nie nadejdzie, Linda siedzi w kuchni, popija kawę i czuje się jak dziecko w Wigilię. Mniej więcej za godzinę zadzwoni do umówionych z nią klientek (dwa balejaże i jedna trwała) i powie, że Gordon złapał grypę, w związku z czym będzie musiała zostać z nim w domu. Następnie zatelefonuje do banku, by przekazać kierownikowi zmiany tę samą wiadomość: Gordon nie przyjdzie dzisiaj do pracy, ma grypę, przypuszczalnie to ta rozwijająca się błyskawicznie odmiana, jeśli zostanie w domu i odpocznie, to do jutra wszystko powinno być w porządku. Oczywiście Gordon mógłby sam zadzwonić, ale jest chyba najgorszym kłamcą na świecie: natychmiast zacząłby się plątać, stękać i pochrząkiwać, a poza tym taki telefon od troskliwej żony wyda się bardziej przekonujący.

Linda nie pamięta, żeby Gordon kiedykolwiek wziął wolny dzień, nawet wtedy kiedy naprawdę czuł się paskudnie. W dzisiejszych czasach nikt nie może być pewien posady i nawet jeśli ktoś, jak Gordon, pracuje jako doradca kredytowy w niedużym regionalnym oddziale wielkiego banku ogólnokrajowego (i chociaż ze względu na duże bezrobocie i niewielkie dochody ludności liczba udzielanych kredytów z roku na rok wyraźnie wzrasta), to ten jeden jedyny dzień nieobecności może zdecydować o przekroczeniu granicy między stałą pracą a bezrobociem. Na dodatek od kilku tygodni Gordon intensywnie stara się wkraść w łaski dyrektora oddziału; zastępca dyrektora niebawem ma odejść, by objąć kierownictwo innego oddziału, Linda zaś postanowiła, że opuszczone stanowisko musi objąć jej mąż. Tymczasem Gordon, zamiast po prostu pójść do dyrektora i poprosić o awans (na który w pełni zasługuje), postanowił ciężko pracować, czekać i mieć nadzieję. Chociaż Linda powtarza mu bez przerwy, że ci, którzy tak postępują, nigdy niczego nie osiągną, że przynajmniej powinien od czasu do czasu aluzyjnie napomknąć o swoich aspiracjach (skoro już nie może powiedzieć o nich wprost), on jak do tej pory nie zdobył się na odwagę, żeby przedsięwziąć coś aż tak śmiałego. Woli wierzyć, że jego pracowitość zostanie dostrzeżona i nagrodzona. Biedne, naiwne niewiniątko.

Przed Lindą leży na stole katalog Days. Przysuwa go, po raz kolejny zdumiona jego grubością. Musi być taki obszerny, ponieważ zawiera wykaz, a w wielu przypadkach także zdjęcia, wszystkich artykułów dostępnych w gigamarkecie.

Wszystkich? Nawet Lindzie trudno jest w to uwierzyć. W Days podobno można kupić wszystko, czego się zapragnie, każdą rzecz na świecie. Tak właśnie głosi motto na okładce katalogu, tuż pod nazwą sklepu i jego słynnym znakiem firmowym: „To, co da się sprzedać, można kupić, a co można kupić, da się sprzedać". Na tej właśnie maksymie, na tym kamieniu węgielnym wiele lat temu Septimus Day zbudował swój sklep. (Na wewnętrznej stronie okładki zamieszczono zwięzłą historię gigamarketu). Czy jednak katalog, nawet tak opasły jak ten, może zawierać rzeczywiście wszystko, czym handluje się na świecie? To przecież niemożliwe, prawda?

W ciągu tygodnia, jaki upłynął od chwili, kiedy weszła w posiadanie katalogu, Linda zdołała przekartkować zaledwie jedną czwartą, ale już znalazła kilka rzeczy, które chciałaby kupić. Z trudem otwiera potężne tomiszcze w miejscu zaznaczonym kawałkiem papieru. Krawaty. Na błyszczących stronach pysznią się dziesiątki różnokolorowych krawatów, a to i tak zaledwie drobna część oferty działu z tym asortymentem przedstawionej na poprzednich i kolejnych kartach. Linda zakreśliła ciemnozielony krawat w regularny wzór z maleńkich monet i zanotowała sobie jego numer. Gordon powinien nieco ożywić swój image. Zamiłowanie do spokojnych, prostych ubrań – proszę bardzo, ale przydałaby się odrobina szaleństwa; domieszka żywego koloru nieco zachwiałaby jego konserwatyzmem w ubiorze, co z pewnością nie pozostałoby niezauważone. Chyba nigdy nie zdoła go namówić do włożenia jaskrawej koszuli, ale być może uda jej się go nakłonić, by zechciał sięgnąć po interesujący krawat, szczególnie jeżeli – tak jak w tym przypadku – wzór bezpośrednio nawiązuje do pracy Gordona. Kto wie, może właśnie dzięki temu krawatowi dyrektor oddziału zwróci uwagę na te cechy charakteru Gordona, o których istnieniu Linda od dawna jest całkowicie przekonana, a przynajmniej w nie wierzy, a już na pewno (bądźmy szczerzy) chciałaby w nie wierzyć. Jest pewna, iż Gordon był kiedyś nadzwyczaj interesującą osobą. Kiedy jeszcze ze sobą chodzili, a nawet w początkowym okresie małżeństwa, był dzielny, energiczny, buntowniczy, niekiedy nawet zuchwały. Tak właśnie? Oczywiście, że tak! I nadal taki jest, tyle że z upływem czasu te cechy jego osobowości zaczęły być coraz mniej widoczne pod coraz grubszą warstwą trosk i obowiązków, i znikały niczym kadłub statku pod rozrastającymi się koloniami małży. Teraz, kiedy mają kartę Days, to się zmieni. Wszystko się zmieni.

Przerzuca kartki i przechodzi do działu z zegarami, gdzie znalazła jeszcze jeden przedmiot, który zamierza kupić.

Na pierwszy rzut oka ten kominkowy zegar nie wyróżnia się niczym nadzwyczajnym. Wzorowany na autentyku sprzed wielu dziesięcioleci, w mosiężnej, misternie zdobionej obudowie, na podstawie z ciemnogranatowego szkła, wspierającej się na barkach czterech skrzydlatych cherubinków dmących co sił w trąbki, które przyciskają do ust pulchnymi rączkami. Całkiem niebrzydki, choć na sąsiednich stronach bez trudu można by znaleźć sporo znacznie piękniejszych przykładów sztuki zegarmistrzowskiej. Tak się jednak składa, iż jest niemal identyczny jak zegar, który należał niegdyś do rodziców Lindy i był z pietyzmem przekazywany z pokolenia na pokolenie w żeńskiej linii rodziny. Zajmował honorowe miejsce na kominku w salonie, matka Lindy nakręcała go z nabożeństwem, a dwa razy w roku starannie czyściła, by wydobyć piękny błysk mosiądzu. Był to chyba najładniejszy przedmiot należący do rodziny, a już na pewno otaczany największym sentymentem... aż do dnia, kiedy ojciec Lindy zadbał o to, żeby córka go nie odziedziczyła.

Jak tylko zobaczyła to zdjęcie w katalogu, natychmiast zrozumiała, że oto otrzymała niepowtarzalną szansę odzyskania czegoś, czego została w dzieciństwie pozbawiona za sprawą prymitywnej, płaskiej złośliwości. Zupełnie jakby ten zegar czekał na nią, ukryty w katalogu; od chwili kiedy go ujrzała, wiedziała już, że musi być jej. Nie miała wyboru. Co prawda znalazła jeszcze sporo rzeczy, które chciałaby kupić, ale wie na pewno, iż nie wyjdzie dzisiaj ze sklepu bez dwóch sprawunków: zegara dla siebie i krawata dla Gordona.

Według elektronicznego zegara w kuchence jest 7.37. Za kilka minut Linda wróci na górę, żeby obudzić Gordona, ale na razie zamierza jeszcze rozkoszować się smakiem herbaty, ciszą i spokojem oraz przyjemnym łaskotaniem w żołądku.

Jest przekonana, że właśnie zaczyna się najwspanialszy dzień jej życia.

IV

Siedem cudów starożytności: piramidy egipskie, wiszące ogrody Babilonu, świątynia Artemidy w Efezie, wykuty przez Fidiasza posąg Zeusa w Olimpii, Mauzoleum w Halikarnasie, kolos rodyjski oraz latarnia morska na przylądku Faros w Aleksandrii

7.37

– Days Plaza Północny Zachód, Days Plaza Północny Zachód!

Frank wstaje z ławeczki, składa gazetę, chowa ją do kieszeni, po czym, przechylony lekko do tyłu, by przeciwstawić się ciągnącej go w przód sile bezwładności, rusza w kierunku drzwi z pustym kubkiem w ręce.

Na peronie skrupulatnie wrzuca kubek do kosza na śmieci. Tylko on wysiadł na tej stacji. Jeszcze za wcześnie zarówno dla klientów, jak i dla większości pracowników. Na peronie po drugiej stronie torów dwaj sprzątacze czekają na pociąg jadący w przeciwnym kierunku. Na plecach zielonych kombinezonów mają logo Days wielkości dużych talerzy. Poważnie rozmawiają przyciszonymi głosami. Schodząc po schodach do hali biletowej, Frank mija zmierzającego w przeciwną stronę jednego z nocnych strażników gigamarketu. Jeśli strażnik jest naprawdę tak zmęczony, na jakiego wygląda, to musiał mieć bardzo wyczerpującą noc.

Zaraz po wyjściu ze stacji na Days Plaza podmuch niezwykle silnego wiatru o mało nie zwala Franka z nóg.

Budynek gigamarketu wytwarza własny mikroklimat; wzdłuż dwuipółkilometrowych ścian hulają porywiste wiatry, które zderzają się, tworząc miniaturowe trąby powietrzne, a te następnie szaleją po placu, szarpią ozdobne krzewy i burzą wodę w zbiornikach przy fontannach.

Frank zaciska zęby, pochyla głowę jak byk i rusza w poprzek placu. Poły płaszcza trzepoczą, włosy powiewają we wszystkie strony. Wiatr nie jest zimny, ale uparty i złośliwy. Nieliczne drzewka, które odważyły się tu wyrosnąć, są powykrzywiane i rachityczne.

W każdym z czterech narożników placu jest stacja kolejki dojazdowej. Łączy je linia autobusowa, z przystankami w połowie odległości między stacjami. Oznacza to, że klienci korzystający z transportu publicznego muszą pokonać pieszo co najmniej pół kilometra, żeby dotrzeć do sklepu. Znacznie lepiej mają ci, którzy przyjeżdżają taksówkami albo prywatnymi samochodami. Podjazdy dla taksówek wiją się ciasnymi serpentynami przed wszystkimi czterema wejściami, w podziemiach gigantycznej budowli mieści się zaś siedmiopoziomowy parking, skąd windy wywożą klientów do hallów wejściowych. Z punktu widzenia sprzedawcy takie rozwiązanie jest logiczne i uzasadnione: klienci, którzy wiedzą, że będą musieli taszczyć do domu torby z zakupami, siłą rzeczy wybierają produkty małe i lekkie, a więc w większości niezbyt kosztowne. Takie a nie inne usytuowanie stacji kolejki dojazdowej i przystanków autobusowych ma zachęcić do korzystania z taksówek i prywatnych samochodów. W samochodach jest mnóstwo miejsca na zakupy, podziemne parkingi stanowią zaś, ma się rozumieć, dodatkowe źródło dochodu.

Frank idzie ze spuszczoną głową, nie tylko dlatego, żeby chronić oczy przed pyłem i ziarenkami piasku niesionymi przez wiatr, ale przede wszystkim po to, by nie widzieć budowli. Mimo to wyraźnie czuje przytłaczającą obecność tej sztucznej góry. Wydaje się, że budynek stoi w lekkim zagłębieniu terenu, jakby ziemia ugięła się pod ciężarem pierwszego na świecie i (według powszechnej opinii) najlepszego gigamarketu, lecz nie sposób wykluczyć, iż to celowa architektoniczna koncepcja, zmuszająca gości, by w miarę zbliżania się do Days coraz bardziej przyspieszali kroku.

Dopiero całkiem blisko Wejścia Północno-Zachodniego Frank podnosi wzrok na budynek, który na trzydzieści trzy lata całkowicie zdominował jego życie. Od tego widoku można dostać zawrotu głowy, ale Franka zawsze najbardziej zdumiewają nie tyle rozmiary budowli, co liczba zużytych na nią cegieł. Muszą ich być miliardy, a każda została ułożona na warstwie zaprawy przez murarza, który w ten sposób dołożył swój fragmencik do gigantycznej układanki, anonimowo przyczyniając się do powstania monstrualnej całości. Czas, wiatr i pogoda odcisnęły wyraźne piętno na ceglanym murze, zaprawa wykrusza się w wielu miejscach, jednak Days wciąż stoi – spełnione marzenie jednego człowieka, efekt pracy wielu tysięcy.

Oglądacze jak zwykle kulą się przy ogromnych szybach wystawowych, gdzieniegdzie nawet w dwóch rzędach. W opasującym budowlę łańcuchu ciał są nieliczne przerwy: przy czterech bramach, przez które wjeżdżają ciężarówki z towarem, oraz przy wejściach do sklepu. Większość oglądaczy już nie śpi. Niektórzy skubią kanapki i kawałki ciasta, które udało im się zdobyć poprzedniego dnia. (Codziennie wieczorem wolontariusze z organizacji humanitarnych rozdają wśród oglądaczy żywność i napoje; administracja Days toleruje ten obyczaj, choć w żaden sposób w nim nie uczestniczy). Inni, jak co rano, wykonują proste ćwiczenia gimnastyczne, usiłując rozruszać zesztywniałe kończyny. Są też tacy, którzy ukryli się w pobliskich krzewach, by załatwić potrzeby fizjologiczne, pozostali zaś zajmują pozycje przed ulubionymi wystawami, rozkładają sfatygowane koce, przyciskają je wypchanymi foliowymi torbami z logo Days. W miarę zbliżania się godziny dziewiątej – chyba że niebo zaciągnie się chmurami i będzie zbierało się na deszcz – zacznie przybywać oglądaczy, którzy jeszcze mają gdzie mieszkać, ale wtedy wszystkie dobre miejsca będą już zajęte. Co zamożniejsi oglądacze przywożą rozkładane krzesła i stoliki, często zjawiają się z rodzinami i w towarzystwie przyjaciół, by wspólnie z nimi podziwiać wystawy. Jednak autentyczni fanatycy, ci, co spędzają całe życie w pobliżu Days, ci, co jedzą i śpią w cieniu budynku, nie zważają na kaprysy pogody. Powszechnie uważa się, iż oglądacze to niemal w całości dawni klienci gigamarketu, którzy z jakichś powodów utracili swoje konta, lecz słuszność tej teorii nigdy nie została jednoznacznie potwierdzona.

Na razie wszystkie okna zasłonięte są od wewnątrz grubymi aksamitnymi kotarami z wyhaftowanymi wielkimi logo Days.

Kiedy Frank zbliża się do narożnika budynku, kilku oglądaczy zerka na niego, kiwa głowami, po czym odwraca wzrok. Rozpoznają go nie po twarzy – niewielu ludzi pamięta twarz Franka – lecz po sylwetce. Rozpoznają w nim jednego spośród siebie, jednego z przeoczonych, zapomnianych, spisanych na straty.

Stara się ignorować niesioną przez wiatr woń niemytych ciał i brudnych ubrań.

Na szczycie niewysokich schodów wiodących do Wejścia Północno-Zachodniego stoją dwaj strażnicy w ocieplanych kurtkach i kożuszkowych czapkach z logo Days. Frank wbiega po stopniach, wita się ze strażnikami, podaje Irydową. Jeden ze strażników bierze ją do ręki i przygląda się uważnie, jednocześnie poprawia pasek przewieszonego przez ramię pistoletu maszynowego. Taka kontrola nie jest konieczna, niemniej jednak strażnik ogląda kartę z obu stron, a stwierdziwszy, że nie wygląda na podrobioną (zupełnie jakby ludzkie oko potrafiło rozpoznać fachowe fałszerstwo), przesuwa ją przez szczelinę czytnika w futrynie szerokich drzwi za swoimi plecami. Następnie wystukuje na klawiaturze siedmiocyfrowy kod i siedem stalowych bolców ukrytych w futrynie odskakuje w krótkich odstępach czasu, od dołu do góry, z brzęknięciami nut pnących się po skali. Uchwyt lewego skrzydła to czarne półkole, uchwyt prawego - białe. Kiedy drzwi są zamknięte, półkola przylegają ciasno do siebie. Strażnik chwyta za czarny uchwyt i ciągnie skrzydło drzwi do siebie.

Frank dziękuje skinieniem głowy, odbiera kartę i wchodzi do środka. Drzwi zamykają się za nim, a bolce wskakują w przeznaczone dla nich otwory, od góry ku dołowi skali.

V

Siedem imion Boga: siedem żydowskich imion Najwyższego – El, Elohim, Adonaj, YHWH, Ehyeh-Asher-Ehyeh, Shaddai, Zeba'ot

8.00

Na północ od szklanej kopuły na szczycie Days stoi jednopiętrowa nadbudówka mieszkalna o zupełnie płaskim dachu. W jej południowej części znajduje się obszerny pokój na planie siedmiokąta, łączący się z resztą kompleksu tylko jedną z siedmiu ścian. Tutaj mieści się mózg gigamarketu: Biuro Zarządu.

Pośrodku pokoju, na puszystym zielonym jak dolarowy banknot dywanie króluje okrągły stół siedmiometrowej średnicy. Połowa mebla jest wykonana z jesionu, połowa z hebanu; w miejscu połączenia, przy krawędzi, elegancko wpuszczono w drewno terminal komputerowy i telefon.

Wokół stołu, w równych odstępach, fotele; każdy inny, odpowiadający wyglądem charakterowi i usposobieniu zasiadającej w nim osoby. Są tam między innymi: bogato zdobiony złoceniami tron, wypoczynkowy fotel o wysokim oparciu wyściełany delikatną cynobrową skórą, fotel w stylu *art nouveau* o wąskim siedzisku i prostym oparciu, przywodzącym na myśl kształt okna w budynku zaprojektowanym przez Franka Lloyda Wrighta, i tak dalej.

Punktualnie o ósmej weneckie żaluzje w okiennym tryptyku w południowej części Biura unoszą się automatycznie, odsłaniając widok na podstawę obracającej się kopuły. Początkowo widać tylko jej przezroczystą połowę, ale z jednej strony ukazuje się już wąziutki sierp nieprzeniknionej czerni, która w miarę upływu czasu będzie się coraz bardziej rozszerzać.

Cztery ściany naprzeciwko okien wyłożone są dębową boazerią. Na jednej z nich wisi oprawiony w złote ramy naturalnej wielkości portret samego Septimusa Daya, założyciela Days. Choć Septimus już dawno temu uiścił należność w kasie życia, wciąż omiata Biuro spojrzeniem zdrowego oka, strasząc czernią skórzanej klapki na drugim. Wszyscy, którzy osobiście znali Starego Pana, uważają, że malarz doskonale uchwycił podobieństwo. Przerażająco doskonale.

Na sąsiedniej ścianie, mniej więcej na wysokości piersi, umieszczono mosiężny panel z przełącznikiem nożowym niemal identycznym jak ten, którym w starych filmach posługuje się Victor Frankenstein ożywiający swego potwora. Różnica polega głównie na wielkości: ten przełącznik jest co najmniej siedem razy większy, i żeby go poruszyć, trzeba ceramicznego uchwytu długości kija baseballowego. Przełącznik jest ustawiony w pozycji WYŁ., uchwyt zaś leży obok niego na panelu.

Na dwóch pozostałych ścianach zamontowane są monitory telewizyjne, po szesnaście w każdej. Na obu teleścianach widnieje rozbity na szesnaście elementów obraz logo Days na zielonym tle.

Łysiejący wymuskany mężczyzna w stroju kamerdynera (koszula z długimi rękawami, kamizelka w poziome pasy) otwiera dwuskrzydłowe drzwi między dwiema teleścianami, odwraca się, zaciska palce na uchwycie wózka wielkości szpitalnych noszy i, idąc tyłem, wciąga go do Biura. Pod ciężarem siedmiu srebrnych tac kółka zagłębiają się w dywan.

Dociągnąwszy z wysiłkiem wózek na środek pokoju, lokaj obchodzi stół, przestawia wszystkie fotele o jedno miejsce, po czym wraca do wózka i powtarza obchód, stawiając na stole przed każdym fotelem jedną srebrną tacę. Po zakończeniu drugiego okrążenia stołu wyprowadza wózek z pomieszczenia. Minutę później wraca z innym wózkiem, na którym stoją dwa dzbanki, srebrny i porcelanowy, trzy dzbanuszki ze stali nierdzewnej (jeden z nich zawiera gorącą czekoladę), wysoki szklany dzbanek z sokiem pomarańczowym, butelka ginu, butelka toniku, spodeczek z pokrojoną w plasterki cytryną, malachitowe wiaderko z lodem oraz mnóstwo filiżanek, kubków, kieliszków i szklanek. Po raz kolejny okrąża stół, ustawiając właściwe trunki przy właściwych miejscach. Nawet jeśli jest lekko zdegustowany, kiedy na stole przed złoconym tronem stawia gin, tonik, cytrynę i lód, ukrywa to starannie za codzienną rutyną i maską doświadczonego sługi, który nauczył się nie okazywać żadnych uczuć zarówno w obecności pracodawców, jak i wówczas, kiedy nikogo nie ma w pobliżu.

Lokaj – nazywa się Perch – przystając na chwilę, wyjmuje z kieszonki kamizelki duży złoty zegarek, otwiera kopertę, kiwa z zadowoleniem głową, chowa zegarek do kieszonki, po czym wyprowadza drugi wózek z pokoju.

Idąc krótkim korytarzem, mija spiralne schody i dociera do kuchni. Odstawia wózek na miejsce, ustala z kucharzem szczegóły lunchu, a następnie udaje się do sąsiedniego pomieszczenia, które przywykł traktować jak swoje biuro, choć pełni ono również funkcję składu srebrnych sztućców, tabakier, szpikulców do rąbania lodu oraz szkatułek;

ich polerowanie raz w miesiącu należy do jego obowiązków. Siada przy niedużym dębowym biurku, sięga do interkomu będącego imitacją zabytkowego bakelitowego aparatu telefonicznego z tarczą i wygiętą szponiasto słuchawką z mosiężnymi elementami, podnosi słuchawkę i wybiera jedynkę.

Po kilku sygnałach rozlega się charakterystyczne kliknięcie.

– Panie Mungo... – mówi stary sługa.

– Dzień dobry, Perch – pada odpowiedź.

Słychać szum wiatru i plusk wody. Mungo jest przy basenie na dachu.

– Dzień dobry panu. Za chwilę podajemy śniadanie.

– Jeszcze dwie długości i zaraz schodzę.

– Doskonale, proszę pana.

Naciska widełki i wybiera numer dwa.

– Panie Chas...

– Chas bierze prysznic – odpowiada młody kobiecy głos.

– Z kim rozmawiam?

– Z Bliss. A z kim ja rozmawiam?

– Nie powinna pani korzystać z interkomu pana Chasa.

– Chas kazał mi odebrać – informuje go dziewczyna opryskliwym tonem.

– W takim razie proszę poinformować pana Chasa, że za chwilę zaczynamy podawać śniadanie.

– W porządku.

– Bardzo pani dziękuję.

– Nie ma sprawy. Cześć.

Perch ponownie stuka w widełki i wybiera numer trzy.

– Panie Wensley...

– Boże, czy to już, Perch? – głos jest mocno zaspany. – Już wstaję. Bądź taki miły i dopilnuj, żeby nereczki były ciepłe, dobrze?

Kolej na numer cztery.

– Panie Thurston...

– Jestem już na miejscu, Perch.

– Proszę o wybaczenie. Nie słyszałem, kiedy wszedł pan na górę.

– Nic nie szkodzi. Jajka są bardzo smaczne.

– Miło mi to słyszeć, proszę pana.

– Przekaż wyrazy uznania do kuchni.

– Zrobię to, proszę pana. Jestem pewien, że wszyscy będą bardzo zadowoleni.

Perch wybiera piątkę.

– Panie Frederick...

– Co słychać, Perch?

– Wszystko w porządku, proszę pana.

– Są już gazety?

– Zaraz sprawdzę, proszę pana. Jeśli już je przywieziono, dopilnuję, żeby czekały na pana przy stole.

– Świetnie. A więc do zobaczenia.

Numer sześć.

– Panie Sato...

– Tak, Perch.

– Za chwilę podajemy śniadanie.

– Oczywiście. Dziękuję.

– Dziękuję panu.

Perch naciska widełki, waha się, sięga do najgłębszych rezerw samokontroli (a są one naprawdę głębokie), po czym wybiera siódemkę.

Czeka prawie dwie minuty, lecz nikt nie podnosi słuchawki. Albo pan Sonny ignoruje brzęczyk interkomu, albo po prostu nie jest w stanie go usłyszeć. Perch wcale nie byłby zdziwiony, gdyby się okazało, że pan Sonny leży teraz na obrzyganej podłodze łazienki, pogrążony w głębokim pijackim śnie. Nie zdarzyłoby się to po raz pierwszy.

Odkłada słuchawkę. Na jego kamiennej twarzy pojawia się cień uśmiechu. Perspektywa poddania pana Sonny'ego zabiegom mającym przywrócić mu możliwość w miarę normalnego funkcjonowania sprawia Perchowi sporo radości.

Chyba znowu zacznie od chluśnięcia w twarz szklanką zimnej wody.

VI

Siódme niebo: stan błogiej, transcendentalnej rozkoszy

8.01

Pół godziny spokoju.

Frank idzie po morskozielonej marmurowej posadzce, przekracza opalowo-onyksową mozaikę, mija windy czekające z otwartymi na oścież drzwiami, długie rzędy metalowych wózków na zakupy (takich do pchania oraz samobieżnych), przechodzi pod nieoświetlonym żyrandolem przypominającym zeszklony wodospad, dociera do przejść o wysokich łukowych sklepieniach, które wiodą do właściwego sklepu.

Usiłuje policzyć w pamięci, ile razy przemierzał tę drogę, i jednocześnie przypomnieć sobie, kiedy zaczął bezceremonialnie deptać czarno-białe logo, zamiast, jak czyni większość, omijać je z szacunkiem. Odpowiedź na pierwsze pytanie wyraża się tak ogromną liczbą, że szybko rezygnuje z jej dokładnego ustalenia; znacznie łatwiej udzielić odpowiedzi na drugie. Otóż przestał omijać misterną mozaikę wtedy, kiedy uświadomił sobie, że może bezkarnie po niej chodzić, że nie istnieje prawo, które by tego zakazywało, i że tym, co skłania ludzi, by trzymali się z daleka od fragmentu posadzki ułożonego z cennych kamieni, jest jedynie przekonanie o świętości bogactwa – przekonanie, które przestał podzielać, a ściślej biorąc, w świętość bogactwa nigdy do końca nie wierzył.

Stało się to mniej więcej wtedy, gdy po raz pierwszy spostrzegł, iż zaczyna tracić odbicie. Tracił je tak powoli, że dopiero kiedy w pewnej chwili sięgnął pamięcią wstecz, uświadomił sobie, iż coś takiego w ogóle miało miejsce. Patrząc codziennie w lustro,. widział coraz mniej, lecz za każdym razem udawał, iż dzieje się tak za sprawą oświetlenia albo że wzrok płata mu głupie figle. Uznanie tego zjawiska za empiryczny fakt oznaczałoby przyznanie się do szaleństwa. W końcu jednak musiał stawić czoło prawdzie: stopniowo zapominał, jak wygląda i kim jest, powoli roztapiał się w nicość.

Tego samego dnia, kiedy to sobie uświadomił, odważył się po raz pierwszy postawić stopę na błyszczącej mozaice. I wtedy właśnie w najgłębszych zakamarkach jego umysłu zaczął kiełkować pomysł opuszczenia Days. Frank jest niemal pewien, iż myśl ta przyszła mu do głowy w chwili, gdy jego prawa stopa zetknęła się z ułożonym z opali półkolem, a mimo to, na przekór jego nie do końca uświadomionym oczekiwaniom, z czubka palca Mamony nie wystrzeliła oślepiająca błyskawica, aby natychmiast spopielić go za to niesłychane świętokradztwo.

Frank zatrzymuje się pod jednym z łuków, sięga po portfel i powtórnie wyjmuje z niego kartę. Każde przejście zamykają pionowe stalowe pręty z nierdzewnej stali, o dwucentymetrowej średnicy, w filarach znajdują się stożkowate terminale o owalnych ekranach, zachęcających Franka wielkimi zielonymi napisami do wsunięcia karty w szczelinę czytnika. Frank podchodzi do najbliższego terminalu i wkłada kartę w szczelinę. Ekran przez chwilę wypełnia logo Days, potem zaś pojawia się informacja:

KARTA WŁOŻONA NIEWŁAŚCIWIE
PROSZĘ SPRÓBOWAĆ JESZCZE RAZ

Kręci głową zirytowany swoim gapiostwem i stosuje się do wezwania.

HUBBLE FRANCIS J.
PRACOWNIK NR 1807-93N
STATUS KONTA: IRYDOWE
KARTA NR: 579 216 347 1592

Chwilę później ekran wypełnia inny tekst:

CZAS WEJŚCIA: 8.03
ŻYCZYMY MIŁEJ PRACY

Karta wysuwa się z czytnika, stalowe pręty wędrują w górę z pneumatycznym świstem. Frank chowa kartę do portfela i rusza dalej. Zdaje sobie sprawę z tego, że obmacują go niewidzialne promienie wykrywaczy metalu, ale ponieważ jedynymi metalowymi przedmiotami, jakie ma przy sobie, są klucze do mieszkania oraz plomby w zębach, nikt go nie zatrzymuje. Pręty błyskawicznie opadają tuż za nim, niczym rtęć spływająca przezroczystymi rurami.

Pół godziny spokoju.

Dla Franka czas między ósmą a ósmą trzydzieści jest święty. W sklepie panuje spokój, lampy świecą połową mocy, nocni strażnicy poszli już do domów, a sprzedawcy jeszcze nie pojawili się na swoich stanowiskach. Gigamarket nie jest jeszcze otwarty, ale i nie jest już zamknięty; jest zawieszony w półcienistej pustce między tymi dwoma stanami, ni to, ni owo, ani pogrążony w ciemności i bezludny, ani rozświetlony blaskiem lamp i zatłoczony, najprawdziwszy, jaki może być. W przyćmionym blasku świateł widać wszystko, co ma do zaoferowania. Niczego nie ukrywa.

Klienci wchodzący do Days Wejściem Północno-Zachodnim trafiają najpierw do Kosmetyków. Frank wkracza do tego działu i uświadamia sobie, że rejestruje w mózgu swoje wrażenia i wszystko to, co widzi, niczym organiczna kamera wideo. Dokonuje się w nim wewnętrzny podział na Franka-zwykłego człowieka i Franka-rutyniarza, który, nieczuły na otaczające go zewsząd atrakcje, zazwyczaj spędzał trzydzieści minut na niespiesznym spacerze bez konkretnego celu, pozwalając myślom na równie swobodną wędrówkę. Obserwuje siebie niczym antropolog, który bada zachowanie prymitywnego dzikusa. Co teraz robi? Przechodzi między stelażem ze środkami do pielęgnacji skóry a baterią szminek wycelowanych w niego niczym rakiety w silosach. O czym myśli? O tym, jak ogromny jest ten dział – podobnie jak wszystkie działy w Days zajmuje kwadrat o boku dwustu metrów – a jednocześnie jak jest przeładowany towarami, które piętrzą się na regałach sięgających poziomu oczu, tworzących labirynt, w którym łatwo się zgubić. Co czuje? Wspomina lęk, jaki poczuł tego dnia, gdy po raz pierwszy, ściskając w ręce kartę (wtedy była to Platynowa), przeszedł pod kamiennymi łukami i znalazł się we wnętrzu pierwszego i (wtedy nie ulegało to dla niego wątpliwości) najlepszego gigamarketu na świecie. Ten lęk pozostał w jego duszy w postaci twardego kamiennego osadu, którego mógłby się pozbyć, gdyby chciał, ale kosztowałoby go to mnóstwo wysiłku. Uczucie, jakie w tej chwili go wypełnia, najlepiej można określić jako milczącą pustkę.

Wszystko to starannie notuje w pamięci na użytek Franka Hubble'a z przyszłości, człowieka, którym stanie się już jutro, anonimowego wędrowca zanurzonego w ogromie Ameryki.

Z Kosmetyków może skierować się na południe do Perfumerii albo na wschód do Artykułów Skórzanych. Nad Perfumerią unosi się wonna mieszanina dziesięciu tysięcy rozmaitych zapachów, od której aż łzy płyną z oczu. Woń kilku hektarów wyprawionej skóry, która wypełnia Artykuły Skórzane, jest nieco mniej odrażająca, więc Frank udaje się na wschód, by potem skręcić na południe, do Pieczywa. Nie ma tu jeszcze zapachu świeżych bułek, tylko resztki wczorajszych aromatów. Chłodziarki zapchane bagietkami, plackami, rogalikami i struclami pomrukują z sytym zadowoleniem.

Dalej są Delikatesy Świata podzielone na sekcje, w których zza przystrojonych zgodnie ze stereotypowymi skojarzeniami stoisk sprzedaje się specjały z rożnych krajów. I tak potrawy indyjskie są prezentowane we wnętrzu miniaturowego modelu Tadż Mahal z malowanej dykty, włoskie w imitacji pokoju florenckiego pałacu ze stiukowymi ścianami i fragmentami muru z gołej cegły, w rynku bawarskiego miasteczka można się raczyć rozmaitymi kiełbaskami, francuska wioska proponuje klientom nieprzebrane bogactwo serów, w sąsiadującej z nią greckiej osadzie można się raczyć przyrządzanymi na tysiące sposobów oliwkami i tak dalej, i tak dalej. W chwili otwarcia sklepu przy każdym stoisku znajdzie się co najmniej jeden sprzedawca ubrany w odpowiedni strój.

Na wschód od Delikatesów zaczyna się cuchnące piekło Serów, lecz Frank podąża prosto na południe, do Lodów. Od ponad trzystu zamrażarek z przezroczystymi pokrywami wionie arktycznym chłodem. W zamrażarkach tkwią pojemniki z lodami zarówno o całkiem zwyczajnych smakach (waniliowe, czekoladowe, truskawkowe), jak i ich zupełnie nieprawdopodobne kompozycje (rabarbar z kremem, mięta z kiełbasą, łosoś ze śmietaną, tapioka z fiołkami). Prawie wszystkie można także nabyć w postaci jogurtów lub sorbetów. Frank otula się szczelniej płaszczem i przyspiesza kroku, ciągnąc za sobą mgiełkę pary z oddechu niczym wełniany szalik.

Od serca budowli dzieli go jeszcze tylko jeden dział: Cukiernia. To ponad wszelką wątpliwość materialne odwzorowanie dziecięcych wyobrażeń o raju i spełnienie koszmarnych snów uczciwych stomatologów. Stosy lizaków sięgają sufitu, rzędy słojów z krówkami, toffi i innymi ciągutkami tworzą długie ulice, na ladach piętrzą się piramidy ciastek i ciasteczek. Okrągłe lizaki rozkwitają wszędzie jak kwiaty, wokół kas wiją się niczym węże długie wstęgi lukrecji, a firmowe czarno-białe cukierki Days kusząco błyszczą zawinięte w błyszczący zielonkawy celofan. Cukierki od kaszlu sprzedaje się w półkilogramowych torebkach. Feeria barw jest tak oszałamiająca, że kameleon mógłby dostać zawału serca. Są tu marcepany w najwymyślniejszych kształtach i gumy do żucia od łagodnych w smaku po specjalnie aromatyzowane. Są też czekolady we wszystkich odcieniach, jakie można sobie wyobrazić, od nieskalanej bieli po nieprzeniknioną czerń. Czekolada słodka i gorzka, słodkogorzka, z orzechami lub rodzynkami, z rodzynkami i orzechami, w kawałeczkach maleńkich jak kości do gry i w blokach ogromnych jak płyty nagrobne. Powietrze jest tak przesycone słodyczą, że wystarczy wziąć głębszy oddech, by zapaść w diabetyczną śpiączkę.

Zaraz za Cukiernią Frank dociera do celu swojej prowadzącej na południowy wschód wędrówki – tarasu otaczającego Menażerię. Takie tarasy znajdują się na wszystkich piętrach; klienci mogą tam przysiąść na chwilę i odpocząć przed kolejnymi sprawunkami, tamtędy właśnie najłatwiej można się przedostać z jednego końca sklepu w drugi. Wyłożone marmurem koliste tarasy z sosnowymi ławkami oraz mnóstwem doniczkowych roślin (głównie filodendronów i innych gruboliściastych) są oazami spokoju wśród szaleńczego pośpiechu i zgiełku panującego niemal we wszystkich działach. Do powstania tego wrażenia przyczyniają się głównie liczne restauracje i kawiarnie. Trzeba jednak nadmienić, że ławek jest niewiele, że obsługa w restauracjach jest błyskawiczna i niedbała, przekąski zaś serwowane w kawiarniach są, najoględniej mówiąc, niejadalne.

Taras na Piętrze Czerwonym jest pusty. W całym atrium, aż po ogromną szklaną kopułę, panuje cisza zakłócana jedynie szelestem liści, cichym szmerem płynącej wody oraz rozlegającymi się od czasu do czasu głosami zwierząt. Wszystkie te dźwięki dochodzą z Menażerii.

Frank podchodzi do parapetu biegnącego wzdłuż krawędzi tarasu, opiera na nim przedramiona, wychyla się, po czym przekręca głowę, tak że aż coś trzeszczy mu w karku, i patrzy na zawieszoną sto dwadzieścia metrów wyżej kopułę.

Jej ruch obrotowy, podobnie jak trwający bez przerwy ruch gwiazd na nocnym niebie, jest zbyt powolny, by mogło go zarejestrować ludzkie oko. Frank wie, że zawsze, niezależnie od pory roku, przezroczysta połowa jest skierowana ku słońcu, chociaż nie zdołał zgłębić powodów, dla których Stary Day zdecydował się na takie skomplikowane rozwiązanie, kiedy ten sam efekt – jeśli nawet nie lepszy – można by uzyskać dzięki zupełnie przejrzystej, statycznej, a przez to znacznie tańszej kopule. Owszem, dwukolorowa kopuła pełni funkcję gigantycznego logo, odciskając pieczęć Days na całym budynku, i owszem, zasługuje na podziw jako osiągnięcie technologiczne, z punktu widzenia Franka jednak jej nieprzerwany ruch obrotowy służy jedynie temu, by w nieprzyjemny i niepożądany sposób przypominać o mijającym bezlitośnie czasie. Jeśli jej wierzyć, wszystkie doby dzielą się na dwie równe dwunastogodzinne części. Według kopuły każdy dzień jest taki sam jak poprzedni i następny.

Frank powoli opuszcza głowę, przesuwa wzrokiem po kolejnych kondygnacjach po drugiej stronie półkilometrowej wolnej przestrzeni, a wreszcie poprzez siatkę z syntetycznego włókna i plątaninę rur nawadniających kieruje spojrzenie w dół, na Menażerię.

Okrywający ją pofałdowany baldachim, który zaczyna się jakieś pięć metrów poniżej stóp Franka, składa się głównie z palmowych pióropuszy poprzetykanych gdzieniegdzie ogromnymi paprociami. Do pni poprzywierały krzaczaste epifity, na polanach rosną orchidee i bambusy. Sztuczna dżungla roztacza wilgotny ciepły aromat, jej lesistą zieleń urozmaicają roztrzepotane plamy liściastego cienia.

W wierzchołkach drzew trochę dalej na zachód rozlega się wrzask makaka, nieco bliżej Franka jakieś stworzenie odpowiada gdaczącym śmiechem (jak-jak-jak!), który po chwili przeradza się w radosne wycie. Makak powtarza stanowczo swoją terytorialną deklarację, zmuszając krzykacza do zamilknięcia. Wśród liści przesuwa się szkarłatna smuga: to papuga przeskakuje z gałęzi na gałąź. Przez poszycie przemyka jakieś zwierzę wielkości królika, wielki jaskrawoniebieski motyl uderza w sieć, trzepocze się pod nią przez chwilę, po czym znika w zielonym gąszczu. Tysiące owadów nuci delikatną pieśń, którą już niebawem, zaraz po otwarciu sklepu, zagłuszy stukot kroków i głosy kupujących. Frank przymyka oczy, daje się ogarnąć kojącemu szmerowi Menażerii. Nie ulega wątpliwości, że akurat tego będzie mu bardzo brakować. Zdarzało się już wielokrotnie, iż tylko perspektywa spędzenia tych kilku refleksyjnych chwil przed wybuchem całodziennego szaleństwa pozwalała mu zebrać dość sił, by rankiem dźwignąć się z łóżka.

Menażeria nie jest ani ogrodem zoologicznym, ani próbą stworzenia w miarę naturalnych warunków ginącym gatunkom roślin i zwierząt. To po prostu duża klatka ze skomplikowanym wyposażeniem. Dostarczane na zamówienie zwierzęta z całego świata są tu trzymane do chwili, kiedy nabywcy dopełnią wszystkich formalności i zgłoszą się po ich odbiór. W tej dziedzinie Days nie kieruje się żadnymi przesadnie rygorystycznymi zasadami: jeśli klient dysponuje odpowiednimi środkami finansowymi i złoży zamówienie, otrzyma wybrane zwierzę niezależnie od tego, czy znajduje się ono na liście gatunków zagrożonych wyginięciem, czy też jest pospolite jak łupież.

Żadne zwierzę nie mieszka długo w Menażerii. Na przykład makak opuści ją jeszcze dzisiaj. W ciągu dnia do sztucznej dżungli wkroczą wyszkoleni sprzedawcy w specjalnych strojach ochronnych, osaczą małpkę, obezwładnią ją wystrzelonym z wiatrówki pociskiem ze środkiem usypiającym, po czym wsadzą do klatki i przekażą nowemu właścicielowi – przedsiębiorcy, który postanowił sprawić córeczce niezwykły prezent na trzynaste urodziny. Stałymi mieszkańcami Menażerii są jedynie owady, tworzące nieodłączną część jej ekosystemu, ponieważ jednak szybko się rozmnażają i łatwo je zastąpić, one także są na sprzedaż.

Krótko mówiąc, Menażeria to zwyczajny dział, jeden z wielu w gigamarkecie. Jednak dla Franka, który całe życie spędził w mieście, obfitość soczystej zieleni jest czymś zupełnie obcym i fascynującym zarazem, jakąś egzotyczną symfonią skomponowaną z obrazów, dźwięków i zapachów. Tętniąca ukrytym życiem Menażeria to jakby miasto Natury, gdzie niezauważalnie kręcą się przemysłowe tryby, gdzie walczy się o terytorium, gdzie przyjezdni zjawiają się i znikają, gdzie wszystko pozornie dzieje się zupełnie niezależnie od wielkiego sklepu, którego Menażeria stanowi cząstkę.

Rzecz jasna, ta autonomia nie ma nic wspólnego z rzeczywistością. Menażeria jest tak samo uzależniona od

Days, jak Days jest uzależnione od zewnętrznego świata. Bez regularnego nawadniania i sztucznej kontroli nad klimatem roślinność szybko by wymarła. Bez roślinności wyginęłyby owady, bez roślinności i owadów wyginęłyby małe ssaki, bez małych ssaków wyginęłyby gady i większe ssaki oczekujące na ponowne schwytanie i odtransportowanie do nowych klatek; żeby tego uniknąć, trzeba by je karmić, to zaś byłoby sprzeczne z zasadami etycznymi, które legły u podstaw założenia Menażerii. Stary Day stworzył dżunglę w sercu swego sklepu w konkretnym celu: aby dać symboliczny wyraz komercjalizacji Natury, by pokazać, że napadanie i pożeranie innych stanowi powszechnie akceptowany składnik porządku rzeczy, być może nawet po to, aby umotywować pomysł założenia Days. Menażeria jest zakrojonym na wielką skalę manifestem, argumentem rzuconym na stół ręką człowieka nieliczącego się z kosztami; Frank doskonale zdaje sobie z tego sprawę, lecz mimo to traktuje ją jako coś więcej niż tylko metaforę. Za swoją oszałamiającą zieloną elokwencję Menażeria daje także świadectwo prawdom umykającym jednoznacznej interpretacji. Westchnieniami flory i rykami fauny atakuje tę część ludzkiej duszy, której nie interesuje zdobywanie i nabywanie. Po tylu latach Frank wciąż nie rozumie, co Menażeria do niego mówi, ale niczym niemowlę, które reaguje nie na słowa matki, lecz na samo brzmienie jej głosu, zawsze słucha z zachwytem.

Zza półprzymkniętych powiek dostrzega jasną plamę poruszającą się na tle zielonej gęstwiny. Pochyla mocniej głowę, otwiera oczy i wytęża wzrok.

Na leśną polanę piętnaście metrów poniżej i jakieś dwadzieścia od granicy Menażerii dumnym krokiem wyszedł biały tygrys – a właściwie, jeśli chodzi o ścisłość, biała tygrysica. Zaledwie przed tygodniem została schwytana w indyjskiej dżungli i wkrótce, za cenę równą mniej więcej dochodom z miliona sprzedanych płyt kompaktowych, trafi do prywatnej kolekcji pewnej francuskiej gwiazdy rocka.

Wspaniała istota: jasne futro między czarnymi pręgami, jasnobłękitne błyszczące ślepia, delikatnie zakrzywiony ogon, sztywny jak kij od szczotki. Ze spokojnym wdziękiem kroczy na silnych łapach ku płynącemu przez polanę strumykowi, jednemu z wielu, jakie wiją się w Menażerii, zasilane bezpośrednio z głównego wodociągu miejskiego. Zatrzymuje się na brzegu, pochyla głowę i zaczyna ociężale żłopać wodę, zagarniając ją do paszczy grubym różowym językiem, przerywając od czasu do czasu, by zlizać krople z wąsów i brody.

Frank wpatruje się w nią jak urzeczony. Ze swym ubarwieniem i wzorem na futrze tygrysica wygląda jak mitologiczna bestia albo zjawa, której przodkowie mogli być inspiracją do niejednej mrożącej krew w żyłach opowieści snutej przy ognisku w dżungli. Nawet teraz, kiedy od niechcenia chłepce wodę z na wpół przymkniętymi z zadowolenia ślepiami, na jej widok ciarki przechodzą po grzbiecie. Frank zastanawia się, jak by to było – stanąć tam w dole, obok niej, wciągnąć w płuca tygrysi zapach, przesunąć dłonią po lśniącej sierści, poczuć pod palcami ciepło i mięśnie żywego zwierzęcia.

Tygrysica unosi nagle głowę i badawczo węszy, poruszając nozdrzami niczym niedużymi ustami. Zadziera łeb coraz wyżej, w ślad za zapachem, aż wreszcie wbija wzrok w jego źródło: Franka.

Wpatruje się w niego nieruchomym wzrokiem. Frank w nią także. Zwierzę sprawia wrażenie zdziwionego, jeszcze kilka razy wciąga powietrze, jego oczy zwężają się do rozmiaru lazurowych migdałów. Frank wciąż się nie porusza.

Wydaje mu się, że ta chwila trwa wiecznie.

8.16

Tymczasem w Biurze Zarządu Thurston Day wita swych braci, starszego Munga i młodszego Sato, którzy razem wchodzą do pokoju. Żadnego z nich nie dziwi, że Thurston już siedzi na swoim miejscu (to krzesło dla maszynistek, na rolkach, z ustawianym oparciem). Thurston zwykle zjawia się pierwszy nawet w te dni, kiedy nie przewodniczy obradom, ponieważ punktualność i pedanteria są głównymi cechami charakteru czwartego syna Septimusa Daya.

Thurston pyta Munga, jak mu się pływało; najstarszy z braci Day przygładza ręką wciąż jeszcze wilgotne włosy i odpowiada, że bardzo miło. Rześki poranek, parująca woda w basenie, dwadzieścia długości zamiast piętnastu. Następnie Thurston pyta Sato, czy dobrze spał; Sato, wyginając swe długie ciało niczym modliszka, by zasiąść w wysokim i smukłym fotelu w stylu Franka Lloyda Wrighta, dziękuje bratu za uprzejme zainteresowanie, potem zaś z przyjemnością informuje dzisiejszego przewodniczącego, że spało mu się wręcz doskonale.

Usatysfakcjonowany Thurston ponownie koncentruje uwagę na ekranie terminalu, gdzie widnieją ceny obowiązujące w chwili zakończenia transakcji w Zjednoczonym Konsorcjum Ginzy w Tokio.

Sato porusza się zwinnie i delikatnie, nalewa do filiżanki jaśminowej herbaty ze stojącego przed nim porcelanowego dzbanka, po czym zdejmuje przykrycie z tacy. Są na niej: obrane ze skorupki jajko na twardo, salaterka z sałatką coleslaw, bułka oraz miseczka z fasolą i wodorostami zalanymi zsiadłym mlekiem. Tylko on spośród całego rodzeństwa otrzymał w spadku wschodnią część europejsko-azjatyckiego dziedzictwa genowego. Śniadanie Munga jest bez wątpienia bardziej treściwe i bardziej zachodnie; oprócz litrowego dzbanka z sokiem pomarańczowym Perch przyniósł mu słabo wysmażony stek, jajecznicę, grzanki z grahama, cztery plastry bekonu, stos pszennych tostów obficie posmarowanych masłem śmietankowym oraz koktajl waniliowy. Gdyby to wszystko nie wystarczyło, w odwodzie czeka talerz muesli. Nic w tym dziwnego, Mungo to kawał mężczyzny. Dzięki częstemu pływaniu jego bary są szerokości drzwi, przez grę w tenisa i ćwiczenia na siłowni wyrobił sobie mięśnie tułowia, nóg i rąk. Ma doskonale gładką, napiętą skórę i dosłownie tryska zdrowiem. W porównaniu z nim Thurston jest zgarbiony, wiotki i anemiczny. Jak wszyscy synowie Septimusa Daya ma brązowe oczy, lśniące czarne włosy i oliwkową cerę, ma także wydłużoną szczękę, zapadnięte policzki oraz tak cienkie nadgarstki, że Mungo mógłby bez trudu objąć oba jedną ręką. Thurston nosi okulary o niewielkich okrągłych szkłach, koszule z wysokimi kołnierzykami i wąskie gładkie krawaty, lecz wcale nie jest taki nieśmiały, na jakiego wygląda. Jeżeli chodzi o interesy, żaden z braci nie może się z nim równać pod względem agresywności i bezwzględności. Kiedy dobija targu, przypomina jastrzębia spadającego na ofiarę, jeśli zaś hurtowa cena, powiedzmy, kawy, wzrośnie o kilka centów, on pierwszy zaproponuje, żeby podnieść cenę detaliczną co najmniej o dwukrotność tej kwoty. Sumienie to słaby punkt biznesmena, a Thurston nie znosi słabości.

Sato, tak ascetyczny w gustach, miłośnik tego, co eleganckie a zarazem proste, podziela zamiłowanie braci do pomnażania dochodów oraz przywiązanie do bogactwa wytwarzanego przez ogromny sklep na dole. Jednak ani trochę nie interesuje go to, co można dostać za pieniądze. Taki bogacz mógłby sobie pozwolić dosłownie na wszystko, Sato jednak stara się jak najmniej zaśmiecać sobie życie materialnymi dowodami zamożności. Podniecają go wyłącznie pieniądze jako pojęcie abstrakcyjne. Zasada ich funkcjonowania. Teoria. Sato żyje oczekiwaniem na cotygodniowy bilans obrotów, który szczęśliwym zbiegiem okoliczności przypada na dzień, kiedy właśnie on przewodniczy posiedzeniu. W sobotnie wieczory, siedząc przed terminalem i obserwując wędrujące w górę po ekranie wyniki sprzedaży kolejnych działów, Sato osiąga stan najwyższej szczęśliwości. Nawet jeżeli po porównaniu tych rezultatów z wynikami konkurencji okazuje się, że ponownie Wielki Suk w Abu Zabi i Blumberg's w Nowym Jorku uzyskały znacznie lepsze wyniki, nie zazdrości ani nie wpada w gniew, tylko ulega fascynacji powiększającymi się z tygodnia na tydzień różnicami. Dla Sato pieniądze to tylko liczby, liczby zaś podlegają prawom matematyki tworzącym najprostszy i najbardziej elegancki system, jaki można sobie wymarzyć.

W chwili kiedy Sato sięga pałeczkami po pierwszą porcję wodorostów i fasoli, Mungo zaś rzuca się łapczywie na stertę jedzenia z widelcem w jednej ręce i zębatym nożem w drugiej, zjawia się Fred z naręczem gazet dostarczonych przez Percha, którego spotkał u szczytu kręconych schodów. Poranna lektura gazet (trzech brukowców, dwóch poważnych ogólnokrajowych dzienników oraz kilku o międzynarodowym zasięgu) stanowi dla Freda największą przyjemność. Podobnie jak bracia rzadko opuszcza budynek. Granice ich egzystencji wyznaczają: Biuro, dach z basenem, kortem tenisowym, bieżnią i ogrodem oraz Poziom Fioletowy, na którym każdy z braci ma prywatny apartament. Wprawdzie od czasu do czasu zapuszczają się na któryś z niższych poziomów, do sklepu, to jednak najchętniej przebywają na obszarze, który sobie wydzielili. Tak jest bezpieczniej.

Poranne gazety łączą Freda ze światem, pełnią funkcję przewodu dostarczającego świeże powietrze z zewnątrz, dzięki czemu nie dusi się w ciasnej przestrzeni. Bez wątpienia jest zadowolony ze swego losu współwłaściciela Days i z nikim by się nie zamienił, lecz bez tych gazet i telewizji kablowej wieczorami klasztorne życie, jakie prowadzi wraz z braćmi, z pewnością doprowadziłoby go do obłędu.

Fred życzy braciom miłego dnia, po czym zajmuje miejsce między Thurstonem i Sato i rzuca na stół stos gazet. Wygląd jego fotela sugeruje - być może podświadome - pragnienie wolności: to składane płócienne krzesełko, takie, jakich używają najczęściej podróżnicy i reżyserzy filmowi. Dość długie włosy, nieogolona twarz i koszula w jaskrawe azteckie wzory również o tym świadczą, za to jego śniadanie stanowi kwintesencję spokojnego, bezpiecznego dzieciństwa: słodkie płatki kukurydziane, gorąca czekolada oraz tost z masłem i dżemem truskawkowym.

Ledwie Fred zdążył otworzyć jeden z brukowców i pogrążyć się w lekturze plotek, do Biura kaczkowatym krokiem wchodzi Wensley. W pośpiechu ubrał się byle jak, żeby zdążyć zjeść śniadanie, zanim wystygnie. Pod ogromnym brzuszyskiem powiewa poła koszuli, na stopach ma tylko skarpetki, buty przyciska do piersi. Sapie głośno po wspinaczce po schodach.

Jego przywitanie z braćmi ogranicza się do skinięcia głową. Wensley dopada stołu i z rozmachem siada w fotelu z wysokim oparciem. Skórzana tapicerka wzdycha pod jego ciężarem. Zrywa przykrycie z tacy, chwyta nóż i widelec, a następnie zaczyna łapczywie wpychać między mięsiste wargi ogromne porcje duszonych nereczek, obficie oblewając sosem pokaźną kozią bródkę. Na posiłek Wensleya oprócz duszonych nereczek składają się: cztery jajka na miękko, gulasz z ryby, jaj, ryżu i warzyw, stos frytek polanych keczupem i zasmażką, jeszcze większy stos naleśników z syropem klonowym, dwie wielkie pajdy białego chleba nasączone tłuszczem, do tego zaś dzbanek śmietany i dwadzieścia gramów rafinowanego cukru do kawy.

Mungo rzadko potrafi odmówić sobie przyjemności ponaigrawania się z młodszego brata, który z takim lekceważeniem traktuje wszelkie zalecenia dotyczące zasad zdrowego odżywiania.

– Jesteś pewien, że wystarczy ci tego cholesterolu?

– Spalę go – odpowiada Wensley, nie przerywając jedzenia.

– Spalisz? W jaki sposób? Przecież nigdy w życiu nawet nie zajrzałeś na siłownię!

– Ale za to jestem nerwowy – mówi Wensley, wycierając usta lnianą serwetką.

– Nerwy ci tu nie pomogą! – uśmiecha się Mungo.

– Chodzi ci o moje zdrowie czy tylko o to, że gdyby mnie zabrakło, już nie byłoby nas siedmiu?

– Szczerze mówiąc, i o to, i o tamto.

– A więc braterska miłość i troska o własne interesy. W przypadku synów Septimusa Daya nie ma różnicy między tymi uczuciami. – Wensley wkłada do ust całe jajko na miękko, wydyma policzki, rozlega się przytłumiony chrzęst, kiedy rozgniata skorupkę, po czym połyka wszystko z nieprzyjemnym gulgoczącym odgłosem. – Nie mam racji?

Mungo wybucha śmiechem.

– Celna uwaga, Wensley. Celna uwaga.

Jako szósty zjawia się na śniadaniu Chas, drugi pod względem starszeństwa i niewątpliwie obdarzony najlepszą prezencją. Stanowi najbardziej satysfakcjonujący pod względem estetycznym efekt połączenia genów Septimusa Daya i jego żony Hiroko: ma błyszczące oczy, wyrazistą szczękę, włosy, które niezależnie od uczesania zawsze układają się tak jak powinny, kości policzkowe, których może mu pozazdrościć każdy model, wspaniałe ciało niewymagające ciągłej troski i treningu, doskonały gust w ubiorze oraz wrodzone obycie towarzyskie. Powszechnie uważa się go za „twarz" kierownictwa Days. To on spotyka się z hurtownikami, kiedy takie spotkanie jest całkowicie niezbędne, to on podczas wideokonferencji uspokaja zirytowanych dystrybutorów, to on schodzi na dół do sklepu, kiedy trzeba rozwiązać jakiś poważny problem. Braki w biznesowej edukacji nadrabia z nawiązką wdziękiem osobistym. Kiedy fakty nie mogą przechylić szali na korzyść braci Day, sztuki tej zazwyczaj dokonuje złotousty Chas.

Obdarza braci uśmiechem wypełnionym nieskazitelnie białymi i tak równymi zębami, jakby każdy został odlany w starannie przygotowanej formie, a następnie wstawiony z chirurgiczną precyzją w szczękę. W drodze do swego miejsca przy stole czule klepie Munga po ramieniu i zasiada w fotelu przypominającym połówkę sofy z wygiętym oparciem i ręcznie wykonanymi podłokietnikami. Jędrne, zgrabne pośladki spoczywają na brązowej atłasowej poduszce obrębionej złotą nicią. Śniadanie Chasa składa się z połówki melona, francuskiego tosta z bekonem i herbaty.

Fred zauważa z chytrym uśmieszkiem, że Chas nie wygląda dzisiaj zbyt dobrze. To oczywiście nieprawda: Chas wygląda znakomicie, jak zwykle zresztą. Niemniej jednak udaje, że ziewa, i rzuca od niechcenia, że miał trochę niespokojną noc.

– Wierzę ci – Fred porozumiewawczo mruży oko. – Czy twoje „niepokoje" jeszcze tu są?

– Odesłałem ją na dół z kartą in blanco.

Thurston natychmiast pyta, czy Chas określił limit wydatków.

– Tysiączek – pada nonszalancka odpowiedź.

– Mam nadzieję – ciągnie Thurston – że przedsięwziąłeś również inne środki ostrożności?

– Byłbym ci wdzięczny za odrobinę wiary we mnie – odpowiada Chas ze starannie odmierzoną dawką irytacji.

– Wybacz, że się wtrącam, ale wiesz równie dobrze jak ja, że nasi rywale nie zawahaliby się uczynić wszystkiego, co w ich mocy, żeby podważyć naszą reputację, gdyby nadarzyła im się sposobność w postaci, na przykład, wniosku o uznanie ojcostwa.

– Myślisz, że marzę o czymś takim?

– Chcę tylko powiedzieć, że swoim postępowaniem narażasz nas na ryzyko. Jesteśmy w stanie stawić czoło uczciwej konkurencji, plotki możemy ignorować, ale smrodu towarzyszącemu skandalowi bardzo trudno się pozbyć.

Widząc, że Chas się najeżył, Thurston wtrąca się do rozmowy:

– Zdaje się, że swoje kobiety bierzesz z Działu Rozrywki?

Chas kiwa głową.

– W takim razie sprawa jest jasna. Wszystkie podpisały z nami umowy o pracę. Gdyby któraś zaszła w ciążę – nie mówię, że akurat za sprawą Chasa, tylko tak w ogóle – nie miałaby żadnych podstaw prawnych, żeby nas pozwać. W punkcie szóstym umowy zobowiązały się „utrzymywać w stanie fizycznym pozwalającym na wydajną pracę". To my moglibyśmy ją pozwać, gdybyśmy uznali to za stosowne.

– A widzisz? – mówi Chas do Thurstona.

Thurston z wdziękiem uznaje się za pokonanego.

– Szczerze przepraszam.

– Przyjmuję przeprosiny.

Po tym przelotnym szkwale atmosfera w Biurze szybko się wypogadza. Przyczynia się do tego Fred, czytając na głos gazetowe doniesienie o rzeczniku prasowym partii opozycyjnej: poprzedniego dnia zauważono, że robił zakupy w Days w towarzystwie kobiety niebędącej ani jego żoną, ani sekretarką, ani oficjalną kochanką. Zostali wypatrzeni w Dziale Bieliźniarskim, kiedy polityk uiszczał należność swoją Irydową.

– Od razu mówiłem, że to on! – wykrzykuje Fred, wskazując ręką na monitory. – Byłem tego pewien!

– Może powinniśmy przyznać Palladową? – zastanawia się głośno Sato. – Zdaje się, że to dobry klient.

– Im więcej palladowych polityków mamy po obu stronach, tym lepiej – zauważa Wensley, przeżuwając kolejną porcję frytek. – Oczywiście ze względu na ewentualne ulgi podatkowe.

– Zanotuję to sobie. – Thurston szybko przebiega palcami po klawiaturze terminalu. – Chociaż tak naprawdę to nie powinniśmy zajmować się interesami poza godzinami otwarcia sklepu.

– W takim razie przepraszam – mówi Fred i wraca do lektury gazety, poruszając zabawnie brwiami na uciechę kogoś, kto uznałby za stosowne na niego spojrzeć.

Rozmowa przy śniadaniu to ożywa, to znów na jakiś czas zamiera, kontrapunktowana brzęknięciami sztućców, stukaniem klawiszy i szelestem przewracanych kartek. Przez cały czas na synów groźnie spogląda z obrazu Stary Day. Sześciu braci starannie omija wzrokiem puste siódme krzesło, nikt też ani słowem nie wspomina o nieobecnym użytkowniku kapiącego od złota tronu, przed którym stoją nietknięta taca i wszystkie składniki niezbędne do przyrządzenia ginu z tonikiem.

Lód w malachitowym kubełku zaczyna się powoli topić.

8.28

Przez pięć minut Frank wpatruje się w opustoszałą polanę w nadziei, że lada chwila z gęstwiny wyłoni się tygrysica i znowu na niego spojrzy, w końcu jednak godzi się z tym, że odeszła na dobre. On również powinien już ruszyć. Pół godziny spokoju dobiegało końca. Ze wszystkich poziomów dochodzi przytłumiony gwar, który spływa do katedralnej otchłani atrium. Wszystkimi czterema wejściami wlewają się sprzedawcy, zajmują stanowiska za ladami i przy stoiskach. On także powinien udać się na swoje miejsce.

Mimo to wciąż gapi się na polanę, mając przed oczami obraz gibkiego pręgowanego cielska. Niby nie wierzy w takie rzeczy, trudno mu jednak oprzeć się przeświadczeniu, iż to spotkanie stanowi dla niego jakąś wróżbę – być może na nowe życie. Tygrysica już niebawem opuści na zawsze Days, i on także. Będą wolni. Nie, nieprawda... To on będzie wolny, ona zaś tylko przeniesie się do innego więzienia. A więc wróżba chyba jednak nie jest najlepsza, chociaż, skoro i tak w nią nie wierzy, jakie ma to znaczenie?

Czeka do ostatniej chwili. Kiedy na tarasie zjawia się ziewający od ucha do ucha kucharz z restauracji, Frank odwraca się bez słowa i rusza ku najbliższej windzie dla personelu.

VII

Rozdział siódmy: postanowienie zawarte w federalnym Prawie o Upadłościach, dotyczące niewypłacalnych dłużników oraz ich wierzycieli

8.30

– Gordon, taksówka przyjechała!

Gordon Trivett zbiega truchtem po schodach, zapinając mankiet koszuli.

– Dlaczego akurat dzisiaj jest punktualnie? – mamrocze pod nosem.

W hallu czeka Linda z jego płaszczem na ręku. Jest już gotowa do wyjścia. Włożyła najlepszą bluzkę i spódnicę, na wierzch narzuciła tandetny plastikowy płaszcz przeciwdeszczowy; miejsca, w których szwy się porozchodziły, zostały naprawione przezroczystą taśmą klejącą. W okresie kiedy ciułali na swoją Srebrną, Trivettowie w taki właśnie sposób radzili sobie niemal we wszystkich sprawach. Dzisiaj ten uciążliwy, długi, chwilami zdający się trwać bez końca czas zaciskania pasa dobiegł końca i Linda wreszcie może zacząć zbierać owoce cierpliwości i wyrzeczeń.

Gordon – to dla niego typowe – w ogóle nie wyczuwa niezwykłości chwili.

– Gdzie moje klucze? – mruczy, nerwowo przetrząsając kieszenie.

– Nieważne, mam moje. – Na dowód prawdziwości tych słów Linda pokazuje pęk kluczy. – Jesteś już gotów?

– Byłbym znacznie bardziej gotów, gdyby taksówka nie przyjechała o czasie. Kto słyszał, żeby taksówki przyjeżdżały tak punktualnie?

– Taksówka przyjechała o czasie, ponieważ kierowca wie, dokąd jedziemy, i chce zrobić jak najlepsze wrażenie. Na pewno liczy na duży napiwek.

– Mamy wszystko?

Gordon wyrywa żonie swój płaszcz i z rozmachem otwiera drzwi.

– Klucze, torebka...

– A karta? Gdzie jest karta?

Linda trzepocze rzęsami.

– Jaka karta?

Oczy Gordona wychodzą z orbit.

– Karta, Lindo! Karta Days!

– Och, tylko żartowałam. Oto ona.

Linda macha mu Srebrną przed oczami. Gordon odwraca się i bez słowa rusza ścieżką wiodącą przez ogródek do ulicy.

– Ktoś tu dzisiaj okropnie się dąsa! – mówi Linda półgłosem.

Chyba zna przyczynę. Gordon niepokoi się tym, że nie poszedł do pracy, martwi się, że dyrektor oddziału, na przekór wszelkiemu prawdopodobieństwu, dowie się jednak, że on, Gordon, wcale nie zachorował na grypę, w konsekwencji zaś nie tylko go nie awansuje, ale wręcz przeciwnie, wyrzuci z pracy. Linda rozumie obawy męża, ale wcale mu nie współczuje. Wie, że gdyby nie strach, nigdy nie odważyłby się potraktować jej tak jak przed chwilą.

Niepotrzebnie się boi. Podczas niedawnej rozmowy telefonicznej z sekretarką dyrektora oddziału Linda dała prawdziwy popis mydlenia oczu. Perfekcyjnie odegrała rolę zatroskanej żony: kilka razy powtórzyła, że Gordon rwał się do pracy, ona jednak kategorycznie kazała mu zostać w łóżku. Ze szczegółami opisała objawy choroby: charkoczący kaszel, łzawiące oczy, obfity katar. Udała nawet, że notuje przepis na domowe lekarstwo (whisky, miód i sok z cytryny), który tamta jej podała. Gordon powinien być jej za to wdzięczny, a nie warczeć na nią w ten sposób, lecz mimo to mu wybacza. W takiej chwili, w najważniejszym dniu jej życia, nie potrafi się gniewać.

Zamyka drzwi na zatrzask i dwa zamki z bolcami, po czym rusza za mężem po prostym pasku betonu, dzielącym na dwie części trawnik przed domem. Róże przy ścieżce zmarniały już tak bardzo, że niedługo trzeba będzie je obciąć; żywopłot z kocerpki, który oddziela ich część posesji od Winslowów, rodziny zajmującej drugą połowę bliźniaka, znów wymaga przycięcia. Co prawda nigdy nie zostało ustalone, kto powinien zajmować się żywopłotem, Linda jednak pielęgnuje go z własnej inicjatywy, ponieważ Winslowowie, szczerze mówiąc, nie mają pojęcia, jak należy dbać o dom. Ich połowa bliźniaka przedstawia sobą obraz nędzy i rozpaczy. Zapuścili ogródek, przy krawężniku przed posesją rdzewieje wrak samochodu, sam budynek zaś znajduje się w opłakanym stanie: należałoby czym prędzej uzupełnić ubytki w ścianach zewnętrznych, zmienić pokrycie dachu, uprać zasłony.

Ostatnio Winslowów prześladuje pech. Pan Winslow stracił pracę przy taśmie montażowej w fabryce pralek, podanie jego córki o zatrudnienie w dziale Odzieży Sportowej w Days zostało odrzucone, żona zaś, w związku z koniecznością sprawowania opieki nad chorą i niedołężną matką, musiała zrezygnować z pełnego etatu w miejscowym supermarkecie i podjęła inną pracę w niepełnym wymiarze godzin. Wystarczy jednak, żeby Linda popatrzyła na swoją połowę domu ze schludnym ogródkiem i nieskazitelnie białymi ścianami, żeby przypomniała sobie, jak niewiele pieniędzy mogli przez kilka minionych lat przeznaczyć z Gordonem na codzienne wydatki, a jeszcze bardziej utwierdza się w przekonaniu, iż ubóstwo nie stanowi żadnego wytłumaczenia dla niechlujstwa. Żal jej Winslowów, ale czasy są ciężkie i, żeby je przetrwać, trzeba być bezwzględnym zarówno dla siebie, jak i dla innych. Jakże często podczas pięcioletniej walki o Srebrną Linda była bliska rezygnacji z całego przedsięwzięcia, nie widząc kresu bezustannych wyrzeczeń, lecz ponieważ rozpacz również należała do luksusowych dóbr, na które nie mogła sobie pozwolić, jakoś jej nie uległa. Jednocześnie wiele uwagi poświęcała temu, by nie zejść poniżej pewnego poziomu, w związku z czym nauczyła się podstaw dekoracji wnętrz, tak aby nikt się nie domyślił, że mieszkańcy domu borykają się z poważnymi problemami finansowymi. Dzięki książkom z biblioteki nieobce stały jej się również proste prace hydrauliczne i elektryczne, dzięki czemu zdołała sporo zaoszczędzić na fachowcach.

Jeżeli chodzi o dorabianie w charakterze fryzjerki, to zaraz po ukończeniu szkoły Linda spędziła rok jako uczennica w salonie kosmetycznym, gdzie pracowała za głodową stawkę, oczekując na posadę, której w końcu nie otrzymała. Jak tylko zdała sobie sprawę, że pensja Gordona nie zapewni im upragnionej Srebrnej, zaczęła doskonalić nabyte tam umiejętności – najpierw na znajomych, potem na znajomych znajomych, stopniowo poszerzając grono klientek. Od samego początku ceny były u niej co najmniej o jedną czwartą niższe niż w najtańszym zakładzie fryzjerskim, co bez wątpienia przyczyniło się do jej sukcesu; nie bez znaczenia był też fakt, że świadczyła usługi również poza swoim domem, czym zyskała sporą popularność wśród niepełnosprawnych oraz osób w podeszłym wieku. W stosunkowo krótkim czasie interes rozkręcił się na tyle, że jakoś zdołali przetrwać pięć chudych lat, regularnie zasilając coraz zasobniejsze konto w Days.

Biorąc to wszystko pod uwagę, Linda uważa, że ma pełne prawo do samozadowolenia oraz do tego, by odczuwać rozczarowanie postawą najbliższych sąsiadów, którzy przegrali walkę z życiem. Gdyby postarali się trochę bardziej, gdyby nie obnosili się tak ze swoją klęską, z pewnością również mieliby szansę na kartę Days, choć raczej nie na Srebrną.

Gordon wcisnął się w kąt taksówki stojącej przy krawężniku, z silnikiem pracującym na wolnych obrotach, i bębni palcami w kolano. Linda celowo nie spieszy się z zamykaniem furtki, powoli podchodzi do taksówki i siada obok męża. Nie znosi ponaglania, dodatkowo zaś zależy jej na tym, żeby jak najwięcej sąsiadów było świadkami ich wyjazdu. Wie na pewno, że mieszkająca trzy domy dalej Bella stoi przy kuchennym oknie; co prawda nie widzi, jak Bella ostrożnie rozchyla palcami żaluzje, ale w tych sprawach instynkt nigdy jej nie zawodzi. Wie także, z niezachwianą pewnością, że pięć domów dalej po drugiej stronie ulicy Margie zerka zza firanek w salonie. Lindzie mignęła jej sylwetka częściowo przesłonięta koronkami. Pozostali też patrzą. Cała ulica bez wątpienia wie, dokąd Linda z Gordonem dzisiaj się wybierają.

W taksówce cuchnie ohydnym odświeżaczem powietrza. Waniliowy aromat jest tak obrzydliwy, że natychmiast po zamknięciu drzwi Linda opuszcza szybę. Kierowca jest szczupły, ma mocno przerzedzone włosy, zapadnięte oczy oraz nastroszone wąsy. Zerka na Lindę w lusterku wstecznym, lekko kiwa głową, jakby doszedł do jakichś wniosków na jej temat (chociaż równie dobrze może to być powitanie), po czym włącza kierunkowskaz i rusza.

Samochód powoli sunie ulicą. Linda wystawia twarz z otwartego okna, częściowo po to, żeby nie wdychać „odświeżonego" powietrza, przede wszystkim jednak w tym celu, aby wszyscy dokładnie ją widzieli. Jest tak podekscytowana, że aż kręci się jej w głowie. Days! Jadą do Days! Jeszcze nigdy w ciągu trzydziestu jeden lat życia nie była tak podniecona. Nawet w dniu ślubu, choć jest przekonana, że była bardzo szczęśliwa, zdenerwowanie i powracające wciąż wątpliwości nie pozwoliły jej w pełni rozkoszować się szczęściem. Dopiero teraz jest całkowicie pewna, że za chwilę wydarzy się coś, czego pragnie całym sercem.

Oczywiście, że tego pragnie! Od dzieciństwa marzyła o posiadaniu konta w Days. Kiedy mała Linda z niezachwianym przekonaniem oznajmiała, iż pewnego dnia przekroczy próg pierwszego i (bez wątpienia) najlepszego gigamarketu na świecie, ściskając w ręce kartę, na której będzie jej imię i nazwisko, matka śmiała się z niej. „Chyba że wygrasz na loterii albo wyjdziesz za milionera! – mówiła. – Owszem, być może wejdziesz kiedyś do Days, ale jako sprzedawczyni". Ale taka właśnie była jej matka. Ojciec Lindy był odrażającym gburem bezustannie poddającym żonę jadowitej krytyce, ona zaś godziła się na to pokornie, ponieważ bała się uwierzyć, że życie może jej dać coś więcej; gdyby uwierzyła, przyznałaby jednocześnie, że zadowoliła się byle czym. Linda przysięgła sobie, że nigdy nie będzie taka jak matka, i oto, proszę bardzo, hura, nie jest! Dzisiejszy dzień stanowi najlepszy tego dowód.

Kiedy są już przy końcu ulicy, z kiosku na rogu wychodzi Pat z biletem loterii Days w ręce, z przejęciem po raz kolejny skreślając „szczęśliwe" liczby. Linda woła do niej, Pat podnosi głowę, macha ręką, ale trochę niepewnie, jakby potrzebowała nieco czasu, żeby uświadomić sobie, dokąd to Linda może jechać taksówką w czwartkowy ranek, chociaż co najmniej od tygodnia rozmawiały niemal wyłącznie o planowanej wyprawie do Days. Linda podnosi rękę i porusza nią dostojnie, w zabawny (tak jej się przynajmniej wydaje) sposób naśladując gest królowej pozdrawiającej poddanych. Pat chyba jednak nie rozumie żartu, ponieważ przestaje się uśmiechać i marszczy brwi. Linda będzie później musiała wyjaśnić jej humorystyczny aspekt sytuacji, ponieważ wolałaby, żeby Pat nie zrozumiała jej opacznie i nie opowiadała wszystkim dookoła, że odkąd Linda Trivett stała się posiadaczką Srebrnej, zupełnie przewróciło się jej w głowie.

Kierowca szerokim łukiem omija wór ze śmieciami, który stoczył się z chodnika na jezdnię i pękł niczym brzuch nieboszczyka, po czym taksówka skręca w kierunku centrum. Taksometr pracowicie nalicza należność. Gordon zaczyna się niepokoić. Zdejmuje okulary, wyciera szkła chusteczką, zakłada je ponownie. Skubie dolną wargę. Rysuje palcem jakieś kształty na udzie. Bawi się kartą, wysuwa ją z zamszowego futeralika, obraca w palcach, chowa, i tak w kółko. Tymczasem Linda obserwuje miasto: pozamykane sklepy, puby, w których mimo wczesnej godziny panuje spory ruch, kawiarnie pełne zagubionych dusz usiłujących wypełnić cały poranek piciem jednej filiżanki herbaty, żebraków, którzy czatują przy ulicznych sygnalizatorach, wyposażeni w kartoniki z napisami: „Jestem bezdomny, szukam pracy za jedzenie" albo „Samotna matka z sześciorgiem dzieci bez środków do życia"; patrzy na dzieciaki gromadzące się wokół ławek w zaniedbanych parkach, żeby pić i palić, na wywrzaskującego niezrozumiałe słowa człowieka, który z pewnością powinien przebywać w zakładzie dla psychicznie chorych, zamiast walać się po rynsztokach. Ci ludzie, w przeciwieństwie do niej, porzucili nadzieję, brakuje im energii, zdecydowania i dynamizmu – tak, to bardzo dobre słowo! – by doprowadzić do poprawy swego losu. Ich widok równocześnie irytuje ją i smuci.

– Do Days, zgadza się? – taksówkarz wyrywa ją z zamyślenia. Patrzy na nią we wstecznym lusterku, a kiedy jest pewien, że zwróciła na niego uwagę, odwraca się i spogląda jej prosto w oczy. – Nie musicie mi mówić, poznaję to po ludziach. – Kieruje wzrok na drogę. – Srebrna?

Linda podejrzewa, że taksówkarz zauważył kartę w rękach Gordona, ale nie jest tego pewna.

– Trafił pan. Ma pan dobre oko.

– Zawsze trafiam. Mam do tego smykałkę. Założę się, że to wasz pierwszy raz.

– Skąd pan wie?

Kierowca posyła jej szybki uśmiech.

– Znowu trafiłem? – Kręci głową. – No, dzisiaj jestem w wyjątkowej formie!

– Pewnie bardzo się niecierpliwimy...

– Nie o to chodzi, proszę pani. Oboje wyglądacie tak... niewinnie. Nic innego nie przychodzi mi do głowy. Świeże twarze. Jak żołnierze, którzy jeszcze nigdy nie brali udziału w bitwie.

– Mówi pan bardzo niezwykłe rzeczy.

– Ale prawdziwe. Stali bywalcy są tacy... ostrożni i zmęczeni.

– Jestem pewna, że my tacy nie będziemy. Prawda, Gordon?

Gordon mruczy potwierdzająco.

– Teraz tak mówicie, ale w Days spotykają ludzi różne paskudne rzeczy. Takie, po których szybko mija cały entuzjazm.

– Owszem, słyszałam różne plotki.

– To nie...

Kierowca milknie, ponieważ jakieś trzydzieści metrów przed nimi powoli wytacza się z parkingu brudna furgonetka. Taksówkarz przeklina na czym świat stoi, gwałtownie dodaje gazu, hamuje metr za tylnym zderzakiem furgonetki, po czym kilkakrotnie naciska klakson.

Na tylnych zakurzonych drzwiach furgonetki ktoś narysował logo Days, przekreślił, pod spodem zaś napisał wielkimi literami:

ŚMIERĆ
DAYS!

To z zazdrości, myśli Linda.

Furgonetka skręca na najbliższym skrzyżowaniu, kierowca odrywa rękę od kierownicy i porusza nią w imitującym masturbację szyderczym pozdrowieniu.

– Dupek! – warczy taksówkarz, po czym zwraca się do Trivettów: – Widzieliście? Widzieliście, jak wyjechał mi tuż przed maską? Niewiele brakowało, żebym władował się prosto w niego!

Gordon milczy, Linda zaś jakby nigdy nic podejmuje rozmowę w miejscu, w którym została przerwana.

– Więc mówi pan, że to nie plotki?

– Że to nie plotki?

– Plotki o Days.

– Te o ludziach, którzy tam zginęli?

– Właśnie te.

– Och, to nie plotki. To prawda.

– Podobno w każdej plotce jest trochę prawdy, ale czy pan nie uważa, że te pogłoski zostały rozdmuchane przez prasę i telewizję? Niemożliwe, żeby naprawdę było aż tak źle!

– Chyba ostatnio nie czytała pani gazet, prawda? Przed świętami stratowano na śmierć siedemnastu klientów, ośmiu zginęło podczas styczniowej wyprzedaży. Dla mnie to wygląda paskudnie, a przecież mówimy tylko o wypadkach!

– Ale ludzie wciąż tam chodzą...

– Jasne, że chodzą. Przecież to Days! W dodatku wciąż urządzają tam błyskawiczne wyprzedaże.

– My nie mamy najmniejszego zamiaru w nich uczestniczyć! – stwierdza Linda stanowczo. – Prawda, Gordon?

– To chyba dobry pomysł... – mamrocze Gordon.

– Bardzo dobry – potwierdza kierowca. – Oczywiście jeśli wam się uda.

– Na pewno się uda.

– Są też ci, którzy mieli problemy z Ochroną.

– Ma pan na myśli złodziei?

– Tak jest. Czy wiecie, że w ubiegłym roku Ochrona Days zastrzeliła ich aż trzynastu?

– Bo uciekali.

– A pani by nie uciekała? Co by pani zrobiła, mając do wyboru: albo na zawsze stracić konto w Days, albo zaryzykować?

– Przede wszystkim na pewno niczego bym nie kradła – odpowiada Linda chłodnym tonem.

– Oczywiście. Jasne. Chcę tylko powiedzieć, że nawet dla uczciwych klientów, takich jak wy, Days to niezbyt bezpieczne miejsce.

– Podpisaliśmy oświadczenie – mówi Linda. – Zdajemy sobie sprawę z ryzyka.

To krótkie zdanie najlepiej podsumowuje jej stosunek do sprawy. Taksówkarz mówi o przykrościach, które mogą spotkać nieostrożnych lub nieprzestrzegających przepisów klientów Days. To typowe: jak wszyscy, którym nie udało się otworzyć tam konta, widzi tylko ciemne strony. Jak można obciążać kierownictwo gigamarketu odpowiedzialnością za tragiczne zdarzenia, które od czasu do czasu mają tam miejsce? Wina leży po stronie klientów. Jeśli nie wiesz, jak się zachować, i jeśli brakuje ci samokontroli, która powstrzyma cię przed wzięciem z półki czegoś, na co cię nie stać, to musisz ponieść konsekwencje swego postępowania.

Linda nie mówi jednak głośno tego, co uważa za oczywiste, tylko opiera się wygodnie i z założonymi rękami wypatruje na horyzoncie zwalistej sylwety gigantycznego sklepu.

Taksówkarz intensywnie nad czymś myśli, po czym mówi:

– Ale to i tak niebezpieczne. Na waszym miejscu pomyślałbym o jakimś zabezpieczeniu.

– O jakim zabezpieczeniu?

Kierowca jakby uparł się, żeby zburzyć szczęście Lindy, więc można jej wybaczyć opryskliwy ton.

– O czymś, czym moglibyście się bronić, gdybyście natknęli się na szaleńca.

– Szaleńcy nie robią zakupów w Days.

– Oby się pani nie zdziwiła.

– Ale przecież na tym cała rzecz polega, że tylko pewna... no... pewna klasa ludzi może tam robić zakupy!

– Nie klasa, proszę pani, tylko typ. Typ ludzi, którzy lubią kupować, którzy żyją po to, żeby kupować. Tacy, którzy dostają obłędu na wiadomość o błyskawicznej wyprzedaży i którzy wpadną w szał, jeśli zabraknie dla nich czegoś, co pani przed chwilą włożyła do koszyka. Tacy, którzy rzucą się na panią z zębami, jeśli im pani tego nie odda. Tacy właśnie ludzie robią zakupy w Days i ich właśnie musicie się wystrzegać.

– Pierwszy raz słyszę takie bzdury! – prycha Linda i spogląda na męża. – A ty?

Gordon wzrusza ramionami:

– Obiło mi się o uszy, że niektórzy zachowują się tam dość dziwnie...

– Otóż to – dorzuca kierowca.

– Cóż, po prostu będziemy trzymać się z daleka od wszystkich, którzy nam się nie spodobają.

– Bardzo słusznie. Nie myślcie sobie, że chcę wam zepsuć humor, czy coś w tym rodzaju. To po prostu przyjacielska rada.

– Bardzo dziękujemy – odpowiada Linda oschłym tonem, lecz słowa taksówkarza jednak trochę ją zaintrygowały. – Tak z czystej ciekawości zapytam, co pan miał na myśli, mówiąc o „zabezpieczeniu"? Jeżeli broń, to całkowita bzdura. Absolutnie wykluczone!

– Ma pani rację. Przede wszystkim nie wniosłaby jej pani do środka, bo przy wejściach są wykrywacze metalu. Myślałem o czymś, co nikomu nie zrobi krzywdy, ale odpędzi każdego, kto miałby, nie daj Boże, jakieś złe zamiary.

– A cóż to takiego?

Uśmiechając się szeroko, taksówkarz przechyla się nad fotelem pasażera i otwiera schowek w desce rozdzielczej. Wewnątrz widać kilka spiętych gumką niedużych błyszczących cylindrów wielkości szminki, czarnych ze złocistymi kapturkami.

– Dostałem je od kumpla, byłego policjanta. Tajniaczki noszą je w torebkach. To pieprzowy gaz łzawiący. Robią go z tych, jak im tam... Jallypeeno?

– Jalapeno – poprawia go Linda.

– Właśnie. Na pewno wie pani, jak się człowiek czuje, kiedy krojąc to cholerstwo, przez zapomnienie potrze sobie oko? No więc to jest dziesięć razy gorsze. Wystarczy raz psiknąć w twarz i gwałciciel, bandyta, zboczeniec czy ktokolwiek zmyka bez śladu. – Zamyka schowek i ponownie koncentruje uwagę na drodze. – Są z plastiku, więc wykrywacze metalu niczego nie wychwycą.

– A czy to legalne? – pyta Linda.

– Skoro używa ich policja, to pewnie tak, przynajmniej teoretycznie. Jest pani zainteresowana?

– Pyta pan, czy chcę coś takiego?

– Sugeruję, że może się pani przydać.

Linda odwraca się do męża, lecz ten macha ręką.

– Mnie nie pytaj. Jeśli myślisz, że powinnaś to mieć, po prostu kup, i już.

– Nie wydaje mi się, że powinnam, ale myślę, że dobrze by było mieć coś takiego pod ręką.

– Jak uważasz.

– Na wszelki wypadek.

– Jak uważasz.

– Przypuszczalnie nigdy z tego nie skorzystam, ale na pewno będę się czuć bezpieczniej.

– Rób, co wydaje ci się stosowne.

– Czy mogę zapłacić naszą Srebrną? – pyta Linda taksówkarza.

– Doliczę to do rachunku za przejazd. – Kierowca ponownie sięga do schowka, jednocześnie wskazując przed siebie palcem ręki, która została na kierownicy. – Patrzcie, już dojeżdżamy.

Rzeczywiście. Nad dachami domów sunie ku nim jakby ogromny, przedziwny galeon pod pełnymi żaglami: ceglany prostopadłościan barwy zaschniętej krwi, którego rozmiary onieśmielają nawet najbardziej pewnych siebie ludzi. Rzecz jasna, Linda widywała go już wiele razy, lecz aż do dzisiaj był dla niej niedostępny niczym odizolowany od świata zewnętrznego gułag, ogromna zamknięta przestrzeń, którą wypełniała snami, wyobrażeniami, marzeniami i pragnieniami. Do tej pory ta kraina czarów była dla niej nieosiągalna; dzisiaj Linda wreszcie wślizgnie się do niej przez króliczą norę.

Days!

VIII

Starożytny Rzym: zbudowany na siedmiu wzgórzach – Awentynie, Palatynie, Kapitolu, Kwirynale, Wiminale, Eskwilinie i Celiusie

8.32

Podziemia to plątanina tuneli: od szerokich korytarzy odgałęziają się węższe, od tych zaś jeszcze węższe, oświetlone zawieszonymi w nieregularnych odstępach pod sufitem lampami o niewielkiej mocy. Również pod sufitem biegną przewody wentylacyjne, rury i kable – żyły budynku – przy każdym skrzyżowaniu zaś widnieją na ścianach różnokolorowe strzałki, w tym miejscu bowiem, gdzie wszystkie płaszczyzny (z wyjątkiem podłóg pokrytych wytartą zieloną wykładziną z powtarzającym się w nieskończoność logo Days) są jednolicie szare, bardzo łatwo stracić orientację. Ponieważ korytarze są niemal identyczne, nawet pracownicy o długim stażu muszą niekiedy korzystać z pomocy tych strzałek, aby dotrzeć do celu.

Frank jednak tak doskonale zna każdy zakamarek Podziemi, że zaraz po wyjściu z windy skręca i pewnym krokiem rusza we właściwym kierunku. Po kilkunastu minutach dołącza do niego para Oczu – jeden facet jest chudy i kościsty, drugi duży i otyły, obaj z kwarcówkową, lekko sinawą opalenizną. Frank dostosowuje się do tempa ich marszu i podsłuchuje rozmowę. Dyskusja dotyczy wczorajszego meczu piłkarskiego. Wygląda na to, że narodowa reprezentacja doznała sromotnej klęski w spotkaniu z zespołem z jakiegoś mikronezyjskiego atolu, ale Oczy pocieszają się faktem, iż mecz zakończył się wynikiem zero do pięciu. Biorąc pod uwagę aktualną formę reprezentacji, mogło być znacznie gorzej.

Frank nie interesuje się piłką nożną ani żadnym innym sportem, szybko więc traci zainteresowanie rozmową i zostaje kilka kroków z tyłu, by po chwili stwierdzić, że maszeruje obok innego Ducha. Że to Duch, rozpoznaje nie po twarzy, lecz po sylwetce i sposobie, w jaki się porusza: lekko przygarbiony mężczyzna nie tyle kroczy, co przemyka się blisko ściany korytarza.

Kiedy dwa Duchy spotkają się niespodziewanie, wysyłają ku sobie impulsy poufałości, jakby byli dwiema identycznie nastrojonymi strunami: gdy jedna zadrży, druga wibruje z taką samą częstotliwością. Każdy z nich czuje się tak, jakby spotkał brata bliźniaka, o którego istnieniu nie miał do tej pory pojęcia. Mimo to, zgodnie z niepisanym zwyczajem, udają, że się nie dostrzegają, Frank zaś nieco zwalnia kroku, pozwalając współpracownikowi wysforować się naprzód. Zatrzymuje się przed drzwiami z napisem „Ochrona Taktyczna", czeka, aż tamten wejdzie do środka, po czym idzie w jego ślady. Za plecami wyczuwa obecność jeszcze jednego Ducha, tym razem kobiety, i z uprzejmości nie przytrzymuje drzwi, żeby oszczędzić jej konieczności spojrzenia mu w twarz i podziękowania.

Ochrona Taktyczna to jedna z wielu samowystarczalnych komórek ulokowanych w Podziemiach, z własną stołówką, toaletami i szatnią. Frank dzieli szatnię z dwudziestoma innymi Duchami; kiedy tam wchodzi, prawie wszyscy już są – mężczyźni i kobiety o nijakim wyglądzie, w trudnym do określenia wieku, ubrani schludnie, ale w sposób nierzucający się w oczy. Kobiety mają minimalny makijaż, mężczyźni zaś wyglądają tak, jakby – tak jak Frank – strzygli się sami. Tylko nieliczne kobiety noszą biżuterię, a jeśli już, to ograniczają się do skromnych kolczyków i prostych pierścionków. Nikt nie ma obrączki na palcu. Duchy omijają się wzrokiem, nie rozmawiają, tylko spokojnie przygotowują się do pracy. Frank także.

Machnięciem Irydowej otwiera swoją szafkę, zdejmuje płaszcz, umieszcza go na wieszaku, następnie ściąga marynarkę i przewiesza ją przez otwarte drzwiczki. Wyjmuje z szafki „uprząż" z parcianych pasów, do której jest przytroczona kabura z miękkiej skóry, zakłada ją, starannie dopasowuje do klatki piersiowej i wypchniętych łopatek, po czym zapina. Następnie wydobywa z szafki spoczywający w wyściełanym pudełku lśniący pistolet automatyczny kaliber czterdzieści pięć; woli tę lżejszą wersję od podstawowego modelu służbowego, chociaż mniejsza waga oznacza mocniejszy odrzut. Frank jest zdania, iż warto zapłacić tę cenę za większą wygodę na co dzień – tym bardziej że bardzo rzadko zdarza mu się nacisnąć spust.

Upewnia się, że komora jest pusta, chociaż ściśle przestrzega żelaznej zasady, żeby wprowadzać tam pocisk dopiero bezpośrednio przed oddaniem strzału. Tę codzienną kontrolę traktuje zarówno jako ceremoniał, jak i środek bezpieczeństwa. Następnie zwalnia zamek – ponieważ raz w miesiącu z nabożną skrupulatnością czyści broń, więc wszystko działa z nienaganną precyzją.

Na półce na wysokości oczu leżą trzy magazynki zawierające po trzynaście sztuk amunicji każdy. W teflonowych wierzchołkach pocisków znajdują się wgłębienia, jakby usunięto stamtąd niewielkie kółka zębate, na mosiężnych łuskach widnieją wytłoczone logo Days. Dwa magazynki Frank chowa do futerału pod prawą pachą, trzeci wkłada do pistoletu i wpycha lekkim uderzeniem dłoni. Szybko przesuwa Irydową przez płytką szczelinę pod rękojeścią i broń już jest odbezpieczona. Świadczy o tym zielona dioda migająca przy osłonie języka spustowego. Frank ponownie przesuwa kartę, dioda gaśnie, Frank chowa zabezpieczoną broń do kabury pod lewą pachą.

Następnie zdejmuje z półki zestaw łącznościowy, rozsupłuje plątaninę cienkich jak chirurgiczne nici cielistych przewodów, wkłada miniaturową słuchawkę do ucha, przekłada przewód za ucho. Na końcu kabelka znajduje się cienki jak herbatnik aparat nadawczo-odbiorczy, który Frank przypina do wewnętrznej strony kołnierzyka. Z tego aparatu wychodzi kolejny kabelek, zakończony maleńkim jak paznokieć mikrofonem, który Frank umieszcza za najwyższym guzikiem koszuli, a następnie mocniej zaciska krawat.

W szafce pozostał już tylko sfinks. Frank odłącza płaskie czarne pudełeczko od zasilacza, włącza je, a gdy na ekranik wypełza logo Days, wyłącza i wsuwa sfinksa do kieszeni spodni.

Gotów. Po raz kolejny - i zarazem ostatni - dopełnił rytuału.

Jest 8.43, za chwilę rozpocznie się poranna odprawa. W towarzystwie pozostałych Duchów Frank opuszcza szatnię, dołącza do szeleszczącej rzeki ciał podążających korytarzem do sali odpraw. Kolejno, w milczeniu, z opuszczonymi oczami Duchy prześlizgują się przez drzwi i siadają na plastikowych krzesłach ustawionych w dziesięciu rzędach, po dziesięć w rzędzie. Krzesełka są zwrócone w kierunku niedużego podwyższenia. Najpierw Duchy zajmują środkowe miejsca, potem zewnętrzne, unikając w ten sposób ryzyka przypadkowego dotknięcia podczas przepychania się między rzędami. Nikogo nie obchodzi, kto będzie jego sąsiadem. Wśród Duchów nie ma przyjaźni ani animozji. Wszyscy są równi w swojej anonimowości.

Starają się wyglądać nonszalancko albo na zaabsorbowanych własnymi sprawami. Niektórzy intensywnie wpatrują się w sufit, jakby zamiast pomalowanego na szaro gipsowego stropu ujrzeli tam dzieło Michała Anioła, inni ogryzają skórki przy paznokciach lub drapią się tu i ówdzie, chociaż nic ich nie swędzi.

Zjawiają się ostatnie Duchy, sala jest wypełniona niemal po brzegi. Słychać odgłos podobny do szelestu przesypywanego piasku, towarzyszący pracy niemal setki par płuc wdychających i wydychających powietrze.

Punktualnie o 8.45 pojawia się Donald Bloom, szef Ochrony Taktycznej. Zamyka za sobą drzwi, po czym kroczy przez całą salę do podwyższenia. Jest niedużym, sympatycznie korpulentnym mężczyzną o krótko obciętych, zaczesanych do tyłu włosach – z wyjątkiem kosmyka, który przykleił mu się do czoła. Jak co dzień ma w butonierce świeży goździk, w ręce trzyma sztywną podkładkę z przypiętym komputerowym wydrukiem. Z kieszonki tweedowej marynarki w zygzaki wystaje rąbek starannie złożonej chusteczki.

Pan Bloom wchodzi na podwyższenie i kierują się na niego spojrzenia wszystkich Duchów. Ci, którzy siedzą daleko, pochylają się do przodu, żeby lepiej słyszeć.

– Nowy dzień, nowy kredyt – rozpoczyna odprawę tradycyjnym powiedzeniem.

Odpowiadają mu uśmiechy i rozbawione parsknięcia, sporo ramion trzęsie się od tłumionego śmiechu. Nawet najbardziej wyświechtane, najbanalniejsze tradycje cieszą się tu głębokim poważaniem.

Pan Bloom zerka na wydruk.

– No, dobrze. Dzisiaj nie zanosi się na nic nadzwyczajnego. Oto planowane błyskawiczne wyprzedaże: 10.00 w Lalkach, 10.45 w Maszynach Rolniczych, 12.00 w Krawatach,

14.00 w Instrumentach Muzycznych Trzeciego Świata, 15.00 w Artykułach Religijnych, 16.00 w Artykułach Pogrzebowych... Hm, wątpię, żeby ta cieszyła się szczególnym wzięciem, ale nigdy nic nie wiadomo... 16.15 w Bezustannym Bożym Narodzeniu i o 16.45 w Belkach i Wspornikach.

Znowu pojawiły się te same podrabiane jednorazowe karty, co w ubiegłym roku. Właściwie to problem Ochrony Strategicznej, ale jeśli zauważycie klienta z jednorazówką, możecie go sprawdzić. Od poniedziałku wszystkie jednorazówki są dodatkowo zabezpieczone specjalnym kodem, znanym waszym sfinksom. Osoby, które w ciągu minionych sześciu miesięcy kupiły taką kartę albo wygrały ją na loterii, zostały poproszone o jej zwrot w celu dokonania wymiany, więc raczej wszyscy, którzy posługują się podróbkami, mają coś na sumieniu. Ocena sytuacji należy oczywiście do was, ale z dwojga złego wolę, żebyście byli nadmiernie podejrzliwi, niż dali się oszukać.

To samo dotyczy fałszywych identyfikatorów. Policja poinformowała mnie, że właśnie rozbili gang fałszerzy, ale nie zdołali jeszcze ustalić, od jak dawna tamci działali i ile fałszywych identyfikatorów trafiło do obiegu. Uważajcie więc na pracowników, którzy nie wyglądają na pracowników. Oczywiście zdaję sobie sprawę, że niekiedy można ich rozpoznać wyłącznie po identyfikatorach, więc musicie zdać się na wyczucie.

Dobra wiadomość: w ubiegłym miesiącu wzrosła liczba zatrzymań. Dobra robota. Zła wiadomość: wzrosły również straty. W pierwszym odruchu oczywiście chciałoby się winić za to sprzedawców i rzeczywiście obawiam się, że w znacznej części to oni są odpowiedzialni za te kradzieże. Chociaż wszyscy jesteśmy współudziałowcami, to niektórzy wciąż nie potrafią zrozumieć, że okradając sklep, okradają również siebie.

Mam jednak własną teorię dotyczącą tego zjawiska i podzielę się nią z wami, bez względu na to, czy wam się spodoba, czy nie. Otóż moim zdaniem ludzie nauczyli się korzystać z zamieszania, jakie towarzyszy błyskawicznym wyprzedażom, by niepostrzeżenie zgarniać towary do toreb. Dlatego jest tak ważne, żebyście podczas wyprzedaży byli na miejscu i mieli tłum na oku. Pamiętajcie: bez względu na to, jak bardzo staramy się utrudnić życie złodziejom, oni zawsze znajdą jakiś sposób. Występujemy przeciwko temu, co jest największą dumą i zarazem największą wadą gatunku ludzkiego: pomysłowości.

Wreszcie na koniec pragnę wam przekazać wiadomość, którą otrzymałem z dobrze poinformowanego źródła: spór między Komputerami i Książkami dzisiaj wreszcie zostanie przedstawiony braciom Day do rozstrzygnięcia. Doskonale rozumiem te westchnienia ulgi. Ile czasu to trwało? Chyba ponad rok.

– Prawie półtora – odzywa się ktoś z sali.

– Dziękuję. Półtora roku. Cóż, koła procedur administracyjnych być może kręcą się tu powoli, ale jednak się kręcą, więc przy odrobinie szczęścia już wkrótce możemy się spodziewać ostatecznego rozwiązania tego pożałowania godnego konfliktu.

Pan Bloom ponownie spogląda na wydruk, aby sprawdzić, czy o czymś nie zapomniał.

– Aha, pan Greenaway rozpoczyna dziś zasłużony urlop, w związku z czym aż do jego powrotu będę zajmował się także strategiczną połówką naszego podwórka. To się nazywa szczęście! Czuję się tak, jakby oddano mi pod opiekę wybieg z gorylami.

Po sali rozchodzi się fala śmiechu.

Pan Bloom po raz ostatni zerka na kartkę.

– I to już wszystko, panie i panowie. Życzę wam miłego dnia. – Kończy odprawę, przypominając credo Duchów: „Bądźmy cisi, czujni, uparci i nieprzejednani. Klient nie zawsze ma rację".

Duchy powtarzają za nim to powiedzenie słowo w słowo, a następnie podnoszą się z krzeseł i pomału kierują się do wyjścia, starannie unikając jakiegokolwiek fizycznego kontaktu. Pan Bloom schodzi z podwyższenia i powoli włącza się w nurt sunących noga za nogą Duchów.

W połowie drogi do swego gabinetu dostrzega, a raczej wyczuwa – w miejscu, który kierowcy nazywają „martwym punktem" – kogoś idącego za nim. Ponieważ wie, że nie można po prostu zatrzymać się i porozmawiać z Duchem, idzie dalej. Dopiero kiedy siedzi w ciasnym pokoju bez okien przy funkcjonalnym biurku o plastikowym blacie, podnosi wzrok na tego, kto za nim przyszedł.

– Frank! – mówi pan Bloom, uradowany i jednocześnie zdziwiony, i wskazuje krzesło naprzeciwko biurka.

– Nie, dziękuję – odpowiada Frank. – Nie mogę długo zostać. Chciałem tylko powiedzieć, że...

Ma problem z doborem właściwych słów. Drapie się po głowie i mruczy pod nosem.

– Proszę, siadaj – zachęca go pan Bloom, lecz Frank stanowczo kręci głową.

– Zaraz muszę być na stanowisku.

Pan Bloom spogląda na zegarek.

– Jest dopiero 8.49. Rozmowa z pewnością nie zajmie nam więcej niż jedenaście minut, a nawet gdyby zajęła, to jestem pewien, że sklep jakoś sobie bez ciebie przez chwilę poradzi, szczególnie w porze najmniejszego ruchu.

– Chyba masz rację, Donaldzie. – Frank myśli o swoim przełożonym jako o „panu Bloomie", i tak właśnie mówi o nim za jego plecami, w bezpośredniej rozmowie jednak zawsze zwraca się do niego po imieniu. – Może odłożylibyśmy to na później? Zdaje się, że jesteś zajęty...

– Rzeczywiście, za chwilę mam odprawę z ludźmi Greenawaya, potem muszę sprawdzić, jak idą ćwiczenia na strzelnicy, później uczę sprzedawców podstawowych zasad bezpieczeństwa, ale dla ciebie zawsze znajdę trochę czasu. O co chodzi?

Frank chce mu powiedzieć, że odchodzi, lecz coś go powstrzymuje – wydaje mu się, że strach, ale całkiem możliwe, że to również poczucie winy. Donalda Blooma zna od trzydziestu trzech lat, od początku swojej pracy w Days. Połączyła ich więź – z pewnością nie nazwałby jej przyjaźnią, ponieważ pojęcie to znaczy dla niego tyle samo, co słowo „powietrze" dla akwariowej rybki; na pewno w ciągu tych trzydziestu trzech lat nauczyli się wzajemnie siebie szanować. Frank zaś od czasu do czasu myślał o panu Bloomie nawet wtedy, kiedy tamtego nie było w pobliżu: jak by to było miło któregoś dnia wpaść po pracy do jakiegoś pubu, usiąść przy barze, napić się piwa i pogadać o sprawach, o których zazwyczaj rozmawiają ludzie, bez względu na to, kim są, o wszystkim, tylko nie o Days, złodziejach sklepowych i o Duchach. Co prawda nigdy nie zdobył się na odwagę, żeby zaproponować coś takiego panu Bloomowi, a poza tym po zamknięciu sklepu zazwyczaj jest tak wyczerpany, że idzie prosto do domu i od razu kładzie się do łóżka, w niczym jednak nie zmienia to faktu, że zna się z panem Bloomem już bardzo długo i wie na pewno, że pan Bloom będzie bardzo przygnębiony jego decyzją o odejściu, więc wzdraga się przed zadaniem ciosu.

Fala odwagi, która przyniosła go aż tutaj, straciła impet, opadła, wreszcie cofnęła się, zostawiając go na suchym gruncie, niepewnego, zdezorientowanego i zażenowanego.

Tymczasem uprzejmie uśmiechnięty pan Bloom wciąż czeka na jego wyznanie.

Frank traci resztki animuszu i wstaje z krzesła.

– W porządku, Frank – wzdycha pan Bloom. – Jak sobie życzysz. Pamiętaj, że te drzwi zawsze są dla ciebie otwarte.

Przez chwilę spogląda z zastanowieniem za oddalającym się pospiesznie Frankiem. Dziwne zachowanie, myśli. Frank zawsze należał nie tylko do najlepszych, ale i do najbardziej zrównoważonych funkcjonariuszy Ochrony Taktycznej. Czyżby notoryczna podejrzliwość i bezustanne szpiegowanie jednak odcisnęły na nim swe piętno?

Niemożliwe, myśli pan Bloom. Coś takiego mogłoby spotkać każdego innego Ducha, ale nie Franka. Na pewno nie Franka.

IX

Siódmy syn siódmego syna: tradycyjnie uważany za „urodzonego w czepku" lub obdarzonego nadzwyczajnymi zdolnościami

8.51

W łóżku Sonny'ego nikt nie spał. Perch byłby zaskoczony, gdyby okazało się, że jest inaczej, ale nadzieja jest nieśmiertelna. Zagląda do łazienki i, wbrew oczekiwaniom, widzi najmłodszego syna Septimusa Daya nie owiniętego wokół sedesu, lecz wyciągniętego w wannie; jedna noga zwisa na zewnątrz, przekrzywiona głowa opiera się o baterię. Krawędź miski klozetowej zdobi wianuszek zaschniętych wymiocin, wygląda jednak na to, że Sonny zachował dość przytomności umysłu, żeby spuścić wodę, zanim, całkowicie ubrany, wgramolił się do wanny i zasnął. Perch gratuluje mu w duchu samokontroli.

Pochyla się, przetrząsa kieszenie Sony'ego, wyjmuje przenośny interkom, podnosi pokrywę i wciska czwórkę.

– Pan Thurston?

– Tak, Perch.

– Obawiam się, że pan Sonny znajduje się w takim stanie, że prawie na pewno nie będzie mógł wziąć udziału w porannej uroczystości.

Cisza, potem westchnięcie.

– W porządku, Perch. Spróbuj postawić go na nogi i doprowadzić do porządku najszybciej, jak się da.

– Zrobię, co w mojej mocy, proszę pana.

Perch odkłada interkom na spłuczkę, po czym mówi z ledwo uchwytną, prawie niewyczuwalną pogardą:

– W porządku, proszę pana. Bierzemy się do roboty.

Oszczędnymi, precyzyjnymi ruchami, niczym artylerzysta namierzający cel, ustawia prysznic, a kiedy wreszcie jest pewien, że wylot jest skierowany prosto na twarz Sonny'ego, zaciska palce na pokrętle od zimnej wody, zastyga na chwilę w bezruchu, jakby rozkoszując się oczekiwaniem, po czym gwałtownym ruchem przekręca kurek.

8.54

– Owoc Spóźnionej Refleksji jest niedysponowany – informuje Thurston braci.

– A to ci niespodzianka! – mówi Wensley.

– Może powinniśmy zamówić nadmuchiwaną kukłę Sonny'ego? – zastanawia się głośno Fred. – Siedziałaby w fotelu i milczała i wszyscy byliby zadowoleni.

– Sonny jest naszym bratem – strofuje go Mungo. – Nie zapominaj o tym.

– Sonny jest przede wszystkim wrzodem na tyłku – odparowuje Fred. – W okresie dojrzewania zabrakło mu tego, czego nam wszystkim ojciec nie żałował. – Z pełnym rezerwy szacunkiem wskazuje głową portret Starego. – Dyscypliny. Gdyby w dzieciństwie trochę mniej mu pobłażano, za to częściej trzepano skórę, może nie wyrósłby z niego taki niewyobrażalny pasożyt.

– Robiłem, co w mojej mocy – odzywa się Mungo. – Cała odpowiedzialność za stan obecny spada na mnie.

– Nie bądź dla siebie taki bezwzględny – mówi Thurston. – W taki czy inny sposób każdy z nas musiał być dla niego ojcem.

– Bez względu na wady Sonny'ego musimy go akceptować i kochać takim, jaki jest – stwierdza dyplomatycznie Chas. – A jest synem Septimusa Daya. Naszym bratem.

Fred wznosi oczu ku niebu.

– Mógłbyś choć na chwilę przestać nam o tym przypominać?

– Myślę, że byłbym w stanie tolerować jego zachowanie, gdyby choć od czasu do czasu zechciał się tutaj pofatygować – oświadcza Sato.

– Wystarczy, że jest jednym z Siedmiu – mówi spokojnie Chas.

– Ja też tak uważam – popiera go Wensley. – Sonny jest nieznośny i tak dalej, ale bez niego my z kolei jesteśmy niczym.

– Nie ma róży bez kolców – mamrocze Sato z nieudawaną goryczą. – Łyżka dziegciu w beczce miodu.

Thurston puka w stół.

– Już za pięć. Powinniśmy zaczynać.

Bracia odkładają sztućce, odsuwają zastawę. Wensley wpycha jeszcze do ust ogromną porcję ociekającego sosem chleba, przeżuwa pospiesznie i przełyka. Fred zamyka gazetę, starannie ją układa na piętrzącym się przed nim stosiku. Chas odruchowo przygładza włosy, po czym dyskretnie chucha w dłoń, by sprawdzić, czy oddech pachnie jak należy.

W Biurze zapada cisza. Przerywa ją Thurston:

– Witam was, bracia, u progu kolejnego dnia liczenia i sumowania, obrotów i przychodów, sprzedaży i sukcesu, zysku i obfitości.

Zaciska w pięść palce lewej ręki, prostuje kciuk i wskazujący, łączy krańcowe punkty powstałego w ten sposób łuku wskazującym i środkowym palcem prawej. Bracia powtarzają jego ruchy z ostentacyjną i przez to niezbyt wiarygodną powagą.

– Jesteśmy synami Septimusa Daya – ciągnie Thurston. – Jesteśmy Siedmioma, których zadanie polega na prowadzeniu sklepu założonego przez naszego ojca i wcielaniu w życie jego filozofii, według której wszystko, co da się sprzedać, zostanie kupione, i wszystko, co da się kupić, będzie sprzedane. To nasz cel i jesteśmy z niego dumni.

Zagina palec wskazujący prawej ręki wokół kciuka lewej, kieruje kciuk prawej ręki w górę, a środkowy palec lewej w dół. Bracia czynią to samo. Chas tłumi ziewnięcie.

– Każdy z nas urodził się – czy to siłami natury, czy dzięki medycznej interwencji – w dniu, którego imię nosi. Każdemu z nas od początku towarzyszyła świadomość, iż przypada na niego siódma część odpowiedzialności za prowadzenie sklepu oraz wynikających z tego korzyści. Każdy z nas stanowi siódmą część większej całości i, jeśli taka będzie wola Mamony, oby tak pozostało.

Fred przewraca oczami i spogląda na Wensleya, który uśmiecha się głupkowato. Mungo piorunuje ich wzrokiem, lecz nie ulega wątpliwości, iż rytuał, który wprowadził ich ojciec i nakazał im powtarzać go codziennie po swojej śmierci, również jemu wydaje się cokolwiek absurdalny.

Ręce Thurstona znowu się poruszają. Kciuk i palec wskazujący lewej kierują się ku górze i na boki, tworząc razem z ręką literę Y. Wskazujący i środkowy palec prawej przyciska nieco poniżej punktu zbiegu wszystkich trzech linii. Bracia wiernie go naśladują.

– Te symbole Funta, Dolara i Jena – intonuje – te zwyczajne litery wyniesione do szlachectwa przez to, co reprezentujemy, mają nam przypominać, że pieniądz przemienia wszystko.

Lewy kciuk i palec wskazujący tworzą cyfrę zero, prawy palec środkowy i wskazujący dzielą ją pionowo na połowy. Bracia powtarzają każdy ruch.

– Symbol Days ma nam przypominać, skąd bierze się nasze bogactwo.

Jak jeden mąż wszyscy bracia opuszczają prawe ręce, pozostawiając samo zero.

– To zero zaś ma nam uświadamiać, czym byśmy byli, gdyby nie Days.

Cisza, która zapada po tym stwierdzeniu, w zamyśle miała służyć kontemplacji, bracia jednak wykorzystują ją, żeby podrapać swędzące miejsca lub włożyć do ust coś do jedzenia.

– I tak oto zegar po raz kolejny odmierza chwile do otwarcia sklepu – odzywa się ponownie Thurston. – Przewodnicząc naszemu spotkaniu w dniu, który nosi moje imię, proszę was, bracia, byście zechcieli towarzyszyć mi przy włączaniu.

Cała szóstka podnosi się z miejsc i równym krokiem kieruje się ku mosiężnemu panelowi zainstalowanemu na ścianie Biura. Wydaje się, że Septimus śledzi ich spojrzeniem jedynego oka. Biała plamka blasku, którą malarz umieścił w bezlitosnej czarnej źrenicy, lśni, jakby oko należało do żywego człowieka.

Thurston z niejakim trudem wyjmuje ceramiczną rękojeść z uchwytów, po czym wkręca ją w przełącznik. Rękojeść jest akurat tak długa, by zmieściło się na niej siedem męskich dłoni. Bracia zaciskają na niej prawe ręce. Puste miejsce Mungo wypełnia lewą ręką.

– Pociągnę za dwóch – mówi.

Thurston spogląda na zegarek. Do dziewiątej została niespełna minuta. Wskazówka sekundnika kontynuuje wędrówkę dookoła tarczy. Ustawieni ciasno obok siebie bracia czekają cierpliwie, ich wyprostowane ramiona wyglądają jak wstęgi przy drzewcu.

– Piętnaście sekund – informuje Thurston.

Gigantyczny sklep pod ich stopami czeka bez ruchu niczym trup na reanimację.

– Dziesięć sekund.

Wydaje się, że bieguny przełącznika, przez które ma popłynąć strumień energii, samoczynnie iskrzą ze zniecierpliwienia.

– Pięć – mówi Thurston. – Na mój sygnał. Cztery.

Przez podeszwy butów bracia czują delikatną wibrację, do ich uszu dociera ledwo słyszalny basowy pomruk, jakby brzęczenie miliona pszczół.

– Trzy.

Wydaje im się, że słyszą chóralne westchnienie, po którym następuje martwa cisza, jak po tysiącu wstrzymanych jednocześnie oddechów.

– Dwa. Jeden. Teraz!

Trzeba ich połączonej siły – Mungo pracuje w dwójnasób – aby ściągnąć przełącznik w dolne położenie. Ze stękaniem i sapaniem sprowadzają go do poziomu, a potem spychają coraz niżej i niżej, dwa miedziane zęby już niemal dotykają zacisków, jeszcze jedno szarpnięcie i dźwignia dociera do kresu swej drogi.

Jak na komendę zwalniają uchwyt. Lampy w Biurze przygasają na chwilę, by zaraz potem zabłysnąć ponownie.

– Bracia – mówi Thurston, masując obolałe ramię – interes znowu się kręci.

X

Hebdomad: w niektórych doktrynach gnostycznych zespół „siedmiu boskich emanacji" reprezentujących siedem znanych ówcześnie planet Układu Słonecznego; również – cała sfera sublunarna

9.00

We wszystkich sześciuset sześćdziesięciu sześciu działach lampy rozbłyskują pełną mocą, zalewając lady i regały potokami jaskrawego światła.

We wszystkich bramach usytuowanych w czterech narożnikach budynku odsuwają się potężne bolce, drzwi otwierają się i do wnętrza wlewa się pierwsza, niezbyt jeszcze obfita, fala klientów. Nocni strażnicy, dla których otwarcie sklepu oznacza koniec służby, przepuszczają ich przodem (mało kto zwraca uwagę na ten uprzejmy gest), po czym również wchodzą do środka.

Windy we wszystkich hallach ruszają w dół, na parking.

Na wszystkich kondygnacjach ożywają ruchome schody.

Stłoczeni na zewnątrz oglądacze, których zniecierpliwienie, w miarę zbliżania się godziny dziewiątej, zaczęło wyraźnie narastać, wzdychają jednym głosem, kiedy zasłony w oknach wystawowych rozsuwają się na boki.

Rozbłyskują zielone diody na kamerach obserwujących każdy centymetr kwadratowy powierzchni na wszystkich piętrach. Sygnały mkną po ukrytej w ścianach wielokilometrowej pajęczynie światłowodów; wszystkie zbiegają się w Oku, długim, niskim bunkrze w Podziemiach, gdzie od podłogi aż po sufit piętrzą się fortyfikacje z czarno-białych monitorów strzeżone przez obserwatorów w fotelach na rolkach. Jedyne oświetlenie tego miejsca stanowią właśnie monitory oraz migające błękitnoszare ekrany terminali zainstalowanych bezpośrednio przy podłokietnikach foteli. Obserwatorzy zaczynają szeptać do połączonych ze słuchawkami mikrofonów; równocześnie zdzierają papierki z firmowych batonów i otwierają puszki z firmowymi napojami.

Do życia budzą się także monitory zainstalowane w ścianie Biura. Przez wszystkie ekrany równocześnie przebiegają zygzaki zakłóceń, zaraz potem pojawiają się obrazy z rozmaitych zakątków sklepu; zmieniając się co siedem sekund, tworzą ruchomy, hipnotyzujący telewizyjny collage.

Sprzedawcy zajmują stanowiska, przywołują na twarze doskonale przećwiczone półuśmiechy, hostessy rozdające promocyjne próbki towarów szykują się na powitanie pierwszych klientów.

Ukryte pod baldachimem zieleni zwierzęta w Menażerii jakby nigdy nic zajmują się swoimi sprawami, całkowicie obojętne na to, co się dzieje nad ich głowami.

XI

Siedem radości Maryi: Zwiastowanie, Nawiedzenie, Narodzenie, pokłon Trzech Króli, przedstawienie w Świątyni, odnalezienie Zagubionego i Wniebowzięcie

9.03

Taksówka skręca na łuk podjazdu przed Wejściem Południowo-Wschodnim; Linda wyobraża sobie, że zajeżdża powozem przed rezydencję, więc zamiast szumu opon toczących się po asfalcie słyszy chrzęst żwiru pod żelaznymi obręczami kół. Taksówka zatrzymuje się przed schodami i Linda dwoma palcami podaje kierowcy Srebrną. Taksówkarz przesuwa kartę przez szczelinę czytnika z miną człowieka, który miewał już do czynienia z Palladowymi, a nawet Rodowymi, i na którym zwyczajna Srebrna nie robi najmniejszego wrażenia. Gordon otwiera drzwi, wysiada, prostuje plecy i odwraca się w kierunku oglądaczy, już od trzech minut niewolniczo gapiących się na wystawy.

Taksówkarz stuka w klawisze, doliczając cenę miotacza gazu, podatek i napiwek, po czym podaje sumę końcową, której wysokość wprawia Lindę w zdumienie. W porę jednak przypomina sobie, że przecież jest współposiadaczką Srebrnej Karty Days, uśmiecha się leniwie i bez słowa podpisuje rachunek. Kierowca zwraca jej kartę, po czym życzy bezpiecznych i udanych zakupów; szczególny nacisk kładzie na słowie „bezpiecznych". Linda dziękuje, a następnie wysiada prosto w objęcia wiatru, który chwyta ją z nadspodziewanie dużą siłą. Taksówka odjeżdża.

Linda pochyla nisko głowę i ściskając oburącz kartę, wspina się po stopniach. Na szczycie ściąga połatany płaszcz, składa go starannie i wpycha do torebki. Wiatr bez trudu przenika przez bluzkę; Linda dostaje gęsiej skórki, trzęsie się jak w febrze. Poszukuje wzrokiem Gordona - okazuje się, że wciąż obserwuje oglądaczy. Woła go, lecz Gordon nie reaguje, więc podbiega do niego truchtem.

- Chodź już!

On jednak stoi jak zahipnotyzowany. Linda nie jest w stanie stwierdzić, czy tak podziałał na niego widok skulonych z zimna, ubranych w łachmany istot ludzkich skupionych przed wysokim na piętro, ciągnącym się przez całą długość budynku oknem wystawowym, czy raczej wygląd samej wystawy. Nie ma nawet czasu, by się nad tym zastanowić, kiedy bowiem jej wzrok pada na witrynę tuż obok wejścia, Linda natychmiast zapomina, że jeszcze niedawno marzyła o tym, by jak najprędzej dostać się do środka; ona również nieruchomieje, zafascynowana.

Poszczególne ekspozycje gromadzą różną liczbę oglądających, od kilkunastu do ponad setki osób. Większość z nich wędruje od wystawy do wystawy. Niektóre mają zdeklarowanych zwolenników, nie opuszczających ich przez cały dzień. Trudno wytłumaczyć, dlaczego właśnie te cieszą się większą, inne zaś mniejszą popularnością, jako że wszystkie są w gruncie rzeczy bardzo podobne, ale wiadomo, że powodzenie jest w takim samym stopniu funkcją instynktu stadnego, co wysokiej jakości towaru.

Witryna, która przykuła uwagę Lindy, nie należy do najbardziej popularnych, zgromadziła jednak całkiem pokaźny tłumek widzów. Urządzono ją jak typowy podmiejski domek składający się z jadalni połączonej z salonem oraz, nieco wyżej, u szczytu schodów, sypialni i łazienki. Widać zadbany trawnik, rabaty z kwiatami i ogrodzenie. Wnętrze nie jest urządzone w żadnym konkretnym stylu – chyba że sam nadmiar mebli, ozdób oraz gadżetów można nazwać stylem. Wśród stosów bibelotów, rozmaitych drobiazgów, błyskotek oraz najnowocześniejszych urządzeń gospodarstwa domowego siedzi czteroosobowa rodzina (ojciec, matka, córka nastolatka, młodszy o parę lat syn) i spożywa śniadanie.

Cztery żywe manekiny, nawet odrobinę do siebie podobne, dyskutują z zaangażowaniem podczas posiłku. Ich rozmowa dociera do publiczności przez głośniki zainstalowane po lewej i prawej stronie okiennej ramy. Wszystko, co na sobie mają, i każdy przedmiot, którym się posługują, ma metkę, każdy dyskutant zaś przywiązuje dużą wagę do tego, by dokładnie poinformować o cenie i walorach użytkowych produktu, z którym akurat wchodzi w bliższy kontakt.

Aktorka odtwarzająca rolę Matki wstaje, podchodzi do szafki, przysuwa sobie deskę (najpierw podnosi ją i obraca we wszystkie strony, tak by każdy mógł ją dokładnie obejrzeć oraz przyjrzeć się metce), a następnie kroi pomarańczę na pół. Zachwycona nadzwyczajną ostrością noża podziwia go przez kilkanaście sekund, po czym odgrywa małą scenkę, udając, że niechcący skaleczyła się w palec. Wybucha śmiechem i wysysa wyimaginowaną rankę. Wystawowa rodzina śmieje się razem z nią.

Kiedy kończy kroić pomarańcze – które, jak zapewnia najbliższych, są tak świeże i soczyste, jak tylko można sobie wyobrazić – bierze do ręki elektryczny wyciskacz do cytrusów z wielkimi logo Days na obudowie, demonstruje jego efektywny, ergonomiczny kształt, pokazuje, jak łatwo się rozkłada i jak niewiele ma części, które po użyciu wymagają czyszczenia. Okazuje się, że wyciskacz spodobał się jej tak bardzo, iż nabyła dwa egzemplarze: biały i beżowy. Oba wywołują jednakowy zachwyt rodziny. Syn domaga się, by pozwolono mu z niego skorzystać, w podskokach podbiega do szafki i z zapałem oddaje się przeistaczaniu połówek owoców w złocisty sok.

– To jest tak proste i bezpieczne, że nawet dziecko da sobie radę! – mówi Matka, przyglądając się z dumą wyciskaczowi.

Tymczasem Ojciec chwali twarzową fryzurę Córki, ona zaś demonstruje mu ochoczo, jak łatwo jest upiąć włosy w kok za pomocą poręcznego urządzenia, które akurat przypadkowo ma przy sobie podczas śniadania; przyrząd ów można nabyć wyłącznie w Dziale Przyborów Fryzjerskich Days. Ojciec jest zafascynowany prostym, ale zmyślnym urządzonkiem. Głaszcząc się po łysinie, mówi, że chętnie zrobiłby coś takiego ze swoimi włosami, gdyby miał ich choć trochę więcej. Ten żart przyprawia Córkę o gwałtowny atak wesołości; niewiele brakuje, żeby spadła z krzesła, a kiedy wreszcie udaje jej się nad sobą zapanować, rubasznie trąca ojca w ramię.

Przez głowę Lindy przemyka myśl, że może warto by kupić taki przyrząd. Postanawia odwiedzić Dział Przyborów Fryzjerskich i uzupełnić wiedzę o najświeższych profesjonalnych nowinkach.

Matka i Syn wracają do stołu z dzbankiem pysznego świeżego soku pomarańczowego. Ponieważ nie znają powodu panującej tam wesołości, spoglądają podejrzliwie na Ojca i Córkę, co wprawia tych dwoje w jeszcze lepszy humor.

Z prawej kulisy wkracza na scenę Sąsiadka w dość zaawansowanym wieku. W ręce ściska fiolkę z pastylkami, o których po prostu m u s i opowiedzieć zaprzyjaźnionej rodzinie. Przypomina im, jakie katusze cierpiała z powodu bolących korzonków – zgina się przy tym niemal wpół, przyciska rękę do dolnego odcinka kręgosłupa i krzywi się przeraźliwie. Mówi, że ból był taki, jakby ktoś wbijał jej w kręgosłup druty. Matka kręci głową ze współczuciem i potwierdza, że istotnie była świadkiem całkiem jeszcze niedawnych cierpień starszej kobiety. Nagle na twarzy Sąsiadki rozkwita błogi uśmiech; kobieta potrząsa fiolką, a następnie oznajmia, że po zaledwie pięciodniowej kuracji odczuła wyraźną ulgę. Matka nie wierzy własnym uszom.

– Taka poprawa nastąpiła po zaledwie pięciodniowej kuracji?

Sąsiadka z werwą kiwa głową i prostuje się.

– Widzicie? Już prawie nic nie boli!

Rodzina (oraz oglądacze po drugiej stronie szyby) wpatruje się w fiolkę, jakby zawierała wodę z Lourdes. Sąsiadka podnosi ją wysoko, prezentując etykietkę z logo Days, tak by nikt nie miał najmniejszych wątpliwości co do pochodzenia cudownego specyfiku.

Linda z najwyższym trudem odrywa wzrok od wystawy, tylko po to jednak, by stwierdzić, że jakaś hipnotyczna siła przyciąga ją do innych witryn. Każda z nich jest co najmniej równie absorbująca jak ta, którą przed chwilą podziwiała: rodziny, pary, przyjaciele wynajmujący wspólnie mieszkanie, wczasowicze, kobiety w salonie kosmetycznym, urzędnicy w biurze, kulturyści w siłowni, uczniowie w klasie, wczasowicze na wąskim skrawku plaży, spieczeni na brąz promieniami kwarcówek, wszyscy teatralnie sztuczni, wychwalają – z przerwami jedynie dla zaczerpnięcia oddechu – zalety otaczających ich zewsząd produktów.

Co najmniej do ósmego roku życia Linda była przekonana, że ludzie z okien wystawowych naprawdę tam mieszkają. Chociaż matka wielokrotnie ją zapewniała, że to tylko aktorki i aktorzy, Linda święcie wierzyła, że nawet po zakończonym występie są wciąż tymi samymi postaciami i że gdzieś na zapleczu sceny żyją tym samym życiem, którego fragmenty oglądała przez szybę. Przekonanie to przetrwało znacznie dłużej niż wiara w Świętego Mikołaja i wróżkę zabierającą dzieciom mleczne zęby. Wspomnienie tej dziecięcej fantazji i naiwności wywołuje w niej nie tylko rozczulenie, ale i zdumienie, co sprawiło, że w wieku ośmiu lat - biorąc pod uwagę sposób, w jaki była wychowywana - pozostały jej jeszcze jakiekolwiek złudzenia?

Days zawsze było dla niej miejscem magicznym. Podczas adwentu odbywały tu z matką pielgrzymki tylko po to, by obejrzeć świąteczne wystawy. W zimne grudniowe popołudnia, opatulona tak grubo, że z trudem mogła się poruszać, trzymając matkę za rękę, wędrowała od witryny do witryny. Co prawda nigdy nie udało im się obejść całego budynku dookoła - dziesięciokilometrowy marsz znacznie przekraczał możliwości dziecka - ale w miarę jak Linda rosła i nabierała sił, pokonywały coraz większe odległości, zatrzymując się przy każdej wystawie, która zwróciła ich uwagę. Czy to zimowa dekoracja z pozbawionymi liści drzewami i wiatrem podrywającym w górę płatki sztucznego śniegu, czy to oświetlony blaskiem buzującego w kominku ognia pokój, gdzie żywe manekiny ubierają choinkę, przygotowują świąteczne upominki i śpiewają kolędy - takie kojące, przepełnione rodzinnym szczęściem sceny w niczym nie przypominały ponurych świąt w domu, z ojcem bezustannie narzekającym i utyskującym niczym skąpiec Ebenezer Scrooge. Był szczególnie przykry, kiedy matka ośmieliła się wspomnieć o ewentualnym świątecznym obiedzie dla rodziny albo o obiecywanym co roku nowym rowerku dla Lindy; wyzywał ją wtedy od sentymentalnych krów albo starych oszustek.

– Gordon... – mówi Linda cicho. Jej mąż ogląda się ze zdziwieniem, zdumiony łagodnym tonem, do którego nie miał okazji się przyzwyczaić. – Możemy już wejść do środka?

Wsuwa dłoń w jego rękę i ciągnie go w kierunku schodów. Żałuje, że matka nie żyje i tego nie widzi – matka, która nigdy w nikogo nie wierzyła, ponieważ nie dano jej szansy, żeby uwierzyła w siebie. Chciałaby, żeby matka przekonała się na własne oczy, iż wystarczy uwierzyć w siebie, a wszystko wtedy stanie się możliwe.

Na widok hallu Lindzie zapiera dech w piersi. Zdjęcia i filmy nie przygotowały jej na kontakt z rzeczywistością. Tłum ludzi. Windy przywożące kolejnych klientów. Wysokie sklepienie. Zielona marmurowa posadzka. Żyrandol. Mozaika z cennych kamieni, zbyt piękna, żeby po niej stąpać. Trivettowie zatrzymują się na jej krawędzi i Linda przez dłuższą chwilę w milczeniu podziwia lśniące opale i onyksy.

– Powinienem był zabrać młotek i dłuto – mówi Gordon.

Linda zwraca mężowi uwagę, żeby nie był prostacki.

– Klienci Days nie mówią takich rzeczy.

Podchodzi do nich kobieta w zielonym żakiecie, na szyi ma apaszkę we wzór ułożony z maleńkich logo Days, spiętą z przodu broszką z identycznym, tyle że większym znakiem. Ma farbowane włosy, co nie umyka uwagi Lindy. Prawdziwe włosy nie mogłyby być aż tak ogniście rude. Co prawda zupełnie nie pasują do ciemnych brwi, ale kolor jest bardzo ładny, podobnie jak fryzura, podkreślająca kształtny owal twarzy i jednocześnie dodająca kobiecie powagi. Na przypiętym do kieszonki na piersi identyfikatorze widnieje imię Kimberly-Anne oraz kod kreskowy.

– Piękne, prawda? – mówi Kimberly-Anne, wskazując na mozaikę. Gdyby uśmiechała się choć odrobinę jaśniej, trzeba by patrzeć na nią przez przeciwsłoneczne okulary.

Linda kiwa głową.

– Jesteście pierwszy raz w Days?

– Tak.

Linda jest tak zauroczona mozaiką, że nawet nie irytuje jej fakt, iż tak łatwo po nich poznać, że są nowicjuszami.

– W takim razie pozwólcie, że powiem wam, jak najlepiej poruszać się po sklepie. Przede wszystkim będziecie potrzebowali tego... – Kimberly-Anne wręcza im jedną z broszur, których spory plik trzyma w ręce. – Znajdziecie tu szczegółowe plany wszystkich sześciu kondygnacji z zaznaczonymi działami, toaletami, windami, ruchomymi schodami i restauracjami. Zazwyczaj radzimy początkującym klientom, żeby wcześniej zaplanowali sobie trasę, dzięki czemu mogą odwiedzić wszystkie działy i nie zgubić się, ale wy wyglądacie na ludzi inteligentnych, więc na pewno świetnie sobie poradzicie.

Linda uprzejmie dziękuje za komplement.

– Oprócz tego musicie się zdecydować, w czym będziecie wozić zakupy. Macie do wyboru kilka możliwości. Zechcecie mi towarzyszyć?

Zanim któreś z Trivettów zdążyło odpowiedzieć, Kimberly-Anne zdążyła już szybkim krokiem podejść do miejsca, gdzie czekają na klientów samobieżne wózki i rozmaite koszyki. Linda zerka na Gordona, który wzrusza ramionami, po czym oboje podążają za kobietą.

Kimberly-Anne prowadzi ich do miniaturowego dwumiejscowego samochodziku z obszerną przestrzenią ładunkową z tyłu.

– Najwygodniej poruszać się po Days takim właśnie pojazdem – mówi, gestykulując niczym pomocnik prestidigitatora przed kolejnym numerem. – Wszyscy klienci dysponujący Osmowymi i Rodowymi mogą z niego korzystać za darmo.

– To niestety nie dla nas – wzdycha Linda. Niemniej czuje się mile połechtana, że wzięto ją za posiadaczkę jednej z dwóch najcenniejszych kart.

– W takim razie za niewielką dodatkową opłatą...

– Nie jest nam potrzebny – wpada jej w słowo Gordon i spogląda znacząco na żonę. – Ani trochę.

Kimberly-Anne wskazuje szeregi lśniących wózków.

– To może wózek? Gwarantujemy, że wszystkie rolki działają bez zarzutu do prędkości siedmiu kilometrów na godzinę, czyli do tempa szybkiego marszu. Klientom z Paladowymi i Irydowymi oferujemy je bezpłatnie.

– To też nie dla nas – przyznaje Linda z lekkim zażenowaniem – ale może byśmy wynajęli...

– Linda! – przerywa jej Gordon półgłosem. – Jesteśmy tu dopiero od pięciu minut, a już poważnie nadszarpnęłaś nasze konto. Teraz chcesz je uszczuplić jeszcze bardziej. Przecież sama mówiłaś, że musimy uważać!

Linda mętnie sobie przypomina, że istotnie coś takiego mówiła – dawno temu, jeszcze przed pozytywnym rozpatrzeniem ich wniosku.

– To prawda – przyznaje – taksówka była ekstrawagancją, ale wózek to konieczność.

– Jeśli będziemy mieli wózek, na pewno kupimy więcej, niż powinniśmy.

Aby ugłaskać męża, Linda ustępuje.

– A co z tymi? – pyta, wskazując na niewysokie piramidki drucianych koszyków.

– Bezpłatne dla wszystkich posiadaczy Platynowej i Złotej – informuje ją Kimberly-Anne.

– Platynowej i Złotej?

– Tak jest.

– Ale nie Srebrnej?

Uśmiech Kimberly-Anne nieco przygasa.

– Nie, Srebrnej nie. Posiadacze Srebrnej mogą wynająć koszyk za...

– Chce pani powiedzieć, że musimy zapłacić za koszyk?! – krzyczy Gordon.

Kimberly-Anne wzdryga się, ale szybko odzyskuje rezon. Uśmiech jej blednie jednak jeszcze bardziej.

– Posiadacze Srebrnych i Aluminiowych, którzy chcą korzystać z ułatwień w transporcie zakupionych towarów, muszą uiścić niewielką opłatę.

– Gordon, nic się nie stanie, jeżeli weźmiemy koszyk – przekonuje męża Linda. – Możemy sobie na to pozwolić.

– Nie o to chodzi. Nie powinni brać pieniędzy za coś, co nam się należy za darmo. To nadużycie, a właściwie rozbój w biały dzień!

– Przecież bracia Day nie prowadzą sklepu dla przyjemności! To nie instytucja dobroczynna, tylko interes, a interes powinien przynosić zyski. Czy nie tak, Kimberly-Anne?

Kimberly-Anne niezdecydowanie kiwa głową; nie jest pewna, czy wolno jej przyznać rację jednemu klientowi kosztem drugiego, nawet w sytuacji, kiedy ten drugi w sposób oczywisty się myli.

– Ale dążenie do zysku i okradanie ludzi to nie to samo! – mamrocze Gordon. – Chodźmy, obejdziemy się bez koszyka.

Nie czekając na reakcję żony, rusza w kierunku wewnętrznego wejścia. Linda pospiesznie zerka na Kimberly-Anne, ale na jej twarzy nie widzi już nawet cienia zawodowego uśmiechu, i biegnie za Gordonem.

– Ale narobiłeś mi wstydu! – syczy.

Gordon nie odpowiada. Nie zwalniając kroku, zmierza ku łukowato sklepionej bramie, zatrzymuje się i czeka na żonę.

Uprzejmy strażnik pokazuje Lindzie, jak należy wsunąć kartę do czytnika. Linda jest tak wściekła na męża, że nie sprawia jej radości ani widok ich nazwisk, które pojawiają się na ekranie terminalu, ani bezszelestne zniknięcie kraty dzielącej ich od wnętrza sklepu. Przy okazji zapomina również o miotaczu gazu w torebce, co oszczędza jej stresu podczas przechodzenia obok wykrywacza metalu.

Chwilę potem są już w środku.

XII

Chciwość: jeden z siedmiu grzechów głównych

9.05

Wciąż wściekły na siebie za tchórzostwo, jakim wykazał się w gabinecie pana Blooma, Frank jedzie windą na Piętro Czerwone, gdzie wkracza na podwójną spiralę ruchomych schodów, pnących się zygzakami na kolejne kondygnacje. Wznosząc się coraz wyżej i wyżej, czuje, jak w żołądku rozrasta mu się ssący lej. Perspektywa czekającego go dnia - nudnego, irytującego, pełnego czyhających na każdym kroku przykrych niespodzianek - trochę go przeraża. Fakt, że ma to być już ostatni taki dzień w jego życiu, stanowi dla Franka zbyt nikłą pociechę. Myśli zlepiają mu się w kluchy; naprawdę musi dobrze potrząsnąć głową, żeby nie zakleiły mu mózgu. To tylko osiem godzin, powtarza w duchu. Nawet mniej, jeśli odjąć przerwy. Jeszcze niecałe osiem godzin i będzie wolnym człowiekiem. Chyba zdoła zacisnąć zęby i wytrzymać?

Pod wpływem nagłego impulsu wysiada na Piętrze Błękitnym. Rytm pracy Franka wyznaczają przerwy, w taki sposób skorelowane z przerwami pozostałych Duchów, by „w polu" przebywało zawsze co najmniej osiemdziesiąt procent składu osobowego sił Ochrony Taktycznej. Porusza się bez żadnego planu, tak jak pokierują nim wewnętrzne impulsy i ciąg wydarzeń. Różnica między godzinami przed otwarciem sklepu a tymi po otwarciu jest taka sama jak między snem i marzeniem na jawie: wszystko sprowadza się do kontroli.

Przez chwilę kręci się po Wypchanych Zwierzętach, zagląda do Lalek, stamtąd idzie do Zabawek Tradycyjnych, potem do Miniaturek. Najpierw towarzyszy rozgadanej grupce, później podąża za samotnym klientem, następnie przez jakiś czas krąży wokół otwartego regału z niewielkimi, a więc kuszącymi dla złodziei, malowanymi naparstkami.

Szczególną uwagę poświęca osobom z pokaźnymi torbami, ze zwiniętymi gazetami pod pachą, w długich płaszczach, z dziecięcymi wózkami. Mogą być zupełnie niewinni, ale mogą też mieć sporo na sumieniu. Jego praca polega na tym, żeby liczyć na to pierwsze, równocześnie nieustannie podejrzewając to drugie.

Dostrzega klienta pogrążonego w dyskusji ze sprzedawcą i natychmiast rozgląda się w poszukiwaniu jego wspólnika. To stara sztuczka: jeden ściąga na siebie uwagę, drugi w tym czasie kradnie. Tym razem jednak wszystko wskazuje na to, że klienta naprawdę interesują szczegóły dotyczące figurek z miśnieńskiej porcelany.

Zaraz potem w jego polu widzenia pojawiają się dwa burlingtony i Frank bezzwłocznie rusza ich śladem.

Burlingtony to subkultura rozwydrzonych nastolatków, którzy demonstracyjnie obnoszą się z zamożnością rodziców, jakby była ona ich zasługą. Do ich obowiązkowego ekwipunku należą błyszczące pantofle od najlepszych projektantów mody, śnieżnobiałe skarpetki, obcisłe czarne spodnie i wyszywane złotą nicią kurtki. Ci dwaj najwyraźniej poszukują rzadko spotykanych kart z baseballistami. Frank dosłownie przykleja się do nich. Jest tak blisko, że gdyby chciał, mógłby ich pogłaskać po krótko ostrzyżonych włosach, częściowo ufarbowanych na kolor ciemny, częściowo zaś na jasny.

Tropiąc burlingtonów, dociera do Pamiątek ze Świata Show-biznesu. Odrywa się tam od nich i krąży wśród kostiumów scenicznych, starych rekwizytów, fotografii, programów teatralnych, fotosów opatrzonych autografami dawno zgasłych sław, rozpadających się plakatów filmowych i koncertowych.

Honorowe miejsce w centralnej części działu zajmuje gablota z pancernego szkła, w której znajdują się między innymi: pampersy zasikane przez cieszącego się światową popularnością gwiazdora rockowego podczas początkowych, ginących w narkotycznych oparach lat kariery; polip usunięty z końcowej części przewodu pokarmowego byłego prezydenta USA; czaszka powszechnie pogardzanego, lecz równocześnie cieszącego się nieprawdopodobną popularnością komika, adresującego swe występy głównie do klasy robotniczej; kierownica samochodu, w którym zginęła wielka gwiazda ekranu; zdeformowany pocisk wydobyty z głowy zastrzelonego podczas zamachu stanu dyktatora przez ogarniętego pasją kolekcjonerską żołnierza; niedopałek ostatniego cygara wypalonego przez nadzwyczaj długowiecznego przywódcę rewolucji; próbka krwi pobrana *post mortem* pewnemu politykowi powszechnie znanemu z zamiłowania do napojów alkoholowych, umieszczona w fiolce z napisem „100%"; słój z zakonserwowanym płodem, efektem zakazanej miłości łączącej pewną aktorkę i wysokiej rangi dostojnika kościelnego; cienki jak kartka, umieszczony między dwiema szklanymi płytkami wycinek mózgu słynnego fizyka teoretycznego; oprawiona w ramki kolekcja kosmyków włosów łonowych rozmaitych gwiazd filmów pornograficznych. Każdy eksponat jest opatrzony certyfikatem autentyczności.

Przed tą gablotą osobliwości przystanął młody człowiek w granatowym garniturze, z włosami zebranymi w kucyk. Na jego widok Frankowi jeżą się włoski na karku, zupełnie jak na widok dziewczyny w pociągu.

Na pierwszy rzut oka w zachowaniu mężczyzny nie ma nic niepokojącego. Po dziale kręci się sporo ludzi oglądających rzadkie i drogocenne pamiątki z odrazą, fascynacją lub jakąś upiorną mieszaniną obu tych uczuć. Nie rozgląda się ukradkiem na boki, nie stara się ukradkiem ustalić miejsca, gdzie aktualnie przebywają sprzedawca i pozostali klienci – krótko mówiąc, ani trochę nie przypomina standardowego złodzieja sklepowego. Oddycha spokojnie, bez pośpiechu. Ale Frank działa nie tylko na podstawie powierzchownych obserwacji.

Byłby mocno zdziwiony, gdyby się okazało, że podczas trzydziestu trzech lat pracy nie wyrobił sobie czegoś w rodzaju instynktu. Tak jak starzy morscy rybacy wyczuwają niekiedy obecność wielkich ławic, doświadczeni paleontolodzy zaś czasem wiedzą, jaki rezultat przyniosą prace wykopaliskowe, jeszcze zanim zostanie przerzucona pierwsza łopata ziemi, tak i on niemal na pierwszy rzut oka potrafi zidentyfikować potencjalnego złodzieja. Zupełnie jakby umysł takiego człowieka wysyłał dostrzegalne dla Franka fale mózgowe określonej długości, wywołujące natychmiastową reakcję i powodujące uruchomienie wszystkich systemów alarmowych. Rzecz jasna, metoda ta nie jest stuprocentowo niezawodna i zdarzało się, że go zawodziła, niemniej jednak okazywała się skuteczna wystarczająco często, żeby nauczył się jej nie lekceważyć.

Im bardziej zbliża się do mężczyzny z kucykiem, tym silniejsze ogarnia go przekonanie, że tamten będzie próbował coś ukraść. Może nie z tego działu, a już prawie na pewno nie z tej gabloty – chyba że ma przy sobie młot pneumatyczny lub doskonałe wytrychy – ale za jakiś czas, być może całkiem niedługo... Przystanął tu wyłącznie po to, żeby przygotować się psychicznie, żeby po raz kolejny powtórzyć w myślach przygotowany starannie plan. Na zewnątrz nie zdradza najmniejszych oznak napięcia ani zdenerwowania. Profesjonalista.

Kiedy wreszcie odwraca się od gabloty i rusza przed siebie, Frank podąża za nim jak cień.

Wspólnie opuszczają dział: śledzący i nieświadomy niczego śledzony. Ich droga prowadzi coraz dalej od centralnej części budynku, w mniej uczęszczane, nie tak wspaniałe, nie tak rzęsiście oświetlone rejony. Po jakimś czasie docierają do pogrążonych w półmroku, byle jakich, rzadko odwiedzanych działów, tworzących tak zwane Peryferia.

Na niemal wszystkich piętrach Days obowiązuje ta sama zasada: najważniejsze, generujące największy obrót, najbardziej popularne i najelegantsze działy są skupione wokół pionowej osi budowli, te zaś z przeciwnego końca skali atrakcyjności mieszczą się w odległych zakamarkach. Wyjątek stanowi Piętro Czerwone – ze względu na jego usytuowanie musi je odwiedzić każdy klient, całe więc zajmują działy z kosztownymi, atrakcyjnymi towarami.

Warunki panujące w działach usytuowanych na Peryferiach odpowiadają ich pozycji w hierarchicznej strukturze gigamarketu. Można by oczekiwać, że znaczną odległość od centralnej części budynku oraz fakt, iż można się tam dostać jedynie z trzech sąsiednich działów (albo dwóch, w przypadku działów ulokowanych w narożnikach budowli), przynajmniej częściowo rekompensuje piękny widok z okien. Nic z tego jednak: zewnętrzne ściany są pozbawione okien, widok przez nie bowiem niepotrzebnie rozpraszałby kupujących. Naturalne światło wpada jedynie przez przezroczystą połowę ogromnej kopuły w postaci półkolistego daru słonecznego blasku karmiącego chlorofil w Menażerii.

Peryferia specjalizują się w towarach mało ważnych, egzotycznych, zagadkowych i tajemniczych. Niektóre z nich są nawet znacznej wartości, kupcy jednak zdarzają się tak rzadko, że obroty są niezmiennie niskie, wyniki sprzedaży zaś kiepskie.

Pracują tu skupieni, milczący, wiecznie zaaferowani mężczyźni i kobiety, najwyższej klasy specjaliści w rozmaitych zagadkowych dziedzinach, całymi dniami ustawiający, przestawiający i katalogujący towary według znanych jedynie sobie i nielicznym wybrańcom zasad. Ledwo dostrzegają mijającego ich mężczyznę z kucykiem. Franka, podążającego za nim bezszelestnie w butach z grubymi gumowymi podeszwami, nie dostrzegają w ogóle.

Przez Puste Opakowania Kartonowe, przez Akcesoria Okultystyczne, przez Płyty Winylowe i Ośmiościeżkowe Kasety Magnetofonowe, przez Butelki po Piwie... Niespieszny, leniwy pościg trwa już całkiem długo. Kiedy mężczyzna z kucykiem przystaje, żeby się czemuś przyjrzeć, Frank zatrzymuje się również i także się czemuś przygląda. Kiedy mężczyzna z kucykiem zwalnia lub przyspiesza kroku, Frank czyni to samo. Kiedy mężczyzna z kucykiem drapie się za uchem lub skubie dolną wargę, Frank odruchowo go naśladuje. Stał się jego sobowtórem, żywym zwierciadłem powtarzającym z najwyżej półsekundowym opóźnieniem każdy gest, każdy ruch, każde zachowanie tamtego.

W pewnej chwili, w Pamiątkach Nazistowskich, mężczyzna z kucykiem zerka wstecz i widzi ubranego elegancko, lecz nie krzykliwie, klienta, uważnie wpatrującego się w gablotę z odznakami Luftwaffe. Człowiek ten jest tak niepozorny i do tego stopnia wtapia się w tło, że sekundę później mężczyzna z kucykiem nie jest w stanie przypomnieć sobie żadnych szczegółów jego wyglądu, kiedy zaś w następnym dziale ogląda się ponownie i znowu dostrzega Franka, nie podejrzewa nawet, że już go kiedyś widział.

Idą dalej, mężczyzna z kucykiem i jego cień, potencjalny przestępca i Duch, aż wreszcie docierają do Cygar i Zapałek. Tamten odrobinę zwalnia, nieznacznie porusza ramionami, zgina i prostuje palce, jakby szykując się do działania. Frank jest już niemal pewien, że przeczucie go nie myliło. Chrząka cicho, aktywując połączenie z Okiem.

– Oko – melduje się obserwator.

– Hubble.

– Witam, panie Hubble! Czym mogę służyć?

Jakość połączenia jest tak dobra, że Frank słyszy w tle głosy innych ludzi, stukot palców uderzających w klawiatury, szurgot foteli na kółkach przesuwanych po linoleum, stłumiony, lecz łatwy do rozpoznania szum wzmożonej aktywności akcentowany od czasu do czasu rozmaitymi elektronicznymi odgłosami.

– Jestem na Niebieskim, idę za podejrzanym do Cygar i Zapałek.

– Cygara i Zapałki? Zaraz dam panu ognia, szefie! – Obserwator chichocze ze swojego żartu.

Oczy, a także ich nużące poczucie humoru, należą do tych aspektów jego pracy, za którymi Frank z pewnością nie będzie tęsknił.

– Biały mężczyzna, około metra osiemdziesięciu wzrostu. Średnia budowa ciała, jakieś siedemdziesiąt pięć do osiemdziesięciu kilogramów. Trzydzieści parę lat. Garnitur, krawat, kucyk. Dwa małe kolczyki w prawym uchu.

– Chwileczkę. – Szybki stukot klawiszy. – Cygara i Zapałki, Cygara i Zapałki... Mam go. Typ zbuntowanego urzędnika.

– To pańska opinia. Moim zdaniem to zawodowiec. Co prawda nie rozpoznaję twarzy, ale to przecież o niczym nie świadczy.

– Ranny ptaszek, co?

– Pewnie liczy na jakiegoś zaspanego robaka.

– Na zaspanego robaka? To niezłe, panie Hubble. Prawie zabawne.

– Oko, skoncentruj się, proszę, na swojej pracy.

– Tak się składa, że już go namierzyłem – odpowiada obserwator z nutką złośliwej satysfakcji w głosie.

Rzut oka w górę potwierdza, że to prawda. Obiektyw kamery nad głową Franka jest już wycelowany w mężczyznę z kucykiem, śledząc każdy jego ruch. To samo czyni druga kamera, zainstalowana kilkanaście metrów dalej. Obracają się bezszelestnie, skierowane na niego niczym oskarżycielskie palce.

– Nigdzie za to pana nie widzę, panie Hubble – odzywa się Oko.

– Jestem jakieś dziesięć metrów za nim.

– Rzeczywiście. Niełatwo was zauważyć. Mam zacząć rejestrację?

– Tak.

– W porządku. Uśmiechnij się, jesteś w ukrytej kamerze!

– Proszę... – Frank stara się zawrzeć maksimum zniecierpliwienia w swoim ledwo słyszalnym szepcie.

– Jasne. Przepraszam – mruczy Oko, a następnie odwraca się od mikrofonu i rzuca półgłosem do sąsiada, na tyle głośno jednak, że Frank doskonale go słyszy: – Mam starego Hubble'a-Bubble'a.

Tamten wzdycha współczująco.

Frank milczy. Dwie sekundy później połączenie zostaje automatycznie przerwane, żeby oszczędzać litową baterię w nadajniku.

Część działu poświęcona cygarom przypomina palarnię w ekskluzywnym klubie: uginające się pod ciężarem czasopism stoliki, lampy z zielonymi abażurami, na ścianach ryciny w ciemnych ramkach i półki z książkami sprzedawanymi na metry. Tu i tam, na skórzanych kanapach i w takich fotelach, ze stopami wygodnie ułożonymi na podnóżkach, nieliczni klienci – prawie wyłącznie mężczyźni – dokonują wyboru, zaglądając do nawilżanych pudełek podsuwanych im przez sprzedawców w liberiach. Najbardziej niecierpliwi od razu sięgają po zakupione cygara i wydmuchują kłęby aromatycznego dymu, przerzucając od niechcenia kartki z kolorowymi ilustracjami lub w skupieniu kontemplując błyszczące czubki swoich pantofli.

Część poświęcona zapałkom niegdyś stanowiła osobny dział na Peryferiach Piętra Fioletowego, teraz zaś musi się zadowolić mniej więcej dziesiątą częścią dawnej powierzchni. W chwili kiedy bracia Day zajęli Piętro Fioletowe na własne potrzeby, Zapałki połączyły się (choć bliższe prawdy byłoby raczej stwierdzenie, że zostały wchłonięte) z Cygarami. W związku z drastycznym pogorszeniem się warunków lokalowych znaczna część asortymentu trafiła na wyprzedaż, personel zaś zredukowano do jednej osoby. Mogło jednak być znacznie gorzej. Te działy z Piętra Fioletowego, dla których nie udało się znaleźć nowych pomieszczeń – a była ich zdecydowana większość – zostały po prostu zlikwidowane.

Podążając za mężczyzną z kucykiem w kierunku lśniącego mahoniowego biurka, które pełni w tym dziale rolę lady, Frank wdycha mieszaninę zapachów cygarowego dymu, kartonu, związków siarki i fosforu. Śledzony przez niego obiekt przystaje po drodze kilkakrotnie, by podziwiać eksponowane w przezroczystych etui szczególnie rzadkie egzemplarze pudełek. Jest znowu spokojny i opanowany – do tego stopnia, że niewiele brakuje, by Frank jednak zwątpił w słuszność swoich domysłów.

Gdyby nie oczy. Mężczyzna nie patrzy na eksponaty, które rzekomo podziwia, on tylko kieruje na nie wzrok, jego spojrzenie jednak przechodzi przez nie na wylot. Oczywisty dowód dla kogoś, kto wie, czego szukać i na co zwracać uwagę.

Wreszcie dociera do biurka. Jedyny sprzedawca w tym dziale to człowiek o siwych włosach i pomarszczonej twarzy, mniej więcej równolatek Franka. Na piersi ma identyfikator z nazwiskiem Moyle i jest całkowicie pochłonięty oglądaniem pudełka po zapałkach przez niewielką zegarmistrzowską lupę wetkniętą w prawy oczodół. Mężczyzna z kucykiem chrząka, by zwrócić jego uwagę. Bez rezultatu. Chrząka ponownie. Tym razem Moyle podnosi głowę, lupa wypada na podstawioną dłoń.

– Dzień dobry panu – mówi. – Czym mogę służyć?

– Szukam prezentu urodzinowego dla przyjaciela. Jest zapalonym zbieraczem pudełek po zapałkach.

– W takim razie trafił pan we właściwe miejsce. Czy ma pan na myśli coś konkretnego?

– Zdaję się całkowicie na pana.

– Czy pański przyjaciel ma bogatą kolekcję?

– O, tak.

– W takim razie będzie najlepiej, jeżeli poda pan górną granicę ceny, a ja powiem, co można dostać za taką kwotę.

Mężczyzna z kucykiem wymienia sumę, która powoduje, że podbródek Moyle'a wędruje w górę, a z jego ust wydobywa się bezgłośne gwizdnięcie.

– To bardzo hojny prezent urodzinowy, proszę pana. To zapewne bardzo bliski przyjaciel?

– Bardzo bliski.

– W takim razie zobaczmy, co tutaj mamy...

Moyle odwraca się do beżowej tablicy za swoimi plecami, na której wisi kilkanaście przezroczystych etui z różnokolorowymi pudełkami rozmaitej wielkości. Same rarytasy! Zdejmuje trzy egzemplarze i kładzie na biurku.

– Oto oryginalne pudełko z Purple Pineapple Club – zaczyna, i podsuwając klientowi przed oczy jedno etui, trzyma je za rożek. – Pański przyjaciel bez wątpienia mógłby panu opowiedzieć smutną historię o tym, jak to Purple Pineapple Club został zamknięty na trzy dni przed otwarciem, a to dlatego, że jeden z jego założycieli zbankrutował i odebrał sobie życie. Na uroczyste otwarcie przygotowano pięćdziesiąt pamiątkowych pudełek z zapałkami, z czego najwyżej połowa znajduje się obecnie w obiegu. Proszę zwrócić szczególną uwagę na metalizującą farbę, której użyto do wydrukowania napisu, oraz na wesoły rysunek.

– Ale w tym pudełku nie ma zapałek? – upewnia się mężczyzna z kucykiem.

– Nie ma, proszę pana. Zawsze są usuwane.

– Dlaczego?

– Fosfor prowadzi do przebarwień opakowania, a poza tym obecność zapałek utrudniałaby właściwą ekspozycję.

– Nie wiedziałem o tym. No dobrze. Ile to kosztuje?

Moyle bierze do ręki czytnik, przykłada go do plastikowego etui, czerwone migające światełko przebiega po kodzie kreskowym. Na wyświetlaczu przy kasie pojawia się liczba. Sprzedawca wskazuje ją klientowi.

– Aha – mówi mężczyzna z kucykiem. – Ma pan może coś trochę bardziej kosztownego?

– Coś trochę bardziej kosztownego... – powtarza Moyle ze źle skrywanym podnieceniem i bierze w dwa palce następny egzemplarz. – Oto specjalna edycja przygotowana w związku z planowanym oficjalnym ujawnieniem preferencji seksualnych jednego z członków rodziny królewskiej. Proszę zwrócić uwagę na motyw heraldyczny w postaci różowej korony nad splecionymi męskimi ciałami. W ostatniej chwili wspomniany członek rodziny królewskiej rozmyślił się i do ujawnienia sprawy nie doszło, pewna niewielka liczba pudełek została jednak wyniesiona przez służbę, a następnie trafiła do rąk kolekcjonerów. Rzecz jasna służby prasowe Pałacu kategorycznie zaprzeczyły, jakoby kiedykolwiek planowano jakiekolwiek oficjalne deklaracje w tej sprawie, sugerując równocześnie, że zapałki te wyprodukowali antyrojaliści w celu zdyskredytowania rodu panującego.

– Tak jakby można go było jeszcze bardziej zdyskredytować.

– To pańska opinia. Tak czy inaczej, z oficjalną autoryzacją czy bez niej, niewielka liczba pudełek trafiła do obiegu, związana zaś z nimi historia bez wątpienia zwiększa ich atrakcyjność, nieprawdaż?

– Zapewne nie dysponuje pan żadnymi dokumentami potwierdzającymi autentyczność tego egzemplarza?

– Niestety nie. Na tym właśnie polega problem z takimi kuriozalnymi edycjami.

– Wielka szkoda. Mój przyjaciel ma bzika na punkcie świadectw i certyfikatów.

– Jak większość filumenistów, proszę pana.

Frank, który przez cały czas krąży niezauważony w pobliżu, zerka w górę, na kamery. Wszystkie w zasięgu jego wzroku są wycelowane w mężczyznę z kucykiem. Doskonale.

– Oko?

– Cały czas z panem, panie Hubble.

– Mamy gdzieś w pobliżu strażnika?

– Zawiadomiłem jednego. Jest dwa działy stąd. Nazywa się Miller.

– Dobra robota.

– Widzi pan? Nie wszyscy jesteśmy niekompetentnymi idiotami.

– Chciałbym w to uwierzyć.

Wybuch sarkastycznego śmiechu.

– Jest pan dzisiaj w wyjątkowej formie, panie Hubble!

Miotając w duchu gromy, Frank ponownie koncentruje uwagę na scenie rozgrywającej się przy biurku.

– A to? – pyta mężczyzna z kucykiem, wskazując na trzecie pudełko wybrane przez Moyle'a.

– Ach, to... Raj Tandoori, elegancka indyjska restauracja. Pierwszy nakład. Piękny projekt, ale, jak pan widzi, do druku wkradł się mały błąd: Rat Tandoori* Niefortunne przeoczenie czy czyjś głupi dowcip? Nie wiadomo. Tak czy inaczej, właściciel lokalu uznał – chyba zresztą słusznie – iż skojarzenie cieszącego się niezbyt dobrą sławą gryzonia z potrawami serwowanymi w restauracji raczej nie zachęci nikogo do ponownych odwiedzin, zamówił więc nowy nakład, stary zaś polecił zniszczyć, ocalało zaledwie kilka egzemplarzy. Są obecnie bardzo rzadkie, prawie unikatowe. Jak pan jednak widzi, na bocznej ściance znajduje się wyraźna rysa, a krawędź wierzchniej strony jest odłamana.

– Czy mimo wszystko mogę je wyjąć i przyjrzeć mu się dokładniej?

– Naturalnie. Proszę pana jedynie o zachowanie szczególnej ostrożności.

– Oczywiście.

Mężczyzna z kucykiem wysuwa pudełko z etui i poddaje szczegółowym oględzinom. Moyle śledzi każdy jego ruch nie całkiem jak właściciel, lecz raczej jak ojciec strzegący ukochanego dziecka. Jego ręce są gotowe w każdej chwili złapać cenny przedmiot, gdyby z jakiegoś powodu wyślizgnął się klientowi z palców, mężczyzna z kucykiem jednak najwyraźniej wie, jak postępować z takimi bezcennymi przedmiotami: przytrzymuje pudełko dwoma palcami tak, że dotyka jedynie krawędzi, muska opuszkami palców,

---

* *Rat* (ang.) – szczur (przyp. tłum).

traktuje niemal z takim szacunkiem, jakby miał do czynienia z rozsypującą się relikwią.

Uspokojony, że cennemu pudełeczku nie grozi żadne niebezpieczeństwo, Moyle odwraca się do beżowej tablicy, zastanawia się przez jakiś czas, pomrukując pod nosem, następnie zaś zdejmuje dwa kolejne egzemplarze i kładzie na biurku w tej samej chwili, kiedy mężczyzna z kucykiem wsuwa Rat Tandoori w przezroczyste etui.

– Jest pan zainteresowany?

– Raczej nie.

– Wolno wiedzieć dlaczego?

– Mój przyjaciel kolekcjonuje wyłącznie nienaruszone egzemplarze.

– Cena Rat Tandoori w dziewiczym stanie dość wyraźnie przewyższa wcale niemałą sumę, jaką był pan uprzejmy wymienić na początku naszej rozmowy, mógłbym jednak spróbować zdobyć dla pana niewiele gorszy, a za to znacznie tańszy egzemplarz, który niebawem powinien zostać wystawiony na aukcję.

– Wolałbym sam go kupić, niż fundować panu sowitą prowizję – odpowiada oschle mężczyzna z kucykiem.

– W takim razie obawiam się, że te cudeńka także pana nie zadowolą – mówi Moyle, zdziwiony nagłą zmianą w nastawieniu klienta.

– Rzeczywiście, wyglądają dość tandetnie.

– Proszę pamiętać, że mamy tu do czynienia z bardzo nietrwałymi przedmiotami – zwraca mu uwagę Moley. – Między innymi właśnie dlatego pudełka po zapałkach przedstawiają dla zbieraczy tak wielką wartość. Nie wątpię, że pański przyjaciel też tak do tego podchodzi.

– Mimo wszystko wydaje mi się, że kupię mu coś innego. Dziękuję, że poświęcił mi pan tyle czasu, ale raczej nie dobijemy targu.

Odwraca się i odchodzi. Wzruszenie ramion Moyle'a świadczy o tym, jak głęboko poczuł się urażony.

– Oko?

– Tak?

– Uprzedź Millera, żeby przygotował się do zatrzymania. Obiekt kieruje się w stronę Broni Orientalnej.

– Zwędził coś? Niczego nie widziałem.

– Mam nadzieję, że któraś kamera widziała.

Szczwany lis, myśli Frank, idąc krok w krok za mężczyzną z kucykiem.

9.19

W chwili kiedy mężczyzna z kucykiem przystaje przed gablotą z dwoma ceremonialnymi japońskimi mieczami w przepięknych polakierowanych na czarno pochwach, czyjeś palce uprzejmie, lecz stanowczo zaciskają mu się na bicepsie.

– Przepraszam pana...

Mężczyzna odwraca się i widzi pokrytą zmarszczkami smutną twarz o oczach koloru deszczowego przedświtu. Nie zdaje sobie sprawy, że w ciągu minionego kwadransa spotkał tego człowieka już dwa razy.

– Ochrona Taktyczna – mówi Frank. – Zechce pan poświęcić nam nieco czasu?

Mężczyzna z kucykiem natychmiast rozgląda się w poszukiwaniu drogi ucieczki i dostrzega zmierzającego w ich stronę strażnika. Strażnik ma ponad dwa metry wzrostu, w pasie jest szerszy niż ten w barach, zielony mundur w każdej chwili może pęknąć pod naporem rozsadzających go mięśni. Mężczyzna na chwilę nieruchomieje, spręża się do skoku. Z głębokim wewnętrznym westchnieniem Frank rozpoznaje typowe objawy świadczące o tym, że lada chwila rzuci się do ucieczki.

– Proszę pana, dla wszystkich byłoby znacznie lepiej, gdyby zechciał pan pozostać na miejscu.

Strażnika dzieli od nich jeszcze jakieś dziesięć metrów, kiedy mężczyzna z kucykiem wyrywa się z uchwytu Franka i gna przed siebie. Kiedy Miller zastępuje mu drogę, skręca na oślep w lewo i przedziera się przez przepierzenie z papieru ryżowego, na którym zawieszono kolekcję *shuriken* *. Ścianka rozpada się, owija wokół niego, pociąga go za sobą na podłogę. Gwiazdy o ostrych jak brzytwa ramionach toczą się we wszystkie strony jak wielkie metalowe płatki śniegu.

Miller doskakuje do niego, mężczyzna jednak błyskawicznie zrywa się na nogi. W ręce trzyma jedną z *shuriken,* szczerzy zęby jak pies.

– Zostawcie mnie! Zostawcie mnie w spokoju!

Miller wzrusza ramionami, cofa się o dwa kroki, podnosi uspokajająco rękę.

– Nie macie prawa! – wykrzykuje mężczyzna z kucykiem. – Niczego nie zrobiłem! Nie macie prawa!

Szybko zbiera się tłumek gapiów.

– Niczego nie ukradłem! – krzyczy, wymachując wieloramienną gwiazdą.

Frank podchodzi do Millera.

– Może go pan obezwładnić? – pyta półgłosem.

Strażnik wzrusza ramionami.

– Jasne. Kiedy jeszcze siedziałem, codziennie przerabiałem na marmoladę dziesięciu takich jak on. Ot tak, dla przyjemności.

– A ta gwiazda?

---

* *Shuriken* (jap.) – przeznaczona do miotania broń w kształcie gwiazdy o ostrych metalowych ramionach (przyp. tłum.).

– Nie wie, co z nią robić. Macie go na dysku?

– Oko?

– Szukam. Szukam. Chwileczkę... Tak, jest. Cholera, szybki był.

Frank kiwa głową. Na twarzy Millera rozkwita szeroki pozbawiony wesołości uśmiech.

Jak na kogoś tej postury porusza się nieprawdopodobnie szybko. Trzy błyskawiczne kroki i już jest w półdystansie. Zanim tamten zdążył podnieść rękę z bronią, potężne palce chwytają go za rękę, w której trzyma gwiazdę, i zaciskają się... zaciskają się coraz mocniej. Mężczyzna z kucykiem wrzeszczy przeraźliwie, kiedy ostrza wbijają się w jego ciało, osuwa się na kolana, Miller zaś wykręca mu rękę do tyłu. Krew spływa po nadgarstku na plecy eleganckiej marynarki. Nieszczęśnik usiłuje się uwolnić, strażnik jednak zaciska rękę jeszcze mocniej i ostrza wbijają się głębiej, aż wreszcie docierają do kości. Mężczyzna zwija się w kłębek, szlocha, jest w stanie myśleć wyłącznie o bólu, o okropnym, przeszywającym bólu.

Frank wyciąga sfinksa, kuca przy jęczącym rozpaczliwie złodzieju, recytuje Litanię Pechowca:

– Dzisiaj o godzinie 9.18 zauważono i zarejestrowano, jak zabiera pan pewien przedmiot z działu Cygara i Zapałki, nie zapłaciwszy za niego i bez zamiaru uczynienia tego w najbliższej przyszłości. Takie postępowanie karane jest natychmiastowym usunięciem z terenu sklepu oraz likwidacją konta lub kont, jakie pan w nim posiada. Jeśli zamierza pan złożyć skargę do sądu, oczywiście może pan to uczynić, proszę jednak pamiętać, że dysponujemy dowodami.

Frank podsuwa mężczyźnie sfinksa przed nos, Oko zaś odtwarza zarejestrowaną przez kamerę kradzież.

Wszystko odbyło się w ułamku sekundy, za pomocą błyskawicznego, ledwo dostrzegalnego ruchu ręki, z pewnością wielokrotnie ćwiczonego i doskonalonego aż do perfekcji. W momencie gdy Moyle odwrócił się do niego plecami, mężczyzna z kucykiem wyjął z kieszeni duplikat Rat Tandoori, oryginał zaś wsunął w specjalnie przygotowane rozcięcie w podszewce rękawa marynarki. Kiedy chwilę później Moyle ponownie odwrócił się ku niemu, mężczyzna chował do etui kopię, nie zaś oryginał. Gdyby nie Frank, najprawdopodobniej nikt nie zdawałby sobie sprawy z faktu dokonania kradzieży aż do dnia, kiedy zjawiłby się autentyczny zamożny filumenista i zapragnął uzupełnić kolekcję właśnie o ten rzadki egzemplarz.

Zdarzenie pojawia się na ekranie sfinksa w postaci dwóch krótkich wideoklipów nakręconych z dwóch ujęć. Na pierwszym widać, jak pojawia się podróbka, nie sposób jednak dostrzec, co dzieje się z oryginałem. Drugi pozostawia niewielkie pole do domysłów, mimo że nawet w zwolnionym tempie podmiana trwa niewiele dłużej niż mgnienie oka. Co prawda z głęboką niechęcią, niemniej jednak Frank musi docenić sprawność złodzieja. Istotnie ma do czynienia z profesjonalistą.

– Czy rozumie pan znaczenie tego, co pan widzi?

Wcale nie jest pewien, czy tamten patrzył na ekran, ale mężczyzna z kucykiem kiwa głową i mówi: „Tak".

– To dobrze. Teraz proszę o pańską kartę.

– Słyszałeś? – pyta Miller złowróżbnym tonem. – Karta. Tylko bez żadnych sztuczek. Wstań.

Zmusza go do podniesienia się z podłogi. Mężczyzna ma twarz wykrzywioną grymasem bólu i mokrą od łez, ale wciąż nie okazuje pokory; sięga nieuszkodzoną ręką do wewnętrznej kieszeni marynarki i wyjmuje Srebrną.

– Ale cienias! – szydzi Miller. – Tylko na tyle wydoliłeś?

– Pierdol się – odparowuje mężczyzna z kucykiem, ale bez większego entuzjazmu.

Usunąwszy *shuriken* z dłoni zatrzymanego, strażnik zakłada mu kajdanki, Frank zaś wsuwa kartę do szczeliny czytnika w sfinksie. W bazie nie ma informacji o tym, że karta została zgubiona lub skradziona, kiedy jednak na ekranie pojawia się podobizna właściciela, Frank nie potrzebuje wiele czasu, by wydedukować, że stojący przed nim człowiek nie jest Alphonsem Ng, sześćdziesięciodwuletnim jowialnym Koreańczykiem.

– Ile mu pan zapłacił? – pyta złodzieja.

– Nie wiem, o czym pan mówi.

– Jak długo zgodził się zaczekać, zanim zgłosi zaginięcie karty? Tydzień? Dwa tygodnie?

Bez odpowiedzi.

– No dobrze. Zapytamy o to pana Ng, zobaczymy, co powie.

Zarówno Frank, jak i mężczyzna z kucykiem doskonale wiedzą, co powie pan Ng. Oświadczy, że nie dalej jak parę chwil temu stwierdził, iż zgubił kartę lub że ktoś mu ją ukradł, wyrazi niezmierną radość z jej odzyskania oraz solennie obieca lepiej pilnować jej w przyszłości. I to wszystko. Nikt nie podejmie w tej sprawie żadnych kroków. W interesie gigamarketu leży jak najszybsze zwracanie kart ich prawowitym właścicielom, bez zadawania zbędnych pytań. Inne działanie nie miałoby żadnego sensu handlowego.

– Teraz strażnik zaprowadzi pana na dół w celu sporządzenia protokołu i spisania zeznań – informuje Frank zatrzymanego. – W razie próby stawiania oporu ma on prawo zastosować wobec pana takie środki przymusu osobistego, jakie uzna za stosowne, łącznie z takimi, których użycie może spowodować skutki śmiertelne. Czy to jasne?

Mężczyzna w milczeniu kiwa głową.

– Doskonale. Proszę już tu nigdy nie wracać.

Frank jednak doskonale zdaje sobie sprawę, że to upomnienie nie ma najmniejszego sensu. Złodziej wróci, jak tylko zagoi mu się ręka, może nawet szybciej. Kucyk zniknie, podobnie jak kolczyki i kosztowny granatowy garnitur. Mężczyzna zjawi się w jakimś innym wcieleniu – może jako burlington, może jako zagraniczny dyplomata, a może jako kapłan (i to już się zdarzało!) – z kolejną zdobytą na czarnym rynku kartą w kieszeni i nowym pomysłem na pozyskanie dóbr bez płacenia za nie. Gdyby administracja Days nie hołdowała przeświadczeniu, iż bezwarunkowy zakaz wstępu do sklepu nie jest wystarczającą karą za tego rodzaju przestępstwa, i uznała jednak za stosowne występować przeciwko schwytanym złodziejom na drogę sądową, osobnicy tacy jak właśnie zatrzymany w ogóle by nie istnieli i być może Frankowi nie towarzyszyłoby bez przerwy przeświadczenie, iż wylewa sitkiem wodę z przeciekającej łodzi. A tak może tylko dokonać zatrzymania i wyrzucić złodzieja za drzwi, by już niebawem schwytać go ponownie. Jedyne, na co może liczyć, to że wśród rozchodzących się właśnie gapiów był ktoś, kto również zamierzał spróbować szczęścia w złodziejskim rzemiośle, zobaczywszy jednak na własne oczy, jaki los spotyka schwytanych na gorącym uczynku, zastanowi się co najmniej dwa razy, zanim ulegnie pokusie. Nadzieja jest niewielka, to prawda, ale cóż innego pozostaje?

Już jutro jednak to wszystko nie będzie miało dla niego żadnego znaczenia i dlatego Frank jest jeszcze spokojniejszy niż zazwyczaj, kiedy wsuwa palce pod podszewkę marynarki złodzieja i wydobywa stamtąd skradzione pudełko. Odczuwa zadowolenie na myśl o tym, że nie będzie już musiał odgrywać swojej roli w tym powtarzanym bez końca spektaklu. Że już jutro będzie wolny.

9.25

– Mój Boże! – mówi Moyle. – O mój Boże! – Podnosi obydwa pudełka, porównuje je, ogląda ze wszystkich stron, przekłada z ręki do ręki, znowu im się przygląda. – To doskonałe fałszerstwo, bez cienia wątpliwości. Przypuszczalnie wykonał kopię na podstawie fotografii w katalogach. Wszystko się zgadza, łącznie z uszkodzeniami. Chyba nie dziwi się pan, że dałem się nabrać?

– Nie dziwię się – odpowiada Frank – nie mogę natomiast zrozumieć, dlaczego odwrócił się pan do niego tyłem. To było w najwyższym stopniu nieostrożne.

– Wyglądał bardzo przyzwoicie...

– Oni wszyscy wyglądają przyzwoicie, panie Moyle.

– To prawda. Wie pan co? Teraz, kiedy o tym myślę, wydaje mi się, że ta jego nagła utrata zainteresowania była dość dziwna, prawda? Zupełnie jakby chciał jak najszybciej się stąd wydostać.

– Bo chciał.

– No cóż, najważniejsze, że mu pan na to nie pozwolił. Złapał go pan, a ja odzyskałem oryginał Rat Tandoori. Wszystko dobre, co się dobrze kończy, prawda? – zapytał, unosząc z nadzieją brwi.

– Będę musiał napisać w raporcie, że odwrócił się pan do niego tyłem.

Moyle powoli kiwa głową, analizując usłyszane słowa.

– Tak podejrzewałem. Za taki błąd można stracić pracę, prawda?

– Jestem pewien, że do tego nie dojdzie. Skończy się na anulowaniu kilku punktów emerytalnych. Karcące uderzenie po łapach, nic więcej.

Moyle wzdycha z rezygnacją.

– No cóż, chyba będę musiał się z tym pogodzić. Najważniejsze, że ocalił pan oryginalne pudełko, za co ja i wszyscy prawdziwi filumeniści dziękujemy panu, panie Hubble, z głębi serca.

– Ja tylko wykonuję swoją pracę.

Sprzedawca pieczołowicie chowa pudełko do plastikowego etui, podróbkę zaś z pogardą wrzuca do kosza.

– Zapewne dziwi pana moje zainteresowanie tymi tekturowymi drobiazgami – mówi, uśmiechając się z zażenowaniem. – Wielu ludzi nie potrafi tego pojąć. Na przykład moja była żona. Chociaż to chyba więcej mówi o niej niż o mnie...

– Rzeczywiście. Muszę przyznać, że mam pewne problemy ze zrozumieniem tej fascynacji.

– Najwyraźniej nie ma pan duszy zbieracza...

– Owszem, zbieram rozmaite przedmioty. A raczej gromadzę je, zwykle odbywa się to jednak dość przypadkowo.

– A potem, stopniowo i niepostrzeżenie, staje się pan ich własnością?

Właściwie należałoby uznać to nie za pytanie, lecz za stwierdzenie.

– Staram się zachować właściwą perspektywę.

– W takim razie ponad wszelką wątpliwość nie jest pan zbieraczem – mówi Moyle. – Zbieracz nie wie, co to jest „właściwa perspektywa". Zbieracz widzi tylko to, co go pasjonuje. Cała reszta tworzy jedynie tło. Wiem o tym z doświadczenia. – Wzdycha z miną człowieka, który zdaje sobie sprawę, że zabrnął już zbyt daleko, by się zmienić. – Ale nie będę pana zatrzymywał. Wiem, że w pańskim zawodzie nie wolno zanadto spoufalać się z innymi pracownikami. Jeszcze raz bardzo panu dziękuję. Jestem pańskim dłużnikiem. Byłbym szczęśliwy, gdyby udało mi się panu jakoś zrewanżować. Naprawdę. Jeśli będę mógł kiedyś coś dla pana zrobić, na pewno to zrobię. Wszystko, czego będzie pan potrzebował.

– Wystarczy, że będzie pan lepiej pilnował towaru – mówi Frank.

XIII

Siedem: w *Biblii* równoznaczne z „wieloma synami”, na przykład w Pierwszej Księdze Samuela 2,5: „Niepłodna rodzi siedmioro, a wielodzietna więdnie”

9.26

Na siódmym piętrze, w Biurze, Thurston z typową dla siebie biegłością zajmuje się kolejnymi punktami programu, równocześnie wystukując listy i notatki na klawiaturze terminalu. Teraz omawia z braćmi sprawę pożaru, który w ubiegłym tygodniu wybuchł w jednym z magazynów. Może im oznajmić, że drobiazgowe wewnętrzne śledztwo pozwoliło ustalić sprawcę: był nim szukający zemsty za zwolnienie z pracy operator wózka widłowego. Ponieważ jednak pożar został wykryty i ugaszony przez nocnego strażnika, zanim zdążył poczynić większe szkody, a zniszczone towary i elementy wyposażenia były ubezpieczone, bracia jednomyślnie postanawiają nie występować z oficjalnym oskarżeniem przeciwko podpalaczowi. Decyzja ta nie ma nic wspólnego ze wspaniałomyślnością; wynika bezpośrednio z głębokiej niechęci wszystkich braci do systemu sądowniczego tego kraju. Ich zdaniem Days to coś w rodzaju państwa w państwie, stanowiącego własne prawa i samodzielnie czuwającego nad ich egzekwowaniem. Korzystanie ze standardowych prawnych procedur mogłoby w znaczący sposób naruszyć tę pieczołowicie kultywowaną niezależność.

Kolejny punkt programu dotyczy wprowadzenia nowego rodzaju konta o najniższym progu dostępności. Autorem pomysłu jest Fred, który – czego nie omieszka wszystkim przypomnieć – wymyślił kilka lat temu Aluminiową. W samą porę, jak się okazało, bo wkrótce nadszedł dość długotrwały kryzys, sprzedaż drastycznie zmalała i Days przetrwało ten trudny okres głównie dzięki jego szczęśliwemu pomysłowi. Teraz, kiedy obroty znowu maleją – chociaż wciąż jeszcze są całkiem znaczne, dodaje Fred pospiesznie – warto by chyba podjąć kroki, które pozwoliłyby jeszcze liczniejszym rzeszom klientów przekroczyć progi gigamarketu.

Wensley chce wiedzieć, jak Fred zamierza nazwać nową kartę. Cynowa? Ołowiana? Zardzewiała?

Fred uważa, że Miedziana brzmi całkiem ładnie.

Thurston zastanawia się, czy pojawienie się konta dostępnego praktycznie dla wszystkich nie wpłynie niekorzystnie na otaczającą Days aurę ekskluzywności, działającą jak magnes na znaczną część klienteli. Może więc w ogóle zrezygnować z jakichkolwiek ograniczeń, otworzyć drzwi na oścież i wpuścić cały świat do środka?

Mungo popiera jego zastrzeżenia. Co prawda takie posunięcie w istotny sposób przyczyniłoby się do wzrostu obrotów, istnieje jednak niebezpieczeństwo, że zamożniejsi oraz długoletni klienci dojdą do wniosku, iż pierwszy na świecie i (oczywiście) najlepszy gigamarket jak na ich gust jednak nieco za bardzo obniżył standard i w ramach protestu zaczną korzystać z usług konkurencji – na przykład EuroMartu w Brukseli, i to nawet pomimo jego fatalnego rozplanowania i panującego tam bałaganu. Oprócz tego należy pamiętać, iż tym, co między innymi czyni Days tak kuszącym i godnym pożądania, jest wysiłek, jaki trzeba włożyć w to, żeby się do niego dostać. Ludzie cenią sobie zazwyczaj tylko to, na co musieli solidnie zapracować.

Fred uznaje argumenty braci i w głosowaniu opowiada się przeciwko własnemu wnioskowi, który przepada stosunkiem głosów sześć do zera.

Następnie Thurston wylicza najnowsze prośby o dotacje, datki i zapomogi, jakie napłynęły do Biura Zarządu. Głosują nad każdym wnioskiem oddzielnie. Kampanie w obronie praw człowieka nie mają najmniejszych szans. Tak się przypadkowo składa, iż kraje, z których pochodzą najtańsze surowce i produkty sprzedawane w gigamarkecie, są rządzone przez ludzi w dość swoisty sposób interpretujących pojęcie demokracji, braciom zaś wcale niespieszno do krytykowania, a tym bardziej obalania dyktatorów i junt wojskowych, dzięki którym czerpią znaczne zyski. Obrońcy praw zwierząt, obrońcy środowiska naturalnego oraz pacyfiści także nie mogą liczyć na życzliwość braci. Pozostają więc organizacje zrzeszające niepełnosprawnych, fundacje kulturalne, a także projekt zmierzający do zapewnienia wszystkim miejskim dzieciom corocznych dwutygodniowych wakacji na wsi, i tylko one mogą liczyć na – oczywiście odpisywane od podstawy opodatkowania – datki od Days, także i z tego względu, iż najszybciej mogą się przyczynić do wzrostu prestiżu sklepu.

Thurston wspomina mimochodem, że koszty utrzymania stypendiów Days na wydziałach handlu detalicznego dwóch najstarszych uniwersytetów znacznie wzrosną w związku z wprowadzonymi ostatnio przez rząd cięciami wydatków na oświatę, a zatem należałoby chyba zastanowić się nad likwidacją przynajmniej jednego z nich. Ponieważ wszyscy bracia uczęszczali tylko do jednego z tych uniwersytetów, wiedzeni naturalnym odruchem chętnie wspomogliby swą Alma Mater, Sato jednak przekornie zwraca im uwagę, że druga uczelnia, niemogąca się poszczycić takimi absolwentami, znacznie bardziej potrzebuje wsparcia. Głosy rozkładają się równo, a ponieważ nie ma Sonny'ego, który mógłby przechylić szalę na którąś stronę, Thurston postanawia, że chwilowo utrzymają stypendia w obu.

Następnie trzeba się ustosunkować do licznych próśb o udzielenie wywiadów telewizyjnych i prasowych. Bracia załatwiają wszystkie odmownie, niemniej jednak lektura listów od wydawców i producentów (dostarczane są przez dział Public Relations mieszczący się w piwnicy) sprawia im sporą przyjemność. Najbardziej bawi ich ton, w jakim są utrzymane te prośby: przesłodzona mieszanka pochlebstw i obłudy.

Taki sam los spotyka zaproszenia na rozmaite uroczyste obiady i kolacje, wernisaże i premiery filmowe. Bracia znajdują wielką przyjemność w torpedowaniu wysiłków zmierzających do odarcia ich z nimbu tajemniczości. Rezultatem tego są oczywiście mnożące się spekulacje. Niemal codziennie w mediach elektronicznych i tradycyjnych pojawiają się doniesienia o najróżniejszych chorobach, maniach i ekscentrycznych upodobaniach synów Septimusa Daya. Na prośbę Thurstona Fred – z własnej woli monitorujący środki masowego przekazu i wychwytujący istotne z takiego lub innego powodu informacje – odczytuje listę najświeższych plotek, jakie znalazły się w popołudniówkach i telewizyjnych programach dla gospodyń domowych:

1. Sato całymi dniami chodzi nago po Piętrze Fioletowym;
2. Wensley waży już ponad dwieście kilogramów;
3. Thurston walczy z groźną wyniszczającą chorobą;
4. Thurston traci wzrok w lewym oku (tytuł: „Przekleństwo ojca!");

5. Fred uzależnił się od barbituranów, nocami zaś nie może zmrużyć oka, chyba że kładzie się do łóżka z Mungiem;

6. Mungo tak rozbudował sobie mięśnie rąk i nóg, że nie jest w stanie całkiem wyprostować kończyn;

7. Chas poddał się operacji plastycznej w celu usunięcia niewielkiego defektu podbródka;

8. Sonny zapisał się do telefonicznej poradni dla alkoholików - anonimowo, ma się rozumieć.

Gdybyż w ostatniej plotce było choć ziarenko prawdy, wzdychają bracia w duchu. Pozostałe zbywają śmiechem. Świat może sobie o nich myśleć, co chce. Może ich wyśmiewać, może ich traktować jak postaci z komiksów. Dla nich to całkowicie bez znaczenia. Zamknięci sto metrów nad ziemią w bezpiecznym gnieździe Piętra Fioletowego, z dala od potu, smrodu i hałasu miasta, czemu mieliby przejmować się tym, co mówią o nich ludzie? Jakie znaczenie mogą mieć te historyjki, skoro tłumy klientów szturmują drzwi gigamarketu?

Po kilku punktach porządku dziennego przychodzi wreszcie pora na sprawę sporu terytorialnego między dwoma działami.

- Zamieszanie trwa już od dłuższego czasu - mówi Thurston - ale na informacje o tym trafiłem dopiero wczoraj, przygotowując się do dzisiejszego zebrania. Wygląda na to, że przeoczyliśmy ten konflikt.

- I chyba słusznie - mamrocze Fred pod nosem.

- Raport pochodzi zarówno od Ochrony Taktycznej, jak i Strategicznej - ciągnie Thurston. - A raczej raporty. W pierwszym czytamy: „Szefowie Ochrony Taktycznej i Ochrony Strategicznej byliby zobowiązani, gdyby administracja zechciała zainteresować się narastającą wrogością między Działem Książek i Działem Komputerów oraz zająć jednoznaczne stanowisko, które pozwoliłoby wyjaśnić sytuację". Stuka w klawiaturę, przywołując wyselekcjonowane wcześniej fragmenty kolejnych raportów. „Nic nie wskazuje na to, by trwający od dłuższego czasu «stan wzajemnego oblężenia» Działu Komputerów i Działu Książek miał w najbliższej przyszłości ulec poprawie. Wręcz przeciwnie, wygląda na to, że z dnia na dzień ulega zaostrzeniu...". „Wielu klientów dostało się w «krzyżowy ogień» agresji i pogardy...". „Jeśli sytuacja będzie dalej rozwijać się w tym kierunku, już niedługo należy liczyć się z pierwszymi ofiarami w ludziach...". „Mamy do czynienia z aktami przemocy i sabotażu...". – Odrywa wzrok od ekranu i spogląda na braci.

– Czy któryś z was wiedział o tym wcześniej?

Wszyscy kręcą głowami.

– Ta sytuacja najwyraźniej trwa już od roku, czyli od chwili, kiedy wyraziliśmy zgodę, żeby Komputery przejęły część powierzchni handlowej Książek.

– To była słuszna decyzja – zabiera głos Sato. – Komputery mają większy obrót, częściej zmienia się tam ekspozycja, potrzebują więc większej przestrzeni. Książki od dawna przynoszą wyłącznie straty, wydawało się więc logiczne, by ustąpiły nieco miejsca silniejszemu sąsiadowi. Pozwoliliśmy Komputerom na zajęcie pasa szerokości jednego metra i długości dziesięciu. Oddaliśmy im dziesięć metrów kwadratowych Działu Książek.

– Wygląda na to, że naszym Molom Książkowym to się nie spodobało – odzywa się Wensley. – Cóż, trudno. Będą musieli się z tym pogodzić.

– Problem polega na tym, że najwyraźniej nie mają zamiaru – odpowiada Thurston. – Systematycznie organizują coś, co w raportach określa się mianem „wypadów zbrojnych", usuwają ze spornego pasa towary sąsiada i wstawiają w to miejsce swoje. Z kolei pracownicy Działu Komputerów...

– Jeśli się nie mylę, nazwali się Technoidami – wtrąca Chas, dumny z tego, że zna żargon, jakim posługują się pracownicy.

– A więc ci... Technoidzi – Thurston wymawia to słowo z wyraźnym obrzydzeniem – też nie zasypiają gruszek w popiele. W pobliżu pasa granicznego często dochodzi do starć, po obu stronach są ranni. – Ponownie stuka w klawisze i spogląda na ekran. – „W wyniku zamieszek, jakie wybuchły w okolicy spornego pasa między działami Książek i Komputerów, trzej sprzedawcy zostali przewiezieni do szpitala. Był to, jak do tej pory, najkrwawszy epizod w coraz bardziej nabrzmiewającym konflikcie. Sprawa ta wymaga natychmiastowej interwencji na najwyższym szczeblu".

Sato krzywi się boleśnie.

– Trzech ludzi na zwolnieniach lekarskich. A my za to płacimy.

– Co gorsza, z pewnością były straty materialne – włącza się Mungo. – Dlaczego wcześniej nie zwrócono nam na to uwagi?

– Jak już powiedziałem, w tej sprawie było wiele raportów. Dokładnie siedemnaście. Niestety, pierwszy został zakwalifikowany do Konfliktów wśród Personelu i pozostałe automatycznie również trafiły na tę ścieżkę.

To wszystko wyjaśnia. Co pewien czas jakiś kierownik składa raport na jednego ze swoich podwładnych albo któryś sprzedawca oskarża kolegę o zagarnięcie należnej mu prowizji, jednak nieporozumienia te znajdują zazwyczaj rozwiązanie na długo przed tym, zanim sprawa dotrze do Zarządu, w związku z czym już od dawna bracia w ogóle nie zajmują się tymi kwestiami. Po prostu szkoda im na to czasu.

– Powinniśmy byli jednak zwrócić na nie uwagę, ponieważ raporty dotyczące Konfliktów nadchodzą zazwyczaj z Sekcji Personalnej, a te otrzymaliśmy z Ochrony.

Rozlegają się potakiwania.

– Skoro więc to tylko przeoczenie, możemy chyba rozwiązać ten problem bez większych kłopotów – mówi Wensley, wzruszając ramionami.

– Oczywiście – zgadza się Sato. – Niemniej ze względu na oczywiste zaniedbanie z naszej strony byłoby dobrze, gdyby któryś z nas pofatygował się tam osobiście. Takie gesty nie przechodzą niezauważone.

– Tym bardziej że wiemy doskonale, który to będzie – odzywa się Chas z udawaną zgryźliwością.

– To jasne, że nikt nie ma na to wielkiej ochoty, ale przecież wszyscy zdajemy sobie sprawę, że ty najlepiej radzisz sobie w kontaktach z... no wiesz, zwyczajnymi ludźmi. – Fred składa błagalnie ręce. – Proszę, zrób to dla nas. Jeśli chcesz, uklęknę przed tobą i będę cię całował po butach, ale proszę, zrób to!

– Wystarczy, że wezwiesz kierowników obu działów i poważnie z nimi porozmawiasz – podpowiada Thurston.

– Zagroź im, że jeśli nie wpłyną na swoich ludzi, wylecą z pracy – włącza się Mungo. – Ja bym tak zrobił.

– Po prostu dopilnuj, żeby więcej nie niszczyli naszej własności – mówi Wensley.

Chas ma już podnieść ręce w geście poddania i ustąpić przed prośbami braci, jednocześnie kategorycznie zabraniając Fredowi całować się po butach, a to w trosce o ich nieskazitelnie błyszczącą powierzchnię, kiedy jedne z drzwi gwałtownie się otwierają i pojawia się w nich najpierw głowa, potem zaś reszta ciała. Sądząc po wyglądzie, głowa jeszcze całkiem niedawno była zupełnie mokra i dopiero co została energicznie wytarta ręcznikiem, reszta ciała zaś przyodziana jest w wymięte dżinsy i kraciastą, nierówno zapiętą koszulę.

Nowo przybyły wkracza do pokoju niezbyt równym krokiem, z ręką mocno przyciśniętą do czoła, jakby miał tam dziurę i w ten sposób starał się nie dopuścić do ucieczki mózgu z czaszki. Idzie z ogromnym wysiłkiem; powłócząc nogami, dociera do stołu, chwyta się jego krawędzi, odpoczywa przez chwilę, a następnie, chwiejąc się lekko na nogach, toczy spojrzeniem po twarzach braci, na których maluje się cała gama uczuć, od uprzejmego zatroskania poczynając, na z trudem maskowanej pogardzie kończąc. Odrywa rękę od czoła, przez kilka sekund przygląda się dłoni, jakby rzeczywiście spodziewał się ujrzeć na niej szarą galaretowatą substancję, po czym jeszcze raz spogląda na braci.

Na s w o i c h braci.

– Dzień dobry wszystkim – mówi i wybucha krótkim chrapliwym śmiechem, jakby właśnie opowiedział przedni dowcip.

– Dzień dobry, Sonny – odpowiada Thurston lodowatym tonem. – Właśnie zastanawialiśmy się, co się z tobą dzieje.

XIV

Benten: jedno z Shichi-fuku-jin, siedmiu japońskich bóstw szczęścia, jedyne płci żeńskiej. Swoim wyznawcom zapewnia bogactwo i talenty artystyczne, kobietom zaś – urodę

9.58

Frank zerka na ścienny zegar i przypomina sobie, że za chwilę rozpocznie się błyskawiczna wyprzedaż.

W trakcie porannej odprawy dokładnie zapamiętał rozkład dnia, nie musi więc uciekać się do pomocy sfinksa. Pierwsze na liście są Lalki. Zaledwie cztery działy stąd.

Od zakończenia sprawy ze złodziejem w Dziale Cygar i Zapałek Frank wędruje po Piętrze Błękitnym i rozmyśla o rozmowie z Moyle'em. Moyle się nie pomylił: Frank nie ma duszy zbieracza. Skąd w takim razie to nagromadzenie przedmiotów w jego mieszkaniu? Skąd tyle bibelotów i mebli, które zebrał w ciągu minionych lat, zupełnie nie zdając sobie z tego sprawy, skąd te zakupy dokonywane pod wpływem niewytłumaczalnych impulsów, skąd tyle rzeczy, którymi się otaczał, w ogóle tego nie zauważając? Jaką pustkę próbował w ten sposób zapełnić?

Uświadamia sobie, że korzenie problemu sięgają daleko wstecz, aż do czasów Akademii, kiedy odbywał przeszkolenie.

Gdy złożył podanie o pracę w Days, liczył sobie osiemnaście lat, był świeżo po szkole, miał ogromne nadzieje i bardzo niskie poczucie własnej wartości. Nie wiedział, czy w ogóle nadaje się do takiej pracy. Końcowe egzaminy zdał całkiem nieźle, ale to nie gwarantowało mu zatrudnienia nawet w charakterze sprzedawcy, wszystko zaś co wyżej – czyli na przykład stanowiska w administracji – było zarezerwowane dla wyróżniających się absolwentów wyższych uczelni. Wypełnił formularze i wysłał głównie dlatego, że tak robili wszyscy; czekając na odpowiedź, zatrudnił się jako nocny portier w hotelu średniej klasy. Było to miłe, niezbyt absorbujące zajęcie, które pozwalało mu na czytanie, myślenie i w ogóle przebywanie z samym sobą.

Mijały miesiące. Co jakiś czas dzwonił do Sekcji Personalnej Days z pytaniem, czy jego podanie przynajmniej dotarło do adresata, zazwyczaj jednak musiał wysłuchać odtwarzanej z taśmy informacji, że wszystkie linie są zajęte. Przy rzadkich okazjach, kiedy udawało mu się przebić do jakiejś żywej ludzkiej istoty, otrzymywał zapewnienie, że podania są rozpatrywane tak szybko, jak tylko to jest możliwe, i że wkrótce z pewnością nadejdzie także jego kolej.

Zaczął już tracić nadzieję i zastanawiał się, czy nie wysłać jeszcze jednego podania, kiedy wreszcie otrzymał odpowiedź. Wewnątrz grubej szarej koperty z wytłoczonym logo Days znajdował się kilkudziesięciostronicowy formularz z pytaniami dotyczącymi tysięcy spraw, w tym także ulubionych potraw, programów telewizyjnych, gazet, przekonań religijnych, preferencji seksualnych, posiadania lub nieposiadania dzieci, kontaktów z rodzicami (te prawie nie istniały, jako że ojciec zmarł przed wielu laty, matka zaś wegetowała na państwowej emeryturze, braki w diecie uzupełniając środkami uspokajającymi). Wypełnienie kwestionariusza zajęło mu wiele godzin, uczynił to jednak bez szemrania, przypuszczając, iż jest to przeszkoda celowo postawiona przed potencjalnymi pracownikami, by od razu zniechęcić tych najmniej wytrwałych.

Odesłał go, przekonany, że na odpowiedź, tak jak wcześniej, przyjdzie mu poczekać wiele miesięcy, tym bardziej że w załączniku do kwestionariusza zamieszczono zastrzeżenie, iż terminy osobistych spotkań z kandydatami ustalane są niekiedy nawet z dwuletnim wyprzedzeniem. Przygotował się więc na to długie czekanie i pracował nadal w hotelu.

Tym razem jednak reakcja nastąpiła zaskakująco szybko. Zaledwie po kilku tygodniach nadszedł list z pytaniem, czy mógłby stawić się jesienią na rozmowę kwalifikacyjną.

Rozmowa odbyła się w Sekcji Personalnej usytuowanej w Podziemiach. Prowadzący ją urzędnik wracał ciągle do pytań zawartych w kwestionariuszu, chcąc się upewnić, czy Frank udziela odpowiedzi zgodnych z prawdą.

Jest jedynakiem?

Tak jest.

Doskonale. A ojciec?

Umarł, kiedy Frank miał jedenaście lat.

W hierarchii ważnych dla niego rzeczy bardzo nisko ustawił rodzinę i przyjaciół. Dlaczego?

Ponieważ, jego zdaniem, z ludźmi jest więcej problemów niż radości.

Doskonale. Czy zdarza mu się, że obsługiwany jest w sklepach nie tak, jak by sobie tego życzył?

Owszem.

Czy zdarza się, że ktoś wpycha się przed niego bez kolejki?

Czasem.

Czy na przyjęciach stoi zazwyczaj sam gdzieś w kącie?

Raczej nie bywa na przyjęciach.

Ciągnęło się to przez trzy długie ponure godziny. Następnie kazano mu zaczekać w korytarzu. Czuł się jak wyżęta szmata do podłogi. Po jakimś czasie – nie miał pojęcia, jak długo to trwało – zaproszono go ponownie do pokoju i poinformowano, że cechy osobowe doskonale predysponują go do pracy w Ochronie Taktycznej.

Nieco zażenowany swoją ignorancją zapytał, co to takiego owa „Ochrona Taktyczna".

Byłby detektywem sklepowym. Czy ma ochotę przejść szkolenie, które uczyni z niego Ducha?

Nie do końca przekonany, czy pragnie spędzić resztę życia w charakterze detektywa sklepowego, i z dość mglistym wyobrażeniem na temat tego wszystkiego, co wiązało się z owym zajęciem, Frank nie był jednak tak głupi, żeby zrezygnować z nadarzającej się okazji. Tłumaczył sobie, że w najgorszym razie po prostu wróci do hotelu albo, skoro dowiedział się już, że ma predyspozycje w tym kierunku, zgłosi się do pracy w policji. Wyraził więc zgodę, a w domu opowiedział o wszystkim matce (jak należało się spodziewać, nie przejawiła większego zainteresowania), udał się do hotelu, wręczył wypowiedzenie (na kierowniku jego relacja wywarła znacznie większe wrażenie niż na matce) i niemal natychmiast rozpoczął trwającą rok naukę.

Przez pierwsze sześć miesięcy przebywał w Akademii, ogrodzonym obozowisku na peryferiach miasta, usytuowanym w cichym zakątku rozległej posiadłości ziemskiej należącej do Septimusa Daya. Zespół instruktorów złożony z byłych Duchów uczył go tam podstaw technik samoobrony, posługiwania się bronią oraz gardłowego, prawie niesłyszalnego szeptu, zwanego subwokalizacją. Dowiedział się, w jaki sposób wyławiać z tłumu potencjalnych złodziei, poznał metody stosowane przez mistrzów tego fachu – na przykład wożenie w wózku pudełek z podwójnym dnem albo ściąganie towaru z regałów przez rozcięcia w kieszeniach pod osłoną pół płaszcza.

Po opanowaniu tych umiejętności zaczęto go szkolić w sztuce kamuflażu, wtapiania się w tło, upodabniania się do wszystkich i dzięki temu bycia nikim. Wreszcie przydała mu się do czegoś wrodzona nijakość. Już od dzieciństwa Frank należał do ludzi, których się nie dostrzega, których twarzy się nie pamięta, którzy, znikając z pola widzenia bliźnich, znikają także z ich wspomnień. Mówiąc prosto z mostu, był po prostu nikim – a takiej osobowości, co raczej zrozumiałe, nie ocenia się pozytywnie. W trakcie szkolenia przekonał się jednak, iż niekiedy ta nijakość może być autentyczną zaletą. Nauczono go, jak roztaczać wokół siebie aurę nijakości i jak nie pozwolić, żeby myśli i uczucia znajdowały jakiekolwiek odbicie w wyrazie twarzy; jak unikać nagłych, gwałtownych gestów nadających człowiekowi znamiona indywidualności; jak zdusić tlący się w głębi duszy płomyk osobowości, tak by została z niego zaledwie wątła iskierka, trudniej dostrzegalna od najdalszej gwiazdy. Pod koniec trwającego sześć miesięcy szkolenia Frank osiągnął w tej dziedzinie takie mistrzostwo, że gdyby zechciał, mógłby przejść przez zatłoczony pokój i nikt by go nie zauważył.

Mniej więcej w połowie kursu zmarła jego matka. Dostał wolne, by zająć się uroczystościami pogrzebowymi, które zorganizował sprawnie, choć bez większego zaangażowania emocjonalnego. Podczas ceremonii, w której oprócz niego uczestniczyła garstka dalekich krewnych i nieco bliższych znajomych, odczuwał jedynie umiarkowany smutek. Może stało się tak za sprawą jego treningu, a może nie. Od dawna dzieliła go od matki przepaść wypełniona lodowatą pustką. Śmierć tylko nieznacznie powiększyła rozmiary tej przepaści. Zdarzenie to pod paroma względami okazało się dla niego całkiem korzystne – chociażby dlatego, że znacznie uprościło jego i tak niezbyt skomplikowane życie uczuciowe, pozwalając zerwać emocjonalne więzy, które przeszkadzały w pełnym Uduchowieniu.

Przeciętnie zaledwie dziesięć procent kursantów osiąga podczas nauki w Akademii wyniki predysponujące ich do pracy w charakterze Duchów. Reszta musi szukać szczęścia gdzie indziej. Instruktorzy błyskawicznie dostrzegli i docenili talenty Franka. Bez najmniejszego trudu zaliczył pierwszą część szkolenia i przeszedł do drugiej, czyli do również półrocznej praktyki w sklepie.

Jego opiekunem był Donald Bloom, wówczas Duch z zaledwie kilkunastomiesięcznym doświadczeniem. Pod życzliwym nadzorem pana Blooma Frank poznawał najdalsze zakamarki sklepu, wędrując niestrudzenie po piętrach (wszystkich siedmiu, działo się to bowiem w czasach, kiedy bracia Day nie przeznaczyli jeszcze Fioletowego wyłącznie na własne potrzeby) i przemierzając wciąż od nowa te same ścieżki, aż wreszcie na dobre utrwalił sobie w pamięci położenie wszystkich siedmiuset siedemdziesięciu siedmiu działów. W tym samym czasie bezustannie doskonalił umiejętności zdobyte w Akademii. Ręka w rękę z panem Bloomem sunął za upatrzonymi klientami lub zaczajał się w miejscach, w których nikt nie mógł go dostrzec, z których za to on widział wszystko co trzeba. Nie mieli żadnych konkretnych zadań, nie działali na określonym terenie. To właśnie z pomocą pana Blooma Frank dokonał pierwszego oficjalnego zatrzymania; był pewien, że tamtego uczucia dumy i radości nie zapomni do końca życia.

Pod koniec rocznej nauki metamorfoza dokonała się w całości. Frank stał się przezroczysty. Był zawodowym nikim. Zjawą. Duchem.

W nagrodę za tę przemianę Days dało mu broń, Platynowe Konto z możliwością zamiany na Irydowe oraz dożywotnie zatrudnienie.

Teraz trudno mu uwierzyć, że wówczas nie miał żadnych zastrzeżeń do tej transakcji; ale ilu w miarę normalnych dwudziestolatków zdecydowałoby się odrzucić propozycję długoletniej pracy połączonej z hojnym wynagrodzeniem?

Days uczyniło go tym, kim jest obecnie. Days wzięło w swoje ręce młodego nieśmiałego introwertyka i pozbawiło tych nielicznych cech osobowości, jakie posiadał. W trakcie szkolenia wydrążono go jak zmurszały od środka pień; jeśli od tamtej pory w ogóle próbował w jakiś sposób wypełnić ziejącą w jego wnętrzu pustkę, to tylko przez gromadzenie kosztownych przedmiotów, które wcale go nie interesowały i których posiadanie nie sprawiało mu najmniejszej przyjemności.

A najgorsze w tym było, że wszystko dokonało się za jego zgodą. Mógł mieć pretensje wyłącznie do siebie. Days jedynie zbijało kapitał na jego umiejętnie rozwiniętych naturalnych uzdolnieniach, on zaś ochoczo przystał na tę eksploatację.

Zbliżająca się błyskawiczna wyprzedaż daje mu przynajmniej okazję, żeby przestał rozmyślać o swoim losie. Dzięki doskonałej znajomości topografii sklepu błyskawicznie wytycza najkrótszą marszrutę do Lalek i rusza w drogę: na wschód przez Sprzęt Detektywistyczny – dział wypełniony miniaturowymi urządzeniami podsłuchowymi, mikroskopijnymi kamerami, mikrofonami kierunkowymi, aparatami fotograficznymi z potężnymi teleobiektywami i mnóstwem innych wspaniałych urządzeń terapeutycznych dla osób cierpiących na rozmaite postaci paranoi. Na północ przez Broń Orientalną, gdzie sprzedawca odziany w czarny strój ninji właśnie kończył zawieszać kolekcję *shuriken* na nowej ściance z ryżowego papieru. Dalej na północ przez Wyposażenie Wojskowe – prawdziwy raj dla najemników oraz dla każdego, kto bez termoforu w barwach maskujących nie zaśnie w łóżku. I jeszcze dalej na północ, przez Zabawki Klasyczne.

Dociera do przejścia oddzielającego Zabawki Klasyczne od Lalek akurat w chwili, kiedy z głośników rozlega się siedmiotonowy gong, zaraz potem zaś melodyjny, ale zarazem władczy i dominujący kobiecy głos podaje komunikat o błyskawicznej wyprzedaży:

– Uwaga, klienci! Przez najbliższe pięć minut wszystkie towary w Dziale Lalek będą sprzedawane z piętnastoprocentową bonifikatą. Powtarzam: przez najbliższe pięć minut na wszystkie produkty w Dziale Lalek obowiązuje piętnastoprocentowa bonifikata. Lalki znajdują się w północno-wschodniej części Piętra Błękitnego. Można tam dotrzeć windami oznaczonymi literami B i C. Ta nadzwyczajna oferta obowiązuje jedynie przez pięć minut. Po upływie tego terminu znowu zaczynają obowiązywać pełne ceny detaliczne. Dziękuję za uwagę.

Podczas trwania zapowiedzi w ogromnym sklepie panują całkowita cisza i bezruch. Zaraz potem, kiedy przebrzmiał powtórzony siedmiotonowy gong, wszystko ponownie ożywa. Klienci rzucają to, co akurat mają w rękach, jedni zaciskają mocniej palce na uchwytach koszyków bądź wózków kołowych, inni kręcą kierownicami wózków elektrycznych i wciskają do oporu pedał gazu, a wszyscy pędzą na wyścigi w kierunku Lalek. Nieważne, że jeszcze kilkanaście sekund temu większość z nich, albo nawet wszyscy, nie odczuwała najmniejszej potrzeby nabycia lalki; nieważne, że piętnastoprocentowy rabat trudno uznać za okazję do zrobienia życiowego interesu. Błyskawiczna wyprzedaż to błyskawiczna wyprzedaż – przyciąga spragnionych „okazji” klientów jak padlina muchy.

Do tych, których zapowiedź zastała w Lalkach, informacja o zbliżającej się ludzkiej fali dociera najpierw w postaci odległego szeptu, marszczącego powietrze niczym zapowiedź burzy. Twarze tysięcy lalek pozostają niezmienione, na twarzach sprzedawców zaś i strażników pojawia się wyraz napięcia i niepokoju, szept bowiem przybiera na sile, zmienia się w szmer, potem w przytłumiony, lecz stale narastający grzmot, na który składa się stukot setek toczących się szybko kół i setek stóp uderzających w podłogę w coraz szybszym tempie.

Grzmot nabrzmiewa do granic możliwości, po czym eksploduje ogłuszającym rykiem, kiedy pierwsi klienci wpadają do działu. Tłum wlewa się wszystkimi czterema wejściami, ludzie rozbiegają się po alejkach, zgarniają towary z półek, pospiesznie sprawdzają ceny, dyszą, wyszczerzają zęby w chciwym uśmiechu, dokonują w głowach błyskawicznych obliczeń.

Frank w ostatniej chwili uskakuje w bok przed rozpędzonym wózkiem elektrycznym. Pojazd mija go dosłownie o centymetry. Za kierownicą siedzi zasuszona zgarbiona staruszka. Wygląda na co najmniej dziewięćdziesiąt lat, ma żółte nierówne zęby, kruczoczarną perukę, potwornie krzykliwy makijaż nakładany chyba po ciemku, ślady szminki bowiem tylko częściowo pokrywają się z konturem ust. Szaleńczy błysk w jej oczach przeraziłby niejednego psychopatę. To Clothilda Westheimer, multimilionerka.

Wymachując wściekle laską jak kawaleryjską szablą i trąbiąc na wszystkich, którzy nieopatrznie weszli jej w drogę, Clothilda Westheimer pędzi alejkami z maksymalną prędkością, aż wreszcie niemal wpada na otyłego mężczyznę o rumianej twarzy oglądającego przezroczyste pudełko z naturalnej wielkości lalką przedstawiającą sześciomiesięczne dziecko. Zgrzytają hamulce, piszczą opony, wózek nieruchomieje, Clothilda wrzeszczy na tamtego mężczyznę, żeby usunął się jej z drogi, posługując się słownictwem, jakiego nie powstydziłby się marynarz. Zaskoczony klient odruchowo zasłania się lalką, jakby jej fabryczna niewinność mogła w jakiś sposób ochronić go przed tą wrzeszczącą wściekłą wiedźmą, Clothilda jednak błyskawicznym ruchem wyrywa mu pudełko z rąk, rusza gwałtownie i kieruje się do najbliższej kasy.

Clothilda Westheimer jest stałą klientką od chwili powstania Days. Zaopatruje się tu nie tylko w artykuły codziennego użytku, lecz kupuje również ekstrawaganckie, kosztowne prezenty, ponieważ zaś nie bardzo ma kogo nimi obdarowywać – wydziedziczyła wszystkich krewnych i nie wyszła za mąż, chociaż przez jej dom przewinął się sznur adoratorów – zasypuje nimi samą siebie. Jest najwyższej klasy specjalistką od wyszukiwania okazji oraz, co właśnie udowodniła – w zdobywaniu tego, na czym jej zależy.

Docierają kolejni zadyszani klienci. Przepychają się, roztrącają łokciami, zgarniają towary z półek niczym banda rabusiów. Nikną wszelkie pozory ogłady, w kąt idą zasady dobrego wychowania; ludzie toczą dokoła rozbieganymi spojrzeniami, chwytają, co wpadnie im pod rękę, następnie tłoczą się wokół kas, wymachując kartami wszystkich rodzajów, od metalicznie szarego Aluminium poczynając na lekko różowawym Rodzie kończąc. Wiedzą, że mają niewiele czasu na dokonanie okazyjnych zakupów, a ponieważ nie wyobrażają sobie, żeby mogli odejść bez jednej lub dwóch lalek – chociaż jeszcze kilka minut temu nie mieli pojęcia, iż tak bardzo pragną je mieć – czynią wszystko, co w ich mocy, żeby zwrócić na siebie uwagę sprzedawcy, i skrzeczą jak sfrustrowane dzieci, widząc, jak są obsługiwani inni, znacznie mniej na to zasługujący.

Frank krąży na granicy kłębiącego się tłumu, w bezpiecznej odległości od łokci i pięści. Wypatruje oznak podejrzanego zachowania, widzi jednak tylko dobrze ubranych, dobrze obutych mężczyzn i kobiety, którzy zachowują się jak ogarnięte szałem zwierzęta. Widzi dwóch mężczyzn w średnim wieku, obu w eleganckich garniturach, kłócących się zawzięcie o fioletowowłosego trolla. Widzi, jak porcelanowa lalka o rumianych policzkach (ręczna robota, okaz dla kolekcjonerów) służy za maczugę swemu potencjalnemu właścicielowi, który za jej pomocą wyrąbuje sobie drogę przez ciżbę. Widzi chłopczyka, który przyciska do piersi ubraną w wojskowy strój figurkę bohatera jakiegoś komiksu i drze się wniebogłosy, podczas gdy jego matka usiłuje na próżno przecisnąć się z nim do najbliższej kasy. W pewnej chwili spomiędzy stłoczonych, drepczących bezradnie lub rozdających dokoła kopniaki stóp wytacza się górna połowa malowanej „babuszki" i nieruchomieje na podłodze tuż przed Frankiem, wpatrując się w niego błagalnym spojrzeniem, jakby prosiła go, żeby coś zrobił, by zakończyć to szaleństwo.

Nieporozumienia przybierają na sile, wybuchają utarczki. Ci, którzy próbują wepchać się bez kolejki, są bezpardonowo chwytani za kołnierz i odciągani wstecz. Zaczyna obowiązywać surowe prawo pogranicza. Przez cały ten czas spoceni, wymachujący czytnikami z nadludzką prędkością (ale i tak stanowczo zbyt wolno) sprzedawcy próbują obsłużyć napierających ze wszystkich stron podekscytowanych klientów, a zainstalowane pod sufitem kamery, posłuszne poleceniom kierujących nimi ręcznie Oczu, obracają się, pochylają i podnoszą, z leniwym zainteresowaniem śledząc rozgrywające się poniżej pandemonium.

Frank spogląda na zegarek. Do końca wyprzedaży pozostała niespełna minuta, nic jednak nie wskazuje na to, że tłum zaczyna się uspokajać. Wręcz przeciwnie. W miarę upływających nieubłaganie sekund podniecenie kupujących przybiera na sile. Spóźnialscy nie mają najmniejszych szans. Tu i ówdzie przepychanki przeradzają się niemal w bijatyki.

Nareszcie rozlega się siedmiotonowy sygnał gongu i ten sam spokojny, władczy kobiecy głos ogłasza koniec wyprzedaży. Nieobsłużeni pechowcy wzdychają z rozczarowaniem i porzucają byle gdzie lalki, o które jeszcze przed chwilą zawzięcie walczyli. Szczęśliwcy, którzy zdążyli dokonać zakupów, opuszczają dział, przyciskając zdobycz do piersi i triumfalnie obwieszczając każdemu, kto zechce ich wysłuchać, ile pieniędzy zaoszczędzili. Kłótnie wygasają, walczący ze sobą ludzie odzyskują zmysły, jakby budzili się ze snu, nieruchomieją, spoglądają na siebie, mrugając ze zdziwieniem, niepewni, o co właściwie chodziło. Niektórzy nawet wymieniają przeprosiny. Nie są w stanie zrozumieć, co się z nimi stało.

Tłum stopniowo rzednie, rozprasza się, wreszcie niknie, pozostawiając po sobie zdeptany plac boju, na którym tu i ówdzie leżą nikomu niepotrzebne lalki z powykręcanymi konwulsyjnie kończynami, niczym ofiary paraliżującego układ nerwowy gazu bojowego.

Sprzedawcy, szczęśliwi, że już po wszystkim, przystępują do robienia porządków, strażnicy zaś kręcą z niedowierzaniem głowami i rozchodzą się powoli. Frank również zamierza już odejść, lecz w jego uchu niespodziewanie rozlega się cichy głosik:

— `Panie Hubble?`

— `Jestem.`

— `Jeden ze strażników dokonał zatrzymania w Akcesoriach Optycznych. Zdaje się, że jest pan w pobliżu. Może pan tam zajrzeć?`

— `Oczywiście.`

— `No to świetnie.` – Oko przerywa połączenie.

Akcesoria Optyczne: dwa działy stąd na zachód, jeden na południe. Frank rusza w drogę, zastanawiając się, czy już do końca dnia będzie tak zajęty. Ma nadzieję, że będzie. W ten sposób przynajmniej czas przestanie mu się dłużyć.

10.07

Strażnik okazuje się niedużą, szczupłą, żylastą kobietą z odrobinę krzywo osadzonymi ciemnymi oczami. Czarne włosy ma zebrane z tyłu głowy w ciasny kok. Frank zna jej twarz; na przypiętym do munduru identyfikatorze widnieje nazwisko Gould.

– Hubble, Ochrona Taktyczna – przedstawia się lakonicznie, po czym obrzuca pobieżnym spojrzeniem zatrzymaną, która siedzi zgarbiona na krześle pod ścianą i z odrazą wpatruje się w leżące na jej kolanach ręce, jakby samodzielnie dopuściły się przestępstwa, całkowicie niezależnie od jej woli. Sądząc po bogatej kolekcji drobnych zmarszczek układających się niczym linie pola magnetycznego od kącików ust i zewnętrznych kącików oczu, ma pięćdziesiąt parę lat. Jest ubrana w ciemne spodnie i amarantową bluzkę z moheru, do której jest przypięta złota broszka z brylantami. Ciemnobrązowe włosy poprzetykane są pasemkami siwizny; chyba starała się je uczesać, sprawiają jednak wrażenie brudnych i zaniedbanych. Spodnie również są brudne i od dawna nieprasowane. Na jej wygląd składają się wymieszane w przedziwny sposób elementy stroju i cechy klientki i żebraczki, Frankowi jednak przemyka przez głowę myśl – jakby przesłana z jakiejś niewyobrażalnie odległej planety – że kobieta jest nawet całkiem atrakcyjna. W odpowiednim stroju, w odpowiedniej sytuacji (nie takiej jak ta) mogłaby robić oszałamiające wrażenie. Na palcu nie ma obrączki. Frank zwraca uwagę na ten szczegół wyłącznie dlatego, że jako sklepowy detektyw musi to robić. Nie ma mowy o żadnym innym powodzie.

– Co zabrała? – pyta, wyjmując sfinksa.

– Tylko to – Gould pokazuje mu buteleczkę z płynem do czyszczenia szkieł kontaktowych. – Między nami mówiąc... – Podchodzi bardzo blisko, zniżając jednocześnie głos do konfidencjonalnego szeptu. Frank cofa się odrobinę, ona jednak zdaje się tego nie zauważać. – W życiu nie widziałam tak kiepskiego złodzieja. Równie dobrze mogłaby mieć na plecach kartkę z napisem: „Przyszłam tu coś ukraść". Wystarczyło na nią spojrzeć, żeby się domyślić, że coś tu nie gra. Trzęsła się tak bardzo, że w pierwszej chwili pomyślałam nawet, iż jest chora – wie pan, choroba Parkinsona, czy coś w tym rodzaju – ale jak tylko mnie zobaczyła, dosłownie aż podskoczyła, odwróciła się i zrobiła o, tak. – Gould kuli się, chowa głowę w ramiona, osłania twarz ręką. Z pewnością znacznie przesadza. Frank zerka na zatrzymaną i stwierdza z ulgą, że ta wciąż wpatruje się w swoje dłonie, dzięki czemu nie widzi spektaklu prezentowanego przez strażniczkę. – Miałam ją więc na oku – ciągnie Gould – i rzeczywiście, nie dalej jak dwie minuty później wzięła się do roboty. Ręce tak jej się trzęsły, że nie mogła schować tego do kieszeni. Może to by nawet było śmieszne, gdyby nie było takie żałosne – kończy z cierpkim grymasem na twarzy.

– Odebrała jej pani kartę?

– Twierdzi, że nie ma. Że zgubiła.

– W takim razie jak się tu dostała?

– Nie mam pojęcia. Wszystkiego dowiemy się na dole, ale musi pan dokonać formalnego aresztowania, żebym mogła ją tam zabrać.

– Naturalnie.

Frank podchodzi do zatrzymanej. Otacza ją silna woń perfum. Nawet kilku rodzajów perfum. Silny zapach ma zapewne zamaskować woń fizjologicznych wydzielin, lecz, podobnie jak białe prześcieradło zarzucone na błotnistą cuchnącą kałużę, nie do końca spełnia swoje zadanie. Frank marszczy czoło i nos.

Kobieta unosi głowę. Ma błyszczące oczy, białka pokryte siecią czerwonych żyłek, pozlepiane rzęsy. Jeszcze bardziej pogłębia to ogólne wrażenie niechlujstwa i bylejakości. Jednak reszta kształtnej twarzy jest spokojna, zrezygnowana, może nawet ufna.

– Czy ja pana znam? – pyta, mrugając raptownie i trąc jedno oko.

– Nie przypuszczam.

– Jestem pewna, że już gdzieś pana widziałam.

Możliwe, że wcześniej mignął jej gdzieś w sklepie, ale nawet gdyby tak było, to nie zapamiętałaby jego twarzy. Nikt nie pamięta jego twarzy. I o to właśnie chodzi.

Frank kręci głową.

– To mało prawdopodobne.

– Ach... Zwykle mam dobrą pamięć do twarzy. Przyszedł pan, żeby mnie stąd wyrzucić?

– To nie należy do moich obowiązków. – Z jakiegoś powodu stosuje się do zaleceń wewnętrznego głosu, który każe mu traktować ją uprzejmie i łagodnie. – Przyszedłem, żeby panią aresztować.

– Myślałam, że już mnie aresztowano.

– Takie są przepisy.

– A ona? – pyta, wskazując na strażniczkę.

– Jak tylko skończę, strażniczka zaprowadzi panią w miejsce, gdzie zapozna się pani z materiałem dowodowym. Później zostanie pani usunięta ze sklepu.

– Już wiem, kim pan jest... – mówi powoli kobieta. – Pan jest Duchem.

– Istotnie, pracuję w Ochronie Taktycznej.

– Czy ktoś jeszcze nazywa pana detektywem sklepowym?

– Niekiedy. Ja w każdym razie lubię tak o sobie myśleć.

– Woli pan być detektywem sklepowym niż Duchem?

– Zdecydowanie.

Kobieta kiwa głową.

– To bardzo interesujące.

Frank nie może się oprzeć wrażeniu, że jej się wydaje, iż jest na jakimś przyjęciu i prowadzi uprzejmą towarzyską rozmowę dla zabicia czasu. W związku z tym jej kolejne pytanie tym bardziej go zaskakuje.

– Czy strzelał pan kiedyś do złodzieja?

Waha się przez chwilę, lecz w końcu dochodzi do wniosku, że nic nie ryzykuje, mówiąc jej prawdę.

– Kilka razy.

– Ile?

Frank marszczy brwi.

– Pięć, może sześć. Na samym początku.

– Zabił pan któregoś?

– Strzelałem tak, żeby zranić.

– Ale przecież nie zawsze można dokładnie wycelować, prawda?

– Tak, nie zawsze.

– Więc czy zabił pan kogoś przypadkowo?

– Ja nie. Ale takie rzeczy się zdarzają.

– Czy do mnie też by pan strzelił?

Spojrzenie przekrwionych oczu zdaje się przeszywać go na wylot. Na sekundę lub dwie ogarnia go okropne podejrzenie, że kobieta rzeczywiście zagląda do jego wnętrza, do jego duszy.

– Gdyby stawiała pani opór albo próbowała ucieczki, do moich obowiązków należałoby obezwładnić panią albo zatrzymać, stosując wszystkie środki, jakie mam do dyspozycji – mówi wreszcie.

– Czy fakt, że jestem kobietą, miałby dla pana jakieś znaczenie?

– Żadnego – odpowiada Frank, mając przed oczami obraz Clothildy Westheimer podczas błyskawicznej wyprzedaży.

– Bardzo ciekawe.

Unosi rękę, by przerwać rozmowę, i pyta bezgłośnie:

`– Macie nagranie kobiety z Akcesoriów Optycznych?`

`– Jasne. Obserwowałem ją prawie od początku. Nie należała do najsubtelniejszych.`

`– Doskonale.`

Odchrząkuje, po czym zwraca się oficjalnym tonem do zatrzymanej. Litania Pechowca.

– Proszę pani, muszę panią z przykrością poinformować, że dzisiaj o godzinie 10.03... – Spogląda na strażniczkę. – To była 10.03, prawda?

Gould kiwa głową.

– Mniej więcej.

– A więc to była 10.03, czy nie?

– Dokładnie nie wiem – odpowiada spokojnie strażniczka. – Patrzyłam na nią, nie na zegarek.

– Wobec tego na razie pozostaniemy przy 10.03, a dokładny czas zostanie ustalony później. – Ponownie zwraca się do zatrzymanej: – Dzisiaj o 10.03 zauważono i zarejestrowano, jak zabiera pani pewien przedmiot z Działu Akcesoriów Optycznych, nie zapłaciwszy za niego i bez zamiaru uczynienia tego w najbliższej przyszłości. Takie postępowanie karane jest...

– Potrzebowałam tego.
– Nie wątpię.
– Od szkieł kontaktowych bolą mnie oczy, a akurat zgubiłam kartę. Gdyby tak nie było, na pewno bym tego nie zrobiła.
– Takie postępowanie karane jest natychmiastowym usunięciem z terenu sklepu oraz likwidacją konta lub kont, jakie pani w nim posiada. Jeśli zamierza pani złożyć skargę do sądu, oczywiście może pani to uczynić...
– Nie zamierzam.
– ... proszę jednak pamiętać, że dysponujemy dowodami.
Podsuwa jej sfinksa i oboje oglądają na maleńkim ekranie zarejestrowaną przez kamery kradzież. Strażniczka miała rację: kobieta nie jest urodzonym złodziejem sklepowym. Starając się zachowywać jak najbardziej naturalnie, a jednocześnie dygocąc jak podczas ataku padaczki, stanowczo zbyt długo wpatruje się w ustawione na obrotowym podeście buteleczki, by wreszcie chwycić jedną z nich. Zaraz potem ogląda się ukradkiem najpierw przez jedno ramię, potem przez drugie – podstawowy błąd, równoznaczny z ogłoszeniem całemu światu, co właśnie zrobiła. Następnie trzykrotnie usiłuje schować buteleczkę do kieszeni spodni. Każda nieudana próba potęguje jej zdenerwowanie. Udaje jej się dopiero za czwartym razem, lecz wtedy w kadrze pojawia się strażniczka i kładzie jej rękę na ramieniu. Na tym filmik się kończy.
– Czy rozumie pani znaczenie tego, co pani widzi?
– Tak. Tak, oczywiście. – Kobieta spogląda na sufit. – Wie pan, często widziałam, jak te małe kamerki obracają się w lewo i w prawo, jak śledzą ludzi. Powinnam była się domyślić, że mnie też będą śledzić. Może nawet się domyślałam, ale wolałam od razu o tym zapomnieć. To bardzo nieprzyjemne zdawać sobie sprawę, że przez cały czas ktoś

nas obserwuje, że ktoś śledzi każdy nasz ruch. Zgadza się pan ze mną? Nie jestem szczególnie religijna, ale tak właśnie bym myślała, gdybym była: że Bóg patrzy na mnie bez przerwy, tak jak te kamery, i że tylko czeka na moje potknięcie. – Opuszcza wzrok na twarz Franka. – A skoro te kamery są oczami Boga, to kim pan jest, panie detektywie? Pan, którego zadanie polega na tym, żeby być zawsze w pobliżu, ale w taki sposób, aby nikt pana nie zauważył? Który samą swoją obecnością zmusza nas, byśmy pilniej wsłuchali się w głosy naszych sumień? – Ton jej głosu zmienia się z głęboko refleksyjnego w ironiczny. – Może aniołem?

– Wątpię. Jestem na to stanowczo zbyt mało święty.

– Anioły wcale nie muszą być święte. Wystarczy, że po prostu są.

– Jeśli tak, to rzeczywiście nimi jesteśmy – mówi, by zrobić jej przyjemność. – Detektywi sklepowi. Zawsze tam gdzie trzeba. Zawsze krok z tyłu.

– Ale mnie to już nie dotyczy. – Przez twarz kobiety przemyka smutny uśmiech. – Złamałam zasady. Już tu nie wrócę.

Ani ja, myśli Frank. W pewnym sensie czyni ich to podobnymi do siebie. Grzeszniczka i upadły anioł tak samo będą pozbawieni miejsca w niebie Mamony – ona dlatego, że zboczyła z wąskiej prostej ścieżki, on dlatego, że nie jest już w stanie tu wytrwać.

– No cóż, pora z tym wreszcie skończyć – mówi kobieta i z wysiłkiem podnosi się z krzesła. – Był pan bardzo miły i uprzejmy, panie detektywie. Dziękuję panu. – Wyciąga rękę. – Nazywam się Carmen Shukhov.

Jej gest wręcz paraliżuje Franka, który dotyka ludzi wyłącznie wtedy, kiedy nie ma innego wyjścia – na przykład podczas zatrzymania złodzieja. Ta kobieta, Carmen

Shukhov, chce, żeby dotknął jej ręki? Żeby ich ciała się zetknęły, żeby skóra dotknęła skóry? Absurd. Wystarczy, że skłoniła go do snucia abstrakcyjnych rozważań na temat podobieństwa ich losów. Teraz mieliby jeszcze nawiązać fizyczny kontakt? Wykluczone.

Bez słowa lekko skłania głowę.

Kobieta uświadamia sobie, że przekroczyła niewidzialną granicę. Zażenowana, pospiesznie cofa rękę, próbuje wykrztusić jakieś przeprosiny, jest niemal szczęśliwa, kiedy strażniczka ujmuje ją za łokieć i prowadzi w kierunku windy: oddala się od Franka i swojego faux pas. Opuszczając dział, podejmuje skazaną z góry na niepowodzenie próbę poprawienia fryzury lub nadania jej choćby z grubsza określonego kształtu, i Franka po raz kolejny uderza otaczająca ją aura zaniedbanej elegancji. Carmen Shukhov najwyraźniej od kilku dni nie zmieniała ubrania, nie kąpała się ani nie poprawiała makijażu, a mimo to sprawia wrażenie kogoś, dla kogo kwestie wyglądu i higieny osobistej mają duże znaczenie. Pozostaje jeszcze do wyjaśnienia sprawa, w jaki sposób dostała się bez karty do sklepu – chyba że kłamie i że wcale jej nie zgubiła. Skoro tak, to po co ryzykowała utratę konta dla głupiej buteleczki z płynem do szkieł kontaktowych?

Wszystko to jest bardzo zastanawiające, ale niech się nad tym głowią w Podziemiach, w Wydziale Dochodzeniowym. To nie jego problem.

XV

Heptarchia: wspólne rządy siedmiu władców

10.07

Prawą część tryptyku południowych okien Biura zasłania już ciemna część kopuły. Za stanowiącymi wciąż zdecydowaną większość przejrzystymi szybami rozpościera się oślepiający przestwór bezchmurnego nieba, nie całkiem jednolity wyłącznie dlatego, że w powstałych w ciągu lat rysach i zadrapaniach w wypukłych szklanych płaszczyznach załamują się promienie słońca, tworząc w powietrzu cienkie jak włos, spływające ku posadzce tęcze.

Sześciu synów Septimusa Daya obserwuje w milczeniu, jak siódmy syn pomału i z wysiłkiem przyrządza sobie gin z tonikiem. Sonny wysunął czubek języka i tak mocno koncentruje się na zadaniu, jakby co najmniej budował z zapałek model gotyckiej katedry. Udało mu się już bez większych strat wlać do szklanki sporą porcję toniku i uzupełnić ją ginem, teraz jednak musi zmierzyć się ze znacznie trudniejszym zadaniem: przeniesieniem z malachitowego kubełka za pomocą srebrnych szczypiec na wpół roztopionych, śliskich kostek lodu.

Sądząc po sposobie, w jaki Sonny posługuje się szczypcami, można by odnieść wrażenie, iż zostały one zaprojektowane z myślą o wszystkim, tylko nie o tym, do czego właśnie w tej chwili są używane. Trzyma je tak, jakby miał na rękach niewidzialne rękawice bokserskie, a za każdym razem, kiedy po wielu próbach wreszcie udaje mu się zacisnąć zębate końcówki na szklistej grudce, ta, zamiast trafić do szklanki, nieodmiennie wypada mu na stół, stamtąd zaś ześlizguje się na podłogę.

Dla jego widowni jest to najgorsza, najbardziej niesmaczna, najmniej zabawna komedia, jaką można sobie wyobrazić. Każdy z braci ma ochotę wstać, podejść do Sonny'ego i, jakby był niedołężnym inwalidą, wyjąć mu szczypce z ręki i pomóc uporać się z zadaniem, kończąc w ten sposób żałosne przedstawienie.

Sonny oszczędza im fatygi: w końcu traci cierpliwość, odkłada szczypce, sięga ręką do kubełka, nabiera garść kostek, wrzuca je do szklanki. Następnie przychodzi kolej na plasterek cytryny. Wreszcie przysuwa napełnioną po brzegi szklankę, pochyla się nad nią, z na wpół przymkniętymi powiekami wdycha aromatyczną mieszankę jałowca, chininy i cytryny, po czym zwija usta w trąbkę i głośno siorbie.

– Doskonałe! – wykrzykuje schrypniętym głosem, wali otwartą dłonią w podłokietnik swego tronu, pociąga kolejny łyk, i jeszcze jeden, i jeszcze jeden. Obniżywszy w ten sposób poziom płynu o jakieś dwa centymetry, dochodzi do wniosku, że może już bezpiecznie wziąć szklankę do ręki, i opróżnia ją dwoma potężnymi haustami.

Z drugą porcją idzie mu znacznie sprawniej. Ręce już mu się tak nie trzęsą, ruchy ma znacznie pewniejsze i bardziej precyzyjne. Po opróżnieniu drugiej szklanki czuje, że okrutny uścisk kaca pomału słabnie, ustępując przed rozpełzającymi się z wolna po ciele kojąco lodowatymi mackami alkoholu. Pręty rozpalonego żelaza już nie wypalają mu oczu, mózg przestaje przypominać dziesięciokilogramowy kęs gorącej magmy, zaczyna zaś stopniowo upodabniać się do organu zdolnego do logicznego rozumowania.

Zewnętrzną oznaką świadczącą o postępującej regeneracji wewnętrznej jest nieśmiałe zaróżowienie śmiertelnie bladych do tej pory policzków; nastąpiła też znacząca poprawa ogólnej koordynacji ruchowej.

Już bez najmniejszego trudu Sonny nalewa sobie trzeciego drinka. Składa się on z dziewięciu części ginu i jednej części toniku – ta diabelska mieszanina już w drodze przez usta i przełyk rozsyła we wszystkich kierunkach fale ożywczego gorąca. Sonny bierze głęboki wdech.

– Aaa! Uff! No! – Na jego twarzy rozkwita błogi uśmiech, spogląda dokoła życzliwym, niemal radosnym spojrzeniem. – A więc znowu wszyscy tu jesteśmy. Kolejny dzień pracy, handlu, zysku, dostatku i całego tego gówna. Dużo mnie ominęło?

– Wszystko – mówi Sato bezbarwnym tonem.

– Może przydałaby się nam rekapitulacja dotychczasowego przebiegu obrad – zwraca się Mungo do Thurstona.

Thurston wzdycha, wykrzywia usta we wstęgę Möbiusa, następnie zaś odszukuje w komputerze porządek zebrania i odczytuje go pospiesznie z ekranu, uzupełniając krótkimi informacjami o poczynionych ustaleniach.

– W tych sprawach zdążyliśmy już podjąć decyzje – oświadcza na koniec, splótłszy przed sobą dłonie.

– Niezupełnie – poprawia go Mungo. – Jeśli chodzi o ten konflikt między działami, to...

Thurston spogląda na brata ze zdziwieniem.

– Wydawało mi się, że w tej sprawie również?

– Nie zdążyliśmy jednak przeprowadzić głosowania, skoro zaś Sonny jest już z nami, nie widzę powodu, dla którego nie mielibyśmy wysłuchać jego opinii i nie uwzględnić jego głosu przy ustalaniu trybu dalszego postępowania. Bądź więc tak miły, Thurston, i przedstaw w skrócie podłoże oraz dotychczasowy przebieg konfliktu. Jeśli ktoś będzie chciał coś dodać, to dobrze, a jeśli nie, to przeprowadźmy głosowanie i zakończmy naradę.

– Dzięki, Mungo – mówi Sonny. – Wiedziałem, że mogę na ciebie liczyć.

Thurston z kwaśnym grymasem na twarzy ponownie stuka w klawiaturę i w zwięzły sposób przypomina zebranym historię konfliktu między Książkami a Komputerami. W tym czasie Sonny przyrządza sobie czwartego drinka. Stojące przed nim na srebrnej tacy śniadanie – smażony bekon, jajecznica z pomidorami, grzanka posmarowana masłem i marmoladą – nie cieszy się jego zainteresowaniem. Sonny rzadko jada cokolwiek przed południem, sporo czasu bowiem potrzeba, żeby kojąca dawka alkoholu przywróciła możliwość normalnego funkcjonowania jego skurczonemu żołądkowi. Niemniej, na wyraźne polecenie Munga, oprócz śniadania w płynie Perch codziennie przygotowuje również normalne danie. W nadziei, że któregoś dnia to drugie trafi do żołądka Sonny'ego przed pierwszym.

– Postanowiliśmy więc – kończy Thurston – że Chas zejdzie na dół i zrobi tam porządek.

– Świetny pomysł – mówi Sonny, nie podnosząc wzroku. – Kilka światłych słów z ust Króla Ogłady, a wszyscy od razu położą się na grzbietach i zaczną przebierać w powietrzu łapkami, żeby ktoś podrapał ich po brzuszkach.

Godną pozazdroszczenia symetrię rysów twarzy Chasa burzy grymas zniecierpliwienia.

– Masz może lepszy pomysł?

– Mam, ale czy ktokolwiek zechce mnie wysłuchać?

– Raczej nie – przyznaje Chas.

– Sam widzisz. Szkoda mojego czasu i fatygi, ale to w końcu nic nowego. Mam taki sam wpływ na wasze decyzje jak pierwsza z brzegu sprzątaczka.

– To nie nasza wina, że nie przewodniczysz zebraniom – mówi Wensley ugodowym (przynajmniej ma taką nadzieję) tonem. – Tak postanowił ojciec. Nawet jeśli jesteśmy zgodni w opinii, że jego obsesja na punkcie liczby siedem jest co najmniej... dziwna, to jednak nic nie możemy na to poradzić. Nie da się zmienić tego, co zostało raz ustalone.

– Oczywiście, że się da – odpowiada Sonny. – Na przykład moglibyśmy pracować także w niedziele. Wtedy miałbym z wami równe szanse.

Reakcja jest równie natychmiastowa, co łatwa do przewidzenia. Sonny niczego innego nie oczekiwał. Wie, co powie każdy z braci, jeszcze zanim ten otworzy usta.

– Wykluczone! – parska Thurston.

– Za duże koszty – stwierdza stanowczo Sato. – Musielibyśmy wprowadzić pracę zmianową i płacić za nadgodziny.

– Nie chcemy też obrażać uczuć religijnych naszych klientów chrześcijan – dodaje Chas.

– A co z żywymi manekinami? – przypomina Fred. – Oni przecież też potrzebują odpoczynku.

– Podobnie jak my – zwraca uwagę Wensley.

– Poza tym ojciec wyraźnie zapowiedział, że sklep nie może być otwarty w niedzielę – wtrąca Chas. – „Niedziela to zwornik tygodnia". Pamiętacie? „Utrzymuje pozostałe sześć dni we właściwych miejscach i dlatego powinna się wyraźnie od nich różnić".

– Jakie to żałośnie oczywiste. – Sonny spogląda pogardliwie ze swego złoconego tronu. – Nie wspominając o tym, że w życiu nie miałem do czynienia z większą hipokryzją. Mogę wymienić co najmniej dwa warunki ustalone przez ojca, kiedy przekazywał nam sklep, których nie dopełniliście po jego śmierci.

– Wprowadzenie Aluminiowej było doskonałym zabiegiem komercyjnym – oświadcza stanowczo Fred. – W dodatku całkowicie niezbędnym. Ojciec nie miałby nic przeciwko temu.

– Mówił przecież wyraźnie, że ma być tylko siedem rodzajów kont!

– A jeśli chodzi o zajęcie tego piętra, to nie mieliśmy innego wyjścia. Przecież nie mogliśmy *tam* mieszkać, tam są klienci!

Szerokim ruchem ręki wskazuje rozciągające się za ścianami miasto.

– Ojciec mówił wyraźnie, że sklep ma zawsze zajmować wszystkie siedem pięter!

– Jeśli wliczymy Podziemia, wciąż tyle zajmuje – zwraca mu uwagę Sato.

– Rozumiem. A więc wtedy, kiedy nam to odpowiada, możemy naginać zasady, ale gdyby miało to oznaczać, że Sonny wreszcie będzie miał coś do powiedzenia, pod żadnym pozorem nie wolno nam tego czynić.

Cisza, jaka po jego słowach zapada w Biurze, aż nadto wyraźnie świadczy o tym, że Sonny ma rację.

– Wszyscy zdajemy sobie sprawę, że warunki postawione przez ojca nie są do końca uczciwe – przerywa wreszcie milczenie Mungo, dobrze wiedząc, że to nieco spóźniona pociecha. – Chętnie przerzucimy część odpowiedzialności na twoje barki, dopiero wtedy jednak, kiedy udowodnisz, że jesteś tego godzien.

– Jestem!

– Być może. Na razie jednak w żaden sposób tego nie dowiodłeś.

– Przecież to bezsens! W jaki sposób mam wam cokolwiek udowodnić, skoro nie chcecie dać mi szansy?

– Na początek mógłbyś zacząć przychodzić punktualnie do pracy, porządnie ubrany i trzeźwy – radzi mu Thurston.

– Niby po co? – Sonny wybucha śmiechem, w którym jest jednak znacznie więcej goryczy i desperacji niż wesołości. – I tak ignorowalibyście wszystko, co mam do powiedzenia.

– Może nie – odzywa się Mungo. – Wspomniałeś chyba, że masz jakiś pomysł w kwestii tego konfliktu między działami?

– Wyśmiejecie mnie, jak to usłyszycie.

– Nie wyśmiejemy.

– Wyśmiejecie.

– Daję ci słowo, że nie. Wszyscy dajemy ci słowo.

Mungo mówi to z taką powagą, że nikt nie śmie zaprotestować.

– No dobrze. Sami tego chcieliście. Zaczekajcie chwilę. – Dla dodania sobie odwagi Sonny pociąga tęgi łyk ze szklanki, a następnie mówi: – Poślijcie tam mnie zamiast Chasa.

Wokół stołu rozlegają się parskania i stłumione chichoty. Sonny opuszcza głowę.

– Wiedziałem! Wiedziałem, że nie potraktujecie tego poważnie. Jesteście bandą pieprzonych łgarzy, i tyle!

Mungo z uśmiechem potrząsa głową.

– Wybacz mi. Gdybym wiedział, że zamierzasz uraczyć nas dowcipem, nie obiecywałbym, że zachowamy powagę.

– To nie żaden dowcip! Pozwólcie mi pójść na dół i porozmawiać z kierownikami działów. Powiem tylko, że nie zamierzamy zmieniać naszej decyzji, a jeśli to się im nie podoba, to niech pakują manatki. To wystarczy.

– Wątpię, czy takie postępowanie doprowadzi do rozwiązania konfliktu – mówi Chas. – Sytuacja wymaga taktu, subtelności, zmysłu dyplomatycznego, empatii i delikatności. To nie są twoje mocne strony, Sonny.

– Zgadza się – popiera go Fred. – Posłać tam ciebie to mniej więcej to samo, co kazać rzeźnikowi przeprowadzić skomplikowaną operację mózgu.

Ale Sonny nie ma zamiaru ustępować.

– Co, waszym zdaniem, mógłbym tam spieprzyć? Po prostu wysłuchają tego, co mam im do powiedzenia, a potem zastosują się do poleceń. Przecież jestem jednym z braci Day. Jestem ich szefem.

– Jasne! – prycha Fred.

Jednak Mungo kiwa głową.

– Wydaje mi się, że tym razem Sonny ma rację.

– Doprawdy?

– Tak. Któryś z nas musi się tam pofatygować, muszą wiedzieć, że traktujemy ich poważnie. Jakie jednak ma znaczenie, kto to będzie? Z ich punktu widzenia wszyscy jesteśmy jednakowo ważni. Będą tak przejęci, że z pewnością zrobią wszystko, co Sonny im każe.

– Nie rób tego, Mungo.

– Czego mam nie robić, Thurstonie?

– Nie popieraj go. To nierozsądne.

Mungo odwraca się do najmłodszego z braci, wpatruje się w niego, czeka, aż tamten skoncentruje na nim uwagę.

– Posłuchaj, Sonny: jeżeli zgodzimy się na twoją propozycję – nie twierdzę, że tak uczynimy, ale załóżmy, że to jednak jest możliwe – będziesz musiał dać nam coś w zamian.

– Niby co?

– Jakiś pozytywny sygnał.

– Nie rozumiem.

– Przypuśćmy, że nie dopijesz tego drinka, a my poprosilibyśmy Percha, żeby zabrał gin, tonik i kubełek z lodem...

– Miałbym przestać pić? – pyta Sonny takim tonem, jakby Mungo zażądał od niego, by skoczył głową w dół z dachu budynku.

– Na początek tylko dzisiaj. Do twojego powrotu ze sklepu. Myślę, że twoja interwencja odniesie lepszy skutek, jeżeli nie będziesz się zataczał i potykał o własne nogi, a jasny umysł pomoże ci podjąć właściwe decyzje.

– Nie wydaje ci się, że już jestem pijany? – pyta Sonny, wskazując butelkę z ginem. Od chwili kiedy zasiadł przy stole, poziom płynu wyraźnie się obniżył.

– Ktoś taki jak ty potrzebuje co najmniej trzech drinków, żeby osiągnąć jaką taką wydolność organizmu.

– To prawda. – Sonny poważnie kiwa głową. – To prawda.

– Jeżeli udowodnisz, że potrafisz być trzeźwy, albo w miarę trzeźwy, tak długo, ile trzeba, żeby załatwić taką sprawę, być może zdecydujemy się powierzyć ci kolejne zadania – włącza się do rozmowy Thurston, pełen podziwu dla planu obmyślonego przez Munga. – Praca będzie bodźcem motywującym cię do czynienia dalszych postępów.

– Rozumiem. Mamy więc zawrzeć układ?

– Zgadza się – potwierdza Mungo. – Co oznacza, że traktujemy cię z całym szacunkiem należnym synowi Septimusa Daya.

– Czyli, żeby była jasność: jeśli nie wysuszę tej butelki, pozwolicie mi zjechać na dół i rozstrzygnąć spór?

– Zgadza się.

– Nie wierzę. To jakiś żart, prawda? Jak tylko się tam zjawię, okaże się, że wszystko sobie wymyśliliście, żeby mnie wrobić, tak?

– Chciałbym, żeby tak było.

– Więc naprawdę mi pozwolicie?

– Pod warunkiem, że dotrzymasz swojej części umowy.

– Nie ma problemu.

– Obiecujesz?

– Obiecuję.

– A więc możesz iść.

– Hura! Wspaniale! Fantastycznie! Brak mi słów. Dziękuję wam, bracia. Bardzo wam dziękuję.

– Nie ma za co – mówi Chas.

– Naturalnie pod warunkiem, że nikt nie zgłasza zastrzeżeń – dodaje Mungo.

Sato przygryza dolną wargę.

– Tak?

– Wydaje mi się, że popełniamy błąd – mówi Sato po chwili milczenia.

– To opinia, nie zastrzeżenie.

– Wiem. Jednak zważywszy na nastrój panujący obecnie przy tym stole, jakiekolwiek obiekcje mogłyby zostać potraktowane jako niekonstruktywny obstrukcjonizm, chyba więc będzie lepiej dla nas wszystkich, jeśli zachowam je dla siebie.

– Czy ktoś jeszcze chce zabrać głos w tej sprawie?

Nikt się nie odzywa.

– A więc głosujemy – mówi Thurston.

Sonny podnosi rękę tak wysoko, że mało ramię nie wyskoczy mu ze stawu. Jako pierwszy.

– No, dalej! Wszyscy razem!

Pięć rąk wędruje w górę.

Jako ostatnia, powoli i z ociąganiem, podnosi się ręka Sato.

– Wniosek przyjęty jednomyślnie – oznajmia Mungo.

Fred gwiżdże cicho przez zęby.

– Kto by to pomyślał? Nie wiem, czy zdajecie sobie sprawę, że właśnie zgodziliśmy się zaprząc Sonny'ego do pracy.

– Cuda się zdarzają – stwierdza sentencjonalnie Wensley.

– No dobrze! – Podekscytowany Sonny zrywa się z fotela. – Idę się przebrać. Trzeba się dobrze zaprezentować przed podwładnymi, prawda?

Chas oferuje mu pomoc przy dobieraniu stroju, ale Sonny twierdzi, że da sobie radę.

– Jeszcze trochę pamiętam, co się robi, żeby wyglądać przyzwoicie.

– Thurston, uprzedź kierowników obu działów o wizycie Sonny'ego – mówi Mungo.

– Żeby zdążyli przygotować czerwony dywan! – rzuca zuchowato Sonny, kierując się do drzwi.

– Niech Ochrona Strategiczna przyśle czterech strażników. Mają czekać na Żółtym o... powiedzmy, o wpół do dwunastej.

– W porządku.

– Słyszałeś, Sonny? Wpół do dwunastej.

Sonny jest już przy drzwiach.

– Nie ma problemu.

Znika, ale po chwili uchyla drzwi i wsuwa głowę. Na jego twarzy maluje się wyraz bezgranicznej wdzięczności.

– Nie pożałujecie tego – mówi z powagą. – Daję wam słowo honoru.

– Obyś miał rację... – mamrocze Thurston pod nosem.

XVI

Gwiazdozbiór Małżeństwa: w astrologii siódmy znak zodiakalny

10.16

Mamo, gdybyś tu ze mną była, gdybyś to wszystko widziała... Jest jeszcze cudowniej, niż sobie wyobrażałyśmy, myśli Linda, przechodząc pod Łukiem i zapuszczając się w Jedwabie. Suto pomarszczone kotary, przelewające się rzeki lśniących tkanin, piętrzące się bele materiałów kojarzą się z wnętrzem gigantycznego namiotu jakiegoś bajecznie zamożnego szejka. Linda rozgląda się z zachwytem. Już nie złości się na Gordona. Irytacja ustępuje miejsca niemal hipnotycznemu błogostanowi.

Godzinę później i osiem działów dalej wciąż czuje się tak, jakby nie szła, lecz płynęła. Nic nie jest całkiem rzeczywiste, wszystko sprawia wrażenie jaskrawszego i bardziej kolorowego niż zazwyczaj, a zarazem nieokreślonego i jakby niematerialnego. Niemal pewna, że sklep, towary, ludzie są utkani z nieważkiego dymu, boi się czegokolwiek dotknąć, aby złudzenie nie rozwiało jej się w palcach. Niczego więc nie dotyka, tylko patrzy i stara się wszystko zapamiętać.

Perskie i armeńskie dywany przywodzące na myśl stronice gigantycznych manuskryptów. Bele materiałów obiciowych i zasłonowych ułożone w zigguraty sięgające szczytami odległego o czternaście metrów sufitu. Nieskończony wielobarwny labirynt stoisk z propozycjami wykończeń wnętrz kuchennych. Tapety: tłoczone, gładkie, w paski, we wzory roślinne, zwierzęce, orientalne, geometryczne. A do tego nieustające życzliwe zainteresowanie kręcących się wszędzie sprzedawców i naganiaczy. „Czym mogę służyć szanownej pani?". „Czy szanowna pani zechciałaby zobaczyć...". „Czy można szanownej pani zaproponować...".

Szanowna pani! Linda nie pamięta, żeby ktokolwiek zwracał się do niej w ten sposób – chyba że ojciec, kiedy był w szczególnie paskudnym nastroju i każde jego słowo zionęło trującym sarkazmem. Teraz to co innego, teraz to jest na poważnie. Gordon z kolei stał się „szanownym panem". Wygląda na to, że wszyscy pracownicy Days znajdują autentyczną przyjemność w obsługiwaniu klientów i że nie ma dla nich najmniejszego znaczenia fakt, że grzecznie odrzuca wszystkie oferty pomocy, zaraz bowiem przepraszają ją uprzejmie i życzą udanych zakupów, po czym znikają nie wiadomo gdzie, cali w uśmiechach.

Mogłaby spędzić tu resztę życia. Obfitość zgromadzonych dóbr, szacunek, jakim jest zewsząd otaczana, oraz uczucie bycia (prawie) równą najbogatszym i najpotężniejszym ludziom w kraju czynią zewnętrzny świat nudnym, byle jakim i nieprzyjaznym. Days to wyrafinowanie połączone z ładem i porządkiem, jakiego nie sposób uświadczyć gdzie indziej w mieście. W głębi duszy Linda od dawna wiedziała, że jej miejsce jest raczej tu niż tam. Wie, że znalazła swoje niebo; czuje się jak ptak, który wreszcie dotarł do celu po długiej, morderczej podróży.

Nawet kiedy o dziesiątej z głośników rozlega się informacja o błyskawicznej wyprzedaży, Linda ze zdziwieniem stwierdza, iż nie dostrzega niczego niestosownego, głupiego ani zaskakującego w tym, że kilkoro klientów w zasięgu jej wzroku kieruje się pospiesznie w stronę najbliższych schodów ruchomych lub windy. Wbrew kłamliwym, krążącym na zewnątrz plotkom wcale nie zachowywali się jak motłoch – po prostu działali szybko, sprawnie i z niemal wojskową determinacją, jakby przez cały czas wyczekiwali właśnie na taką chwilę. Ogromnie jej to imponuje. Z niecierpliwością czeka na chwilę, kiedy na tyle dobrze pozna topografię sklepu i nabierze dość pewności siebie, by podejmować takie błyskawiczne, a równocześnie doskonale przemyślane decyzje. Nie wątpi, iż nastąpi to całkiem niedługo.

Nabiera coraz silniejszego przekonania, że była idiotką, słuchając ostrzeżeń taksówkarza i kupując miotacz gazu. Z jej dotychczasowych doświadczeń wynika ponad wszelką wątpliwość, że Days to jedno z najbezpieczniejszych miejsc na świecie. Nawet w domu nie czuła się bardziej komfortowo ani bezpieczniej. Jeżeli w tej beczce miodu jest łyżka dziegciu, to niewielka, ale mimo to dość irytująca: mąż.

W ciągu minionej godziny Gordon nie powiedział nic, co by ją zdenerwowało. Denerwuje ją raczej fakt, że w o g ó l e nic nie mówi, ignorując jej wysiłki zmierzające do nawiązania konwersacji. Pytała go o zdanie w kwestii zasłon, pojemniczków na przyprawy, ramki do zdjęć – przecież te przedmioty miałyby ewentualnie zagościć w ich domu, wypełnić częściowo przestrzeń, którą i oni sobą wypełniają, powinien więc chyba okazać choć minimum zainteresowania. Tymczasem co uzyskała w zamian? W najlepszym przypadku jakieś mamrotane pod nosem monosylaby, w najgorszym – nieartykułowane chrząknięcia. Wlecze się za nią od działu do działu niczym stary, zmęczony pies. I tak niewielki entuzjazm, jaki prezentował jeszcze godzinę temu, teraz znikł bez śladu, jej entuzjazm natomiast rozkwitł i rozrósł się do imponujących rozmiarów. Kolejny dowód na to (jeśli komukolwiek trzeba to jeszcze udowadniać), że mężczyźni nie nadają się do robienia poważnych zakupów.

Linda nie może dłużej znieść milczącej, niekomunikatywnej obecności Gordona. Zatrzymuje się przed wejściem do Sprzętu Oświetleniowego. Blask tysięcy lamp, żyrandoli i kinkietów jest tak silny, że nawet mrużąc oczy, jedynie z najwyższym trudem może dostrzec sprzedawców w ciemnych goglach wędrujących niestrudzenie alejkami, wykręcających przepalone żarówki i wkręcających nowe, wyjęte ze specjalnych nosidełek na szyjach. Ich otoczone wszechobecną jasnością sylwetki wydają się wiotkie i nienaturalnie szczupłe, niemal eteryczne, anielskie.

– Gordon, a może byśmy się rozdzielili?

Jest wyraźnie zaskoczony jej propozycją.

– Tak będzie lepiej – przekonuje go Linda. – Przecież nie musisz chodzić za mną przez cały dzień. Na pewno chciałbyś obejrzeć inne działy.

– Nie, tak jest zupełnie w porządku.

– Czy wiesz o tym, że kiedy kłamiesz, zaczynasz mówić o oktawę wyżej?

– Nieprawda! – protestuje Gordon falsetem.

– Wiem, że chciałbyś pobuszować na własną rękę. Jest dwadzieścia po dziesiątej. Umówmy się tu, w tym miejscu, za kwadrans pierwsza.

Tyle czasu powinno jej wystarczyć na kupienie krawata, który wypatrzyła dla niego w katalogu. Wręczy mu go podczas lunchu.

Gordon zgadza się wreszcie, z wielkim, choć nie do końca przekonującym ociąganiem.

– Które z nas będzie miało kartę?

– Ja, oczywiście.

– Czy to rozsądne?

W pierwszej chwili Linda myśli, że tylko się z nią drażni, ale jedno spojrzenie w jego poważne, ukryte za okularami oczy uświadamia jej, że tak nie jest.

– Bardzo mi przykro, że mi nie ufasz.

– Oczywiście, że ci ufam – protestuje odrobinę za szybko.

– A jednak nie chcesz zostawić mi naszej karty.

– Wcale tego nie powiedziałem.

– Tak to jednak zabrzmiało.

– Chodziło mi tylko o to, że ponieważ konto jest wspólne, to chyba powinniśmy wspólnie decydować o zakupach, nie sądzisz?

– A czy mąż i żona nie są jednym ciałem?

– Daj spokój, przecież to tylko przenośnia!

– Nie wiem jak ty, Gordon, ale kiedy ja przysięgałam w kościele, traktowałam wszystko bardzo dosłownie.

– Postępujesz nieracjonalnie, Lindo.

– A ty nieuczciwie. To tak samo moja karta jak i twoja. – Macha mu Srebrną przed nosem. – Żadne z nas samodzielnie nie zdołałoby na nią zarobić. Razem jakoś nam się udało. Ta karta stanowi dowód na to, że wspólnie stanowimy coś więcej niż tylko sumę nas dwojga. Pokazuje, co dwoje ludzi może osiągnąć, jeśli połączy wysiłki i wytyczy sobie wspólny cel!

– Zdecydowana większość tych „wysiłków" to moja pensja.

– Nie mówię tylko o pieniądzach, mówię o wspólnych wyrzeczeniach i o wspólnym trudzie. Zresztą ja też zrobiłam swoje. Kto dbał o dom, kto robił zakupy tam gdzie najtaniej, kto wymyślał nowe sposoby oszczędzania pieniędzy? A oprócz tego zarabiałam przecież jako fryzjerka. Nie ulega najmniejszej wątpliwości, że co najmniej tak samo jak ty przyczyniłam się do zdobycia tego konta i tej karty!

– Może lepiej nie zaczynajmy teraz dyskusji na ten temat – mówi Gordon. – Chodzi mi o to, Lindo, żebyśmy nie wpadli w długi, których nie będziemy w stanie spłacić.

W banku mam codziennie do czynienia z ludźmi, którzy narobili sobie mnóstwo kłopotów, zbyt beztrosko korzystając z karty Days.

– A potem przychodzą do ciebie po pomoc, której ty im udzielasz, na czym, ma się rozumieć, bank sporo zarabia. – Linda uśmiecha się jadowicie. – A może się mylę? Może ostatnio banki zaczęły rozdawać pieniądze wszystkim, którzy tego potrzebują?

– Lepiej pożyczyć pieniądze od banku niż od jakiegoś typka spod ciemnej gwiazdy, który połamie ci nogi, jeżeli spóźnisz się ze spłatą odsetek – ripostuje Gordon. – Ale to zupełnie inna sprawa. Ludzie nie zapożyczaliby się tak bardzo, gdyby brnięcie w długi nie było powszechnie uważane za coś lepszego od życia bez rzeczy, na które nie możemy sobie pozwolić. Trzeba mieć silny charakter, żeby powiedzieć „nie" i zaczekać, zamiast powiedzieć „tak" i mieć od razu. Niewielu z nas może się tym pochwalić, a są tacy, którzy bezustannie i bezwzględnie to wykorzystują.

– Przez pięć lat nie kupowaliśmy niczego poza tym, co naprawdę niezbędne. Zasłużyliśmy sobie na naszą Srebrną.

– Bądźmy jednak rozważni, dobrze? Tylko to miałem na myśli. Nie szalejmy za bardzo.

– Czy ja zaczęłam szaleć? Niczego jeszcze nie kupiłam. Chodzę, rozglądam się, widzę dziesiątki rzeczy, które chciałabym mieć, które pięknie wyglądałyby w naszym domu, ale czy coś kupiłam? Nic. Kompletnie nic.

– Doceniam twoją wstrzemięźliwość. Dla większości ludzi limit wydatków na koncie stanowi raczej cel niż granicę, coś, do czego należy jak najszybciej dążyć, a nie coś, czego trzeba za wszelką cenę unikać.

– Kto jak kto, Gordon, ale ty powinieneś chyba wiedzieć, że potrafię nad sobą panować lepiej niż „większość ludzi"!

– Lindo, proszę. Ja cię nie krytykuję, tylko ostrzegam.

– A od samego rana nic innego nie słyszę! – Linda zaciska pięści w bezsilnym gniewie. – Ludzie mnie ostrzegają, uprzedzają, mówią o swoich wątpliwościach... Tak jakby nikt poza mną nie wierzył, że wiem, co robię. To jest *mój* dzień, Gordon! Dzień, o którym marzyłam przez całe życie. Przez całe życie! – Zdaje sobie sprawę, że prawie krzyczy, że poczerwieniała na twarzy, ale nie jest w stanie nic na to poradzić. Ludzie zatrzymują się, odwracają, patrzą na nią, ona jednak stara się ignorować ich spojrzenia. – Cierpiałam, walczyłam i poświęcałam się po to, żeby dostać się tu, gdzie teraz jestem, i nie pozwolę ani tobie, ani nikomu innemu tego sobie odebrać! To chwila mojego osobistego triumfu. Byłabym ci wdzięczna, gdybyś zechciał ją uszanować. Nagadać będziesz się mógł do woli wieczorem, kiedy wrócimy do domu.

Gordon istotnie ma jeszcze sporo do powiedzenia, uznaje jednak, że rozsądniej będzie chwilowo zamilknąć, więc tylko kiwa głową.

– W porządku, Lindo. W porządku. Niech będzie po twojemu. Rozdzielimy się i ty weźmiesz kartę. Ufam ci.

– Naprawdę? Naprawdę mi ufasz?

– A czy mam wybór?

Linda uśmiecha się promiennie.

– To rozumiem!

XVII

Przerwa w siódmej rundzie: tradycyjna przerwa podczas meczu baseballowego po pierwszej połowie siódmej rundy

10.30

Nadchodzi pora na przedpołudniową przerwę. Jak na zawołanie pęcherz Franka zaczyna dopominać się o swoje prawa. Niezbyt silny, ale wyraźny ucisk w podbrzuszu nie jest może szczególnie dokuczliwy, lecz również nie na tyle słaby, żeby dało się go zignorować.

Wieloletnia rutyna Franka sprawia, że jego organizm synchronizuje potrzeby z rozkładem dnia. Frank budzi się na chwilę przed sygnałem budzika, odczuwa głód wtedy, kiedy może coś zjeść, nerki nauczyły się zaś w ten sposób sterować gospodarką płynami, żeby napełnić pęcherz dokładnie wtedy, gdy będzie mógł go opróżnić. Jego organizm funkcjonuje według tych zasad także w niedzielę, wiernie naśladując rozkład czynności z dnia powszedniego – teoretycznie Frank powinien odpoczywać i robić to, na co przyjdzie mu ochota, w rzeczywistości jednak funkcjonuje według tego samego schematu co zwykle. Niektórzy uznaliby to zapewne za doskonały przykład zdolności dostosowawczych człowieka lub za dowód na istnienie czegoś takiego jak „talent ewolucyjny", on jednak wie, jak jest naprawdę. Wie, że w każdym ludzkim mózgu jest ukryta główna sprężyna sterująca funkcjami organizmu. Ludzie działają jak nakręcane zabawki, a jeśli codziennie powtarzają te same lub mocno zbliżone czynności, rytm ich życia pokrywa się z rytmem pracy, spaja się z nim tak silnie, iż po pewnym czasie może się okazać, iż nie sposób już je rozdzielić. Frank słyszał o wielu byłych pracownikach Days, lub nawet świeżo upieczonych emerytach, którzy oszaleli albo umarli krótko po odejściu z pracy, niezdolni przystosować się do nowego życia pozbawionego ściśle określonego i narzuconego z zewnątrz rytmu. Czas chwycił ich w swoje szpony, sprężyny rozkręciły się i zwisały bezwładnie.

Odchodząc dzisiaj, być może zdoła uniknąć tego losu. Jeśli zostanie dłużej, może już być za późno.

– `Tu Frank Hubble` – szepcze bezgłośnie do mikrofonu. – `Wyłączam się na pół godziny.`

– `W porządku, panie Hubble` – odpowiada Oko. Tym razem to dziewczyna. Frank słyszy stukanie w klawiaturę. – `Przyjemnego odpoczynku.`

Uprzejma, pogodna – na pewno pracuje najwyżej od tygodnia. Nie minie dużo czasu, a monotonna kuchnia, stres i wielogodzinne przebywanie w zasięgu szkodliwego promieniowania wydzielanego przez niezliczone monitory przeistoczą ją w taką samą wredną zarazę jak jej koledzy.

Frank kieruje się do windy dla personelu, przywołuje ją machnięciem karty przed czytnikiem, w drodze na dół studiuje swoje odbicie w stalowych drzwiach. Tamten rozmazany facet pojawia się i znika, pojawia i znika, zależnie od tego, w jakim stopniu Frank jest skoncentrowany. W końcu w ogóle przestaje się koncentrować i tamten niknie na dobre.

Jestem tu, powtarza w myślach. Jestem tu, jestem, jestem, jestem. Słowa jednak brzmią pusto i nieprawdziwie, tym bardziej że oczy mówią mu prawdę.

Nie może się doczekać dnia, kiedy spojrzy w lustro i znowu zobaczy się całkiem zwyczajnie, bez wysiłku. Ponownie ogarnia go pragnienie, żeby odszukać pana Blooma i poinformować go o swojej rezygnacji. Najpierw jednak wysiada z windy, wchodzi do Ochrony Taktycznej, skręca do męskiej toalety, staje przed pisuarem i, zgodnie z rozkładem dnia, doznaje fizycznej ulgi.

10.33

Dawno temu w kantynie Ochrony Taktycznej zatrudniano stały personel, nikt jednak nie był w stanie tam długo wytrzymać. Duchy – najbardziej zimnokrwiste i nijakie istoty, jakie można sobie wyobrazić – traktowały bowiem tamtych ludzi jak stworzenia z innego wymiaru, w ogóle się do nich nie odzywając – poza zdawkowymi „proszę" i „dziękuję" – i nie patrząc im w oczy. Część personelu uwierzyła w końcu, że takie zachowanie jest całkowicie naturalne, i że to raczej oni, ze swoim życzliwym, otwartym podejściem do innych, są nienormalni.

Wszystkie zainteresowane strony z dużym zadowoleniem powitały automatyzację, wprowadzoną krótko po rozpoczęciu pracy przez Franka. Co prawda jakość potraw dramatycznie spadła, niemniej jednak Duchy zdecydowanie lepiej czują się w obecności maszyn i automatów niż wśród ludzi. Maszyny nie piszą raportów, nie gadają o pogodzie i polityce, nie obrażają się, kiedy ktoś nie zechce włączyć się do rozmowy. Maszyny wydają potrawy i napoje natychmiast po naciśnięciu guzika, bez marudzenia, z dającą poczucie bezpieczeństwa przewidywalnością; dzięki nim, a także dzięki jednorazowym talerzom, kubkom, sztućcom i serwetkom, potrzeba zatrudniania ludzi w kantynie niemal przestała istnieć. Pozostała jedynie szczątkowa dwuosobowa załoga: sprzątaczka, która zjawia się po zamknięciu lokalu, żeby wytrzeć stoły i zamieść podłogę, oraz technik konserwujący i naprawiający automaty.

Frank bierze z podajnika kubek niemal wrzącej kawy i rozgląda się w poszukiwaniu wolnego stolika. Udaje mu się jakiś wypatrzyć i dotrzeć do niego na tyle szybko, że nie zdążył zbyt boleśnie poparzyć palców. Postanawia, że zaraz po wypiciu kawy pójdzie do pana Blooma. Oczywiście doskonale zdaje sobie sprawę, że kawa to jedynie pretekst, żeby jeszcze trochę odwlec ostateczną rozmowę, uznaje jednak, że przyda mu się kilka dodatkowych chwil na porządne ułożenie wszystkiego w głowie. Ledwo jednak zdążył wypić dwa albo trzy łyki, kiedy otwierają się drzwi i do kantyny wchodzi pan Bloom.

Szef Ochrony Taktycznej nonszalanckim krokiem podchodzi do automatu, bierze herbatę z mlekiem i pączka, a następnie siada przy najbliższym wolnym stoliku. Pan Bloom rzadko jada w kantynie. To z pewnością nie przypadek, że zjawił się tu akurat wtedy, kiedy z dużym prawdopodobieństwem można było oczekiwać, iż będzie tam również Frank.

W pierwszym odruchu Frank chce wstać i wymknąć się niepostrzeżenie, uświadamia sobie jednak, że byłaby to dziecinada. Poza tym, próbując go osaczyć (jeśli tak jest w istocie), pan Bloom być może nadużywa ich trwającej już trzydzieści trzy lata znajomości, najprawdopodobniej jednak czyni to dlatego, że niewłaściwie ocenił sytuację, nie zaś dlatego, żeby miał złe intencje.

Frank wzdycha głęboko, dopija wciąż jeszcze gorącą kawę, wstaje i ciężkim krokiem podchodzi do stolika pana Blooma. Część jego umysłu wciąż nie jest w stanie uwierzyć, że naprawdę zamierza to zrobić, i błaga, żeby się wstrzymał, żeby się zastanowił. Skąd ten wewnętrzny przymus, żeby składać oficjalną rezygnację? Dlaczego po prostu nie odwrócić się i odejść, nie mówiąc nikomu ani słowa?

Dlatego, że to by nie było w porządku. Dlatego, że przynajmniej panu Bloomowi należą się jakieś wyjaśnienia. Dlatego, że wymykając się ukradkiem, postąpiłby jak złodziej, złodziei zaś ścigał i tępił przez ponad pół życia.

– Donald?

– Frank?

W oczach pana Blooma prawie nie widać zdziwienia.

Nie świadczą o tym żadne zewnętrzne objawy, Frank jednak wie, że wszystkie obecne w kantynie Duchy wytężają w tej chwili słuch do granic możliwości.

– Czy możemy porozmawiać?

– Naturalnie. U mnie?

– Oczywiście.

10.39

Siedząc przed biurkiem naprzeciwko pana Blooma, Frank po raz pierwszy dostrzega indywidualne elementy wystroju wnętrza gabinetu. Nieduża oprawiona fotografia małej dziewczynki (pan Bloom wspomniał kiedyś o swojej siostrzenicy). Kilka powieści w tanich wydaniach wciśniętych między segregatory na półce: Joyce, Sołżenicyn, Woolf. Pożółkły wycinek z gazety przypięty do rogu ściennej tablicy z wykresami. „Wiosenne wyniki sprzedaży dowodzą, że Days jeszcze daleko do przekwitania" głosi zabawny tytuł. Żółta uśmiechnięta buźka naklejona na logo Days zdobiące obudowę monitora. Drobne osobiste dodatki, o których Frank z pewnością nigdy by nie pomyślał, gdyby to on urzędował w tej nijakiej podziemnej celi.

Pan Bloom czeka na to, co Frank ma mu do powiedzenia. Czeka cierpliwie dwie minuty, zajadając pączka, zlizując lukier z palców, pijąc herbatę. Jeśli milczenie potrwa jeszcze trochę, zostanie przekroczona granica dzieląca niezdecydowanie od grubiańskości. Wreszcie Frank przyznaje się do porażki.

– Nie wiem, od czego zacząć.

– Najlepiej od początku – podpowiada pan Bloom.

– Właśnie na tym polega problem. Nie bardzo wiem, gdzie jest ten początek. Wszystko się jakby... spiętrzyło. Kiedyś byłem zadowolony z pracy, a teraz już nie jestem.

– Aha. – Krzaczaste brwi pana Blooma wędrują w górę, w kierunku czoła zwieńczonego przyklepaną grzywką. – Czy twoje niezadowolenie ma związek z jakimś konkretnym aspektem pracy, czy raczej chodzi o coś bardziej ogólnego, co trudno nazwać?

– Ja... To znaczy, wydaje mi się, że chodzi o mnie. Praca to praca, jest cały czas taka sama. Skoro ona się nie zmieniła, to chyba ja się zmieniłem.

Dlaczego tak utrudnia sobie życie? Powinien załatwić to krótko, po amerykańsku: odchodzę, i już. Jedno małe słówko i po kłopocie. Po co to chodzenie na paluszkach? Po co te żałosne wysiłki, żeby załatwić sprawę delikatnie, grzecznie, łagodnie? Czy pan Bloom w ogóle zauważy różnicę? Jeden Duch mniej, i tyle.

– W jaki sposób?

– Trudno powiedzieć.

– Frank, domyślam się, że ta rozmowa nie jest dla ciebie łatwa, więc zastanów się, proszę, tak długo, jak długo będziesz potrzebował, i wtedy mi powiedz. Oczywiście ani słowo z tego, co zostanie tu powiedziane, nie wydostanie się poza ściany tego pokoju, możesz więc swobodnie mówić o klientach, o braciach, o współpracownikach, sprzedawcach, o mnie... O kimkolwiek zechcesz.

– Inni nie mają z tym nic wspólnego. Chodzi wyłącznie o mnie.

Pan Bloom przygląda mu się spokojnie.

– Wiem, wiem. Chciałem cię tylko trochę rozbawić. Głupio z mojej strony, przepraszam.

– Donaldzie, dlaczego t y odszedłeś?

– Wydawało mi się, że mamy rozmawiać o tobie.

– Gdybym wiedział, może by mi to pomogło.

– Naprawdę? No cóż, skoro tak mówisz... Dlaczego przestałem być Duchem? Przede wszystkim dlatego, że coraz gorzej sobie radziłem. Coraz rzadziej dokonywałem zatrzymań. Klienci zaczęli mnie zauważać. Traciłem wyczucie.

– Traciłeś czucie?

– Wyczucie – mówi Bloom, spoglądając ze zdziwieniem na Franka. – Propozycja awansu przyszła w najwłaściwszej chwili. Nie przyjąłem jej dlatego, że chciałem, ale dlatego, że musiałem. Nie miałem wyboru. Nie mogłem dalej być Duchem, mogłem więc wybierać między tym, co robię teraz, a emeryturą, a wtedy jeszcze nie uśmiechało mi się spędzanie całych dni w fotelu przed telewizorem i palenie fajki. Wciąż mi się to nie uśmiecha. Akademia nie wchodziła w grę. Jak miałbym szkolić nowe Duchy, skoro sam nie dawałem już sobie rady? Czy twój problem jest podobnej natury?

– Raczej nie.

– Tak mi się wydawało. Ty wciąż masz talent, Frank. Wciąż zatrzymujesz mnóstwo złodziei. Jesteś jednym z najlepszych, może nawet najlepszym. Boże, oddałbym rękę albo nogę, żeby móc znowu robić to, co ty teraz, znowu myszkować po piętrach, znowu poczuć znajomy dreszczyk, kiedy wypatrzę następnego delikwenta. Jasne, czasem jest okropnie, czasem robi się nudno jak cholera, czasem masz stopy jak z ołowiu i ostre noże zamiast kości, a do tego są działy, których nie znosisz, do których musisz jednak zaglądać, i robi ci się niedobrze od patrzenia na puste, zachwycone, łakome twarze klientów, którym nigdy dosyć, którzy zawsze chcą więcej, i nawet najgrubszy zachowuje się tak, jakby nie jadł od tygodnia... A do tego jeszcze Oczy, największe palanty na świecie. Czerpią sadystyczną przyjemność z dręczenia nas przy każdej okazji. A jednak, sam powiedz, Frank, czy to wszystko nie jest warte tej jednej, niepowtarzalnej chwili, kiedy pewnie i czysto przygważdżasz delikwenta? Albo kiedy przyłapujesz autentycznego fachowca, spryciarza, specjalistę najwyższej klasy? Czy całe to gówno nie przestaje być ważne, kiedy kładziesz mu rękę na ramieniu albo podsuwasz mu sfinksa pod nos, żeby obejrzał sobie dokładnie, co zrobił? Te chwile czystej, niezmąconej radości, kiedy całym sobą czujesz sens swego działania, stanowią całkowicie wystarczającą nagrodę za to, co z siebie dajesz. Czy zgadzasz się ze mną, Frank?

Zanim Frank zdążył odpowiedzieć, następują równocześnie dwa zdarzenia: najpierw z zainstalowanego w korytarzu głośnika rozlega się siedmiotonowy sygnał, a zaraz po nim zapowiedź błyskawicznej wyprzedaży w Maszynach Rolniczych.

– Uwaga, klienci...

Niemal równocześnie Frank słyszy znajomy szept:

– `Panie Hubble?` – To ta sama dziewczyna, z którą rozmawiał przed kwadransem. – `Przepraszam, że panu przeszkadzam, ale wzywają pana do Wydziału Dochodzeniowego.`

– `Słucham?`

– `Chodzi o kobietę, którą aresztował pan jakiś czas temu. Chce z panem rozmawiać. Upiera się.`

– `W tej chwili jestem zajęty.`

– Frank?

– Maszyny Rolnicze znajdują się w południowo-wschodniej części Piętra Czerwonego. Można do nich dotrzeć windami oznaczonymi literami I, J i K...

– Ci z Wydziału Dochodzeniowego są zdania, że powinien pan przyjść.

– Frank?

– Przepraszam, Dona... – Przepraszam, Donaldzie. Rozmawiam z Okiem. – To wbrew wszelkim przepisom.

– Wiem, proszę pana, i na pewno bym pana nie niepokoiła, ale ta kobieta nie chce z nikim rozmawiać i domaga się pańskiego przyjścia.

– Rozmawiać? O czym?

– Tego nie wiem. Nie powiedzieli mi.

– Zupełnie mi się to nie podoba.

Chociaż mogłoby być znacznie gorzej, myśli Frank.

– Cóż mogę powiedzieć? Naprawdę bardzo mi przykro.

– Wyłączam się. Donaldzie, muszę iść.

– Co się stało?

– Nie jestem pewien.

– A nie może zaczekać? Nie może się tym zająć ktoś inny?

– Najwyraźniej nie.

Pan Bloom ma pewne podejrzenia, ale zatrzymuje je dla siebie. Zna mentalność Duchów i doskonale wie, że żaden z nich nie zawahałby się przed drobnym oszustwem, żeby tylko wywinąć się z niewygodnej, nazbyt osobistej sytuacji.

– No cóż, skoro tak... Zdaje się jednak, że mamy jeszcze sporo do pogadania. Umówmy się na lunch, co ty na to?

– Donaldzie, ja nie...

– O pierwszej we włoskiej restauracji w atrium na Piętrze Zielonym.

– To chyba nie jest najlepsze miejsce na rozmowę.

– Na pewno nikt nie zwróci na nas uwagi, chyba że sami będziemy tego chcieli.

– No cóż...

Frank jest już przy drzwiach.

– A więc jesteśmy umówieni. Punkt pierwsza. Tylko nie zapomnij.

Zażenowany skwapliwością, z jaką wykorzystał okazję do ucieczki, Frank nie czuje się na siłach odmówić.

– Zwykle jadam lunch za kwadrans pierwsza – mówi tylko.

– A więc widzimy się za piętnaście pierwsza.

XVIII

Sze: siódmy heksagram „I-Ching", zwykle interpretowany jako potrzeba dyscypliny i przywództwa doskonałego generała w odpowiednim wieku i z należytym doświadczeniem

10.42

Septimus Day lubił podczas kolacji udzielać synom wykładów o sztuce handlu detalicznego, w jego rozumieniu równającej się sztuce życia. Zamiast prowadzić normalną rozmowę, założyciel pierwszego i (przez większą część jego życia) najwspanialszego gigamarketu na świecie poruszał podczas posiłku wszystkie tematy, jakie akurat przyszły mu do głowy, starając się zamienić je w przypowieści odnoszące się do jego ukochanego sklepu. W taki sam sposób buduje przypowieści kapłan podczas kazania, wygłaszając nauki mające wskazywać wiernym drogę życia zgodną z nakazami jego religii. Homilie Septimusa niezmiennie kończyły się epigramatycznymi maksymami, których miał dziesiątki na podorędziu. Stanowiły one coś w rodzaju ekwiwalentu cytatów z Biblii.

Pod koniec jego życia słuchaczami tych wykładów byli z reguły jedynie Sonny i Mungo. Pięciu braci uczyło się wtedy w szkołach bądź na uniwersytetach, Mungo ukończył studia *summa cum laude** w tym samym roku,

---

* *Summa cum laude* (łac.) – z najwyższą pochwałą, z najwyższym odznaczeniem (przyp. tłum.).

w którym Sonny przestał korzystać z pieluch i zaczął używać nocnika. Co wieczór zasiadali do posiłku w przypominającej grobowiec, oświetlonej blaskiem świec jadalni rodzinnego domu. Usługiwał im zawsze Perch. Nie zważając na pustki przy stole, Stary Day perorował jak zwykle, spoglądając od czasu do czasu na najmłodszego i najstarszego syna w taki sposób, jakby byli tylko dwoma z licznego grona słuchaczy.

Sonny dorastał, obserwując stopniową fizyczną i umysłową degrengoladę ojca. Nie pamiętał czasów, kiedy Septimus był całkowicie zdrowy, widział natomiast, jak z dnia na dzień przygasa blask w jego jedynym oku, jak coraz bardziej drżą mu ręce i jak coraz wolniej przebiegają procesy myślowe w jego mózgu. Z całego dziecięcego serca pragnął coś zrobić, uczynić jakiś gest, by zapewnić ojca, że wszystko jest w porządku, że nie ma powodu dla tego pustego smutku, który zżera starca od środka. Być może pomógłby zwyczajny uścisk, gdyby nie to, że w domu Septimusa Daya okazywanie wszelkich uczuć i emocji, zwłaszcza tych spontanicznych, było surowo zakazane. Septimus nie traktował synów jak rodziny, lecz jak ludzi, których należało najlepiej wyszkolić, by po jego śmierci mogli kontynuować rozpoczęte przez niego dzieło.

W miarę dorastania Sonny'ego wieczorne wykłady stawały się coraz mętniejsze, coraz bardziej bełkotliwe. Niekiedy w środku wyjątkowo pogmatwanego zdania starzec podrywał się gwałtownie, jakby na chwilę przysnął, a ktoś właśnie krzyknął mu do ucha. Milknął, rozglądał się dookoła, mrugając szybko, po czym wznawiał wykład, tyle że na zupełnie inny temat. Kiedy indziej zaś wpadał w niemożliwą do przerwania pętlę, powtarzając w kółko to samo zdanie, jakby pragnął w szczególny sposób podkreślić jego znaczenie. Nawet bardzo młody Sonny nie miał żadnych wątpliwości, iż dobrze się stało, że Mungo przejął na siebie ciężar kierowania sklepem. Ojciec już się po prostu do tego nie nadawał.

Jeżeli te wykłady nauczyły Sonny'ego czegokolwiek, to na pewno cierpliwości. Wysłuchiwał ich w nabożnym skupieniu, zaimpregnowawszy się uprzednio na brzmienie głosu ojca, tak że niemal nic do niego nie docierało. Z tego, co jednak dotarło, zostało trochę maksym Septimusa. Wryły mu się głęboko w pamięć i za nic nie chciały się stamtąd wynieść. Na przykład:

„Inni ludzie istnieją po to, by podporządkowywać ich waszej woli. Wola jest wszystkim. Ktoś, kto ma wolę, może osiągnąć wszystko. Dzięki woli można zrealizować najśmielsze marzenia, wybudować wielki gmach na pustyni, zdobyć bogactwo. Dla kogoś, kto ma wolę, brak doświadczenia i wiedzy nie stanowi żadnej przeszkody".

Albo: „Liczby mają moc. Liczby to silniki, dzięki którym można przeciwstawić się Losowi, sforsować jego mury obronne i zrabować jego najcenniejsze skarby. Najważniejszą z liczb jest zaś liczba siedem. Ja sam jestem najmłodszym z siedmiu braci i spłodziłem siedmiu synów wyłącznie po to, by stali się kontynuatorami mego sukcesu. Liczba siedem to urok o wielu znaczeniach i wielkiej mocy".

Albo: „Klienci to owce, które oczekują, że będą traktowane jak owce. Traktujcie ich jak królów, a wtedy, choć pozostaną owcami, bez protestów pozwolą się ostrzyc do gołej skóry".

Albo: „Niewłaściwie sformułowana umowa zasługuje na to, żeby ją złamać. Jeśli jedna strona zaniedba precyzyjnego określenia swoich oczekiwań, druga strona ma prawo, a nawet obowiązek, wykorzystać tę nierozwagę. *Caveat emptor!*"*.

---

* *Caveat emptor* (łac.) – „Niech kupujący się strzeże" (ryzyko ponosi kupujący) (przyp. tłum.).

Słowa *Caveat emptor* często padały podczas wykładów. Zazwyczaj towarzyszyło im uderzenie pięścią w stół, od którego brzęczały sztućce rozłożone na stole. Było to Septimusowe amen.

Sonny pamięta ojca właściwie tylko w dwóch wcieleniach: jako siedzącego u szczytu stołu wygłaszającego niekończące się kazania kapłana oraz jako pogrążonego w melancholijnej zadumie siwowłosego starca, przechadzającego się z pochyloną głową po rozległej posiadłości. Trudno się temu dziwić, ponieważ – z wyjątkiem wieczornych posiłków – Septimus Day prawie nie kontaktował się z synami.

Kiedy Sonny miał osiem lat, ojciec zapadł na nieuleczalnego raka wątroby.

W czasie pogrzebu, pod obstrzałem kamer stacji telewizyjnych z całego świata, Sonny rozpłakał się, zresztą ku swemu niemałemu zdziwieniu.

Stojąc teraz w garderobie i spoglądając na długi rząd garniturów, nie myśli o tym, jaka to szkoda, że tak słabo znał ojca, lecz o tym, jak bardzo ów ojciec byłby z niego dzisiaj dumny. Sonny uczynił dziś pierwszy krok na drodze ku zaakceptowaniu przez braci. Do tej pory ledwie tolerowali jego obecność w Biurze, dając mu jasno do zrozumienia, iż jest tam wyłącznie po to, by uzupełnić skład osobowy do wymaganej siódemki. Wyrzucony poza nawias sześcioosobowego areopagu starszych braci, odczuwał gorycz i upokorzenie. Spędził wiele bezsennych nocy, rozmyślając o niesprawiedliwości losu. Urodzić się synem Septimusa Daya, odziedziczyć siódmą część władzy nad pierwszym na świecie i (mniejsza o spadającą sprzedaż) największym gigamarketem, a mimo to być uznawanym przez braci za kogoś znacznie od nich gorszego stanowiło najokrutniejszą i najbardziej niesprawiedliwą karę, jaka kiedykolwiek spotkała ludzką istotę. Dzisiaj jednak karta wreszcie się odwróciła – radosne mrowienie skóry świadczy ponad wszelką wątpliwość o tym, że tak się stało w istocie. Od dzisiaj wszystko się zmieni. Katalizatorem tej przemiany był nie kto inny jak właśnie on, Sonny. Oczywiście Mungo również się do tego przyczynił, odtwarzając jednak w pamięci przebieg wydarzeń w Biurze, Sonny coraz mocniej utwierdza się w przekonaniu, iż zmianę nieprzejednanego do tej pory nastawienia braci może w dziewięćdziesięciu dziewięciu procentach zawdzięczać sobie. Ułagodził ich. Przekonał. Podporządkował swojej woli.

Przeglądając dziesiątki uszytych dla niego na specjalne zamówienie garniturów, w większości nieużywanych, czuje, jak radosna pieśń wzbiera w jego piersi. Nie jest w stanie dłużej jej tam utrzymać; nuci najpierw cicho, potem coraz głośniej, zdejmując kolejne garnitury z wieszaka i oceniając je pod kątem przydatności do czekającego go zadania.

Trzyczęściowy z flaneli w kolorze musztardowym? Zbyt krzykliwy.

Dwuczęściowy w czarno-białą kratę z przedłużonymi klapami? Zbyt gangsterski.

Dwurzędowa marynarka, spodnie z lampasami z ciemnofioletowego atłasu? Niezłe, gdyby nie wyszywane złotą nicią logo Days na mankietach i kieszonce, nadające strojowi niepokojący paramilitarny wygląd.

Ten z materiału przetykanego srebrną nicią? Sonny nie może patrzeć na to szkaradzieństwo i czym prędzej rzuca je gdzieś w kąt. Jak to się stało, że w ogóle zamówił coś takiego? Musiał być kompletnie pijany. Taką opinię można sformułować bez ryzyka popełnienia błędu, ponieważ mniej więcej od osiągnięcia pełnoletności aż do tej chwili Sonny był niemal zawsze pijany.

Podśpiewywanie zamienia się w radosne pogwizdywanie.

Potrzebny mu jest strój poważny, w miarę dystyngowany i zarazem nie onieśmielający. Taki, który zdaje się mówić: „Oto jestem. Szanujcie mnie, ale się nie bójcie". Mimo bogatego wyboru znalezienie ubrania odpowiadającego tym kryteriom okazuje się bardzo trudne. Sonny nie ustaje jednak w poszukiwaniach, pewien, że prędzej czy później coś znajdzie.

Na dół. Od dawna już nie był w sklepie. Zdaje się, że co najmniej od dwóch lat. Dwa lata spędzone na ostatnim piętrze budynku, z dala od świata, jedynie w towarzystwie braci, Percha oraz milczących, prawie niezauważalnych służących i sprzątaczek, którzy mają polecenie wychodzić z pomieszczenia natychmiast, jak tylko zjawi się tam któryś z braci. To dość dziwne życie, jeśli się nad tym zastanowić, jednak zarówno on, jak i pozostali bracia jakoś się z tym pogodzili. Jeśli weźmie się pod uwagę alternatywę, to znaczy dom gdzieś w zatłoczonym mieście i konieczność codziennego ocierania się o resztę ludzkości, takie odosobnienie staje się nie tylko łatwiejsze do zaakceptowania, ale niemal pożądane.

Jest bardzo ciekaw, czy widok, jaki ujrzy, będzie taki sam jak ten zachowany w jego wspomnieniach. Przypuszcza, że nawet jeśli nie taki sam, to bardzo podobny. Days przypomina granitową górę, choćby ze względu na rozmiary ulegającą niezmiernie powolnym, trudno zauważalnym przemianom. Te same działy, ci sami sprzedawcy, ci sami klienci...

Nagle wesoła melodia zamiera mu na ustach. Z bolesną wyrazistością przypomina sobie swój ostatni pobyt na niższych piętrach. Było to w dniu, kiedy wracał do domu po zdaniu ostatnich egzaminów na uniwersytecie. Zamiast wejść od razu w podziemnym garażu do prywatnej windy, która zawiozłaby go na Piętro Fioletowe, postanowił wjechać ruchomymi schodami aż na Piętro Indygo i dopiero tam wsiąść do windy. W zamyśle miał to być pochód triumfalny – w asyście ochroniarzy i strażników Sonny rzeczywiście czuł się jak bohaterski wódz wracający do stolicy po zwycięskiej kampanii... aż do chwili, kiedy dostrzegł spojrzenia, jakimi obrzucali go klienci. Dziesiątki, setki spojrzeń, dziesiątki, setki twarzy odwracających się w jego kierunku.

Wzrusza ramionami, spycha ten niemiły obraz w głąb pokładów pamięci. Teraz jest starszy i mądrzejszy, a zresztą co w tym dziwnego, że widok syna Septimusa Daya budzi powszechne zainteresowanie?

Tyle że w spojrzeniach klientów było coś więcej niż zwykła ciekawość. Patrzyli na niego w taki sposób, jakby wiedzieli o nim wszystko i jakby wszystko bardzo, ale to bardzo im się nie podobało.

Z pewnością uznałby, iż to tylko podstępna gra jego wyobraźni, gdyby nie fakt, że od czasu do czasu takie same spojrzenia kierowali na niego bracia. I ojciec. Sonny był świadom, że ojciec często przygląda mu się z wielką uwagą. Podobnie jak koledzy ze szkoły, a potem z uniwersytetu. To były b a r d z o uważne spojrzenia. Ciężkie. Nieprzyjazne. Oskarżycielskie.

W głowie Sonny'ego rozlega się leciutkie delikatne skrobanie.

Sonny wyobraża sobie, że stworzenie, które jest odpowiedzialne za powstanie tego odgłosu, ma pazurki jak szczur: białe, ostre jak brzytwa półksiężyce, pod którymi aż roi się od mikrobów roznoszących najróżniejsze choroby. Wie, że najgorsze, co mógłby zrobić, to wsłuchiwać się w te szmery albo pozwolić, żeby stworzenie zbliżyło się na odległość, z jakiej może zrobić użytek ze swych pazurków. Dlatego koncentruje się na tym, czym zajmował się do tej pory.

Ognistorudy z wielbłądziej wełny? Nie ma mowy.

Obszerna marynarka w zielono-pomarańczową kratę i lekko bufiaste spodnie? Niezłe, pod warunkiem jednak, że znajdzie gdzieś wielkie buty klauna i gigantyczny goździk do butonierki.

Buszuje w garderobie, nie zastanawiając się specjalnie nad tym, czego szuka, myśli tylko bowiem o odpowiedzialności, która spoczęła na jego barkach, szczęśliwy, że bracia nareszcie są skłonni traktować go poważnie.

A stworzenie, skoro już wypełzło z kryjówki, nie da się łatwo zagnać z powrotem. Jadowitym szeptem przypomina Sonny'emu o matczynej miłości, której nigdy nie zaznał, i o zazdrości, jaką czuł do innych dzieci, po które na koniec semestru przyjeżdżali stęsknieni i roześmiani rodzice, podczas gdy jemu musiał wystarczyć ponury i milczący szofer pełniący równocześnie funkcję ochroniarza. Szepcze mu o podstawowym prawie niemal wszystkich żywych istot, którego mu odmówiono, i syczy mu do mózgu zaczynające się na syczącą spółgłoskę imię tego, kto jest za to odpowiedzialny.

– Nie!

Słowo jest krótkie, lecz wykrztuszenie go kosztuje Sonny'ego mnóstwo wysiłku. Garnitur z błękitnego jedwabiu, który akurat trzyma w rękach, cały się trzęsie. Sonny zamyka oczy i przyciska czoło do półki z równiutko poskładanymi swetrami, jej krawędź wydaje mu się ostra jak brzytwa. Niemal wbija górne zęby w dolną wargę.

Wszystko, co jeszcze chwilę temu było różowe i radosne, rozpada się w pył. Entuzjazm pryska jak bańka mydlana uderzona figlarnie czubkiem morderczego palca. Sonny rozpaczliwie próbuje odzyskać optymizm i przywołać to poczucie niesłychanej siły, które wyprowadziło go tanecznym krokiem z Biura, a potem w dół spiralnymi schodami na Piętro Fioletowe i korytarzem aż do apartamentu. Bez powodzenia. Zakończona klęską próba wprowadza go w jeszcze bardziej podły nastrój.

Stworzenie – Sonny nie potrafi inaczej nazwać tej bestii ulepionej w niemal równych częściach ze zwątpienia, poczucia winy i paranoicznych podejrzeń – staje się coraz bardziej aktywne. A jeżeli zadanie okaże się niemożliwe do wykonania? A jeśli nie uda mu się rozwiązać konfliktu? A jeżeli wszystko zostało zaaranżowane w taki sposób, żeby zawiódł, dowodząc w ten sposób raz na zawsze, że jednak bracia nie powinni darzyć go zaufaniem? Nie będą już musieli szukać wymówek usprawiedliwiających fakt, iż traktują go jako niepełnowartościowego członka rodziny. Od tej pory będą się powoływać na to zdarzenie przy każdej okazji, kiedy podejmie próbę uzyskania należnego mu statusu. „Ależ Sonny – powiedzą – popatrz tylko, co się stało, kiedy daliśmy ci coś do roboty. Popatrz tylko, jakiego narobiłeś bałaganu".

Garnitur wysuwa mu się z palców, spływa na podłogę, nieruchomieje w postaci jedwabiście lśniącej, pofalowanej błękitnej kałuży.

Istnieje sposób na pozbycie się natrętnego stworzenia, na zagnanie go z powrotem do kryjówki. Gwarantowana metoda. Wielokrotnie z powodzeniem wypróbowana.

Ale przecież zawarł z braćmi układ.

Wyobraża sobie, jak śmieją się z niego w tej chwili, siedząc wokół stołu. Sato chichocze, Fred czka, Thurston śmieje się bezgłośnie z otwartymi szeroko ustami, Wensley ryczy na całe gardło, Chas podkpiwa sobie dystyngowanie, Mungo rechocze. Śmieją się, ponieważ od początku wiedzieli, że nie dotrzyma swojej części umowy. Śmieją się, ponieważ okazał się na tyle głupi, żeby spróbować.

Wyobraża też sobie gapiących się na niego sprzedawców i klientów i szepty przebiegające za jego plecami: „Widzicie? To Sonny Day. Owoc Spóźnionej Refleksji. Gdyby nie on...".

Chyba musiał na ten czas stracić rozum, żeby zdecydować się zejść na dół na trzeźwo, z odsłoniętymi zakończeniami nerwów, nagi, bezbronny wobec świata, pozbawiony ochronnej tarczy spokoju i dystansu, jaką zapewniają dwa albo trzy mocniejsze drinki.

Tak, warunki postawione przez Munga były nie do przyjęcia i Mungo doskonale zdawał sobie z tego sprawę. Bracia celowo zwabili go w pułapkę, postawili go w sytuacji bez wyjścia. Na trzeźwo nie zdobędzie się na odwagę, żeby zejść na dół; jeżeli zejdzie pijany, nie dotrzyma warunków umowy. Tak czy inaczej przegra.

Stworzenie w jego głowie podskakuje radośnie jak wrona, która właśnie znalazła świeżą padlinę. Pazury skrobią czaszkę Sonny'ego. Mógłby je uciszyć w ciągu paru sekund. Wystarczy pójść do barku w salonie, nalać czegoś do szklanki (czegokolwiek), potem jeszcze raz, i jeszcze. Ani się obejrzy, a stworzenie zniknie.

A ono właśnie tego się po nim spodziewa. Wypełza z kryjówki wyłącznie po to, żeby go dręczyć i zmuszać tym dręczeniem do picia, bo tylko wtedy, kiedy jest pijany, Sonny potrafi nad nim zapanować. Już sam fakt, że ta bestia pojawia się w jego głowie, świadczy o tym, że znajduje tam co najmniej jedną słabość, którą może się pożywić. Alkohol pomaga Sonny'emu tę słabość przezwyciężyć, pozbawiając jednocześnie stworzenie pożywienia, ale ono wcale się tym nie przejmuje. I tak zdążyło się już obeżreć słabością. *Jego* słabością.

Zawarł jednak umowę, a skoro jest jednym z braci Day, to musi jej dotrzymać. Skoro jest synem Septimusa Daya.

I właśnie w tej chwili po jakiejś nieprawdopodobnej trajektorii z głębi pamięci Sonny'ego nadlatuje jedna z maksym ojca: „Niewłaściwie sformułowana umowa zasługuje na to, żeby ją złamać".

Widzi ojca siedzącego u szczytu stołu, zgiętego niemal wpół nad talerzem, perorującego z przejęciem i akcentującego najważniejsze słowa gwałtownymi poruszeniami ręki trzymającej widelec. „Jeśli jedna strona zaniedba precyzyjnego określenia swoich oczekiwań, druga strona ma prawo, a nawet obowiązek, wykorzystać tę nierozwagę". A potem uderzenie pięścią w blat z różanego drewna, od którego podskakuje cała zastawa, i wielokrotnie powtarzane zaklęcie: „*Caveat emptor!*".

Świetnie, doskonale, wspaniała rada, ale przecież nie zawierał z braćmi kontraktu na piśmie, tylko zwykłą ustną umowę.

„Przypuśćmy, że nie dopijesz tego drinka, a my poprosilibyśmy Percha, żeby zabrał gin, tonik i kubełek z lodem...".

Kiedy Sonny sprecyzował warunki, układ stał się jeszcze jaśniejszy. „Jeśli nie wysuszę tej butelki, pozwolicie mi zjechać na dół i rozstrzygnąć spór?". Żadnego pola do manewru.

A może jednak?

„Jeśli nie wysuszę tej butelki, pozwolicie mi zjechać na dół i rozstrzygnąć spór?".

T e j butelki.

Nikt nie zająknął się o i n n e j butelce.

– Sonny – mówi Sonny Day do siebie – jesteś geniuszem. – Odrywa czoło od krawędzi półki, otwiera oczy. – Autentycznym, najprawdziwszym geniuszem!

Stworzenie w jego głowie nie posiada się z radości, zaciera łapki, szczerzy zęby w szyderczym uśmiechu.

Sonny odwraca się na pięcie, wybiega z garderoby, potyka się, wybiega z sypialni, pędzi szerokim korytarzem słabo oświetlonym blaskiem sączącym się przez sufitowe świetliki, dociera do obszernego pokoju mieszczącego niegdyś Wyroby z Wikliny, wchłonięte później przez Rękodzieło Artystyczne na Piętrze Niebieskim, teraz zaś pełniącego funkcję jego salonu. Sam go urządzał. Podłogę pokrywa kremowa wykładzina o konsystencji kożucha na tłustym mleku. Białe, jakby nadmuchane fotele i kanapa stoją wokół bloku bazaltu metrowej grubości i trzymetrowej szerokości. Na jego wypolerowanej powierzchni piętrzą się czasopisma, leżą elektroniczne zabawki i urządzenia biurowe. Całą ścianę zajmuje zestaw kina domowego połączony ze sprzętem muzycznym najnowszej generacji: kolumny głośnikowe sięgają niemal sufitu, telewizor dorównuje rozmiarami komodzie. Sąsiednia ściana składa się wyłącznie z okien, za którymi rozciąga się widok, za jaki większość zwykłych obywateli gotowa byłaby oddać połowę życia: drogi tętniące ruchem, domy skąpane w promieniach słońca, całe miasto jak na dłoni. W tej skali, z tej odległości wydaje się niemal ładne. Niemal sprawia wrażenie miejsca, w którym przyjemnie jest żyć.

Jeden kąt pokoju zajmuje bar: marzenie alkoholika, raj ze szklanych cegieł i zwierciadeł, ze stołkami na mocnych nogach z nierdzewnej stali i zwielokrotnionymi do nieskończoności rzędami butelek. Sonny kieruje się tam nieomylnie niczym pocisk samosterujący. Łapie szklankę, waha się przez chwilę, jakby oszołomiony możliwościami wyboru. Każdy rodzaj alkoholu reprezentuje co najmniej kilka marek. Którą wybrać? W końcu zdaje się na łut szczęścia. Co za różnica? Procenty to procenty. Porcja cynamonówki trafia do szklanki. A co tam, dlaczego nie podwójna? Wlewa w siebie od razu wszystko.

„Jeśli nie wysuszę tej butelki...".

Idioci. Już myśleli, że połknął haczyk, ale on ich przechytrzył, znalazł sposób, żeby się wywinąć. Błyskawicznie aplikuje sobie sześć dawek, każdą z wściekłym sarkazmem dedykując jednemu bratu. Na efekty nie trzeba długo czekać. Są wspaniałe. Ciepła fala cudownej pewności siebie ogarnia go od pięt po czubek głowy.

O tak, teraz lepiej. Dużo lepiej.

Ojciec byłby z niego dumny. Sonny nie ma co do tego wątpliwości.

Najmniejszych wątpliwości.

XIX

Złamać siódme przykazanie: popełnić cudzołóstwo

10.51

Frank przekazał do Wydziału Dochodzeniowego tylu złodziei, że nie byłby w stanie ich policzyć, sam jednak nigdy nie miał powodu, żeby tam się pofatygować. Kiedyś musi być jednak ten pierwszy raz, myśli. Nawet ostatniego dnia w pracy.

Zagłębiając się w podziemny labirynt, dochodzi do wniosku, iż to bardzo słuszne, by przyłapani na gorącym uczynku amatorzy cudzej własności opuszczali sklep właśnie tą drogą. Co może lepiej uświadomić tym ludziom niewłaściwość ich uczynku niż przejście z rzęsiście oświetlonego, tętniącego życiem obszernego wnętrza do szarych, ponurych, krętych korytarzy wciśniętych między siedem nadziemnych i siedem podziemnych kondygnacji gigamarketu? W tych ponurych trzewiach zatrzymany doświadcza przedsmaku życia, jakie czeka go teraz, życia bez Days: monotonnego, skomplikowanego i mozolnego.

Wydział Dochodzeniowy mieści się w dość obszernym pomieszczeniu, którego połowę zajmuje rząd przeszklonych, dźwiękoszczelnych boksów, gdzie odbywają się przesłuchania. Troje zatrzymanych czeka na swoją kolej na drewnianej ławce. Są skuci ze strażnikami, którzy ich tu doprowadzili i będą im towarzyszyć aż do chwili wydalenia ze sklepu. Wyprostowani strażnicy i zgarbieni złodzieje tworzą wręcz groteskowo niedobrane pary. Jeden z zatrzymanych pochlipuje cicho, drugi, który najwidoczniej próbował stawiać opór, ma ręce skute za plecami. Pod jego prawym okiem rozkwitł ogromny siniak, żółtozielony, miejscami już prawie czarny.

– Chciałem za to zapłacić – powtarza po raz kolejny, jakby w nadziei, że uporem dowiedzie swej niewinności. – Chciałem za to zapłacić. Chciałem za to zapłacić.

Frank idzie wzdłuż boksów. Za jednym z przezroczystych paneli dostrzega znajomy profil, ale idzie aż do końca i dopiero tam zawraca, odrobinę zirytowany. Oczekiwał raczej, iż wezwano go tu do aroganckiego profesjonalisty z kucykiem, a nie do niechlujnej pani Shukhov ze łzawiącymi oczami.

Puka do drzwi boksu, w którym siedzi pani Shukhov. Razem z nią są tam strażniczka Gould oraz niewysoki wymuskany mężczyzna o jasnych włosach, w służbowym zielonym garniturze. Wszyscy troje podnoszą na niego wzrok. Pani Shukhov uśmiecha się, lecz Frank udaje, że tego nie widzi. Śledczy wstaje zza biurka i wychodzi na zewnątrz, by zamienić z nim kilka słów na osobności.

– Pan jest Frank Hubble? – pyta.

Na jego identyfikatorze widnieje nazwisko Morrison. Gdyby krawat był choć trochę mocniej zaciśnięty, najpewniej by go udusił.

– Mam nadzieję, iż zdaje pan sobie sprawę, że to wbrew wszelkim przepisom?

– Tak, ale mamy z nią problemy. To ona zażądała, żeby pana tu ściągnąć.

– Domyśla się pan dlaczego?

Morrison uśmiecha się chłodno.

– Gdybym nie wiedział, że to niemożliwe, byłbym gotów przysiąc, że się w panu zadurzyła.

– Nonsens! – prycha Frank, odwraca się, otwiera z rozmachem drzwi i wchodzi do boksu, a Morrison za nim.

– Pan Hubble! – Pani Shukhov podrywa się z krzesła na jego widok, ale Frank mierzy ją tak kwaśnym spojrzeniem, że kobieta natychmiast siada z powrotem, garbi się, jakby zapada się w siebie. – Zapewne oderwałam pana od obowiązków? Przepraszam. Proszę wrócić do swoich zajęć. To z pewnością było coś ważnego. Bardzo mi przykro, że panu przeszkodziłam.

– Teraz jestem tutaj.

Przyciska się do przezroczystej ściany, żeby przepuścić Morrisona. Rozpłaszcza się tak bardzo, że nie ma najmniejszej obawy, by zetknęły się choćby ich ubrania. W boksie nie ma miejsca na czwarte krzesło, Frank stoi więc na wąskim skrawku podłogi między krawędzią biurka a kolanami strażniczki Gould. Opiera się plecami o ścianę, łączy stopy, krzyżuje ramiona na piersi. Uchwyt pistoletu ugniata mu lewy triceps. Frank stara się nie myśleć o tym, że znalazł się tak blisko innych ludzi – tak blisko, że niemal czuje na swojej skórze ich oddechy. Klaustrofobicznie blisko. Cztery osoby stłoczone w takiej klatce. Brak powietrza, zaduch i ciasnota. Okropność.

– Strasznie mi głupio – wyznaje pani Shukhov strażniczce.

– No dobrze. – Morrison zajmuje miejsce za biurkiem i zaciera ręce. – Szkoda czasu, pani Shukhov, prawda?

– Tak, oczywiście. Bardzo mi przykro. Za wszystko.

– Doskonale. A teraz, specjalnie dla pana Hubble'a, przedstawię w skrócie to, czego udało nam się do tej pory dowiedzieć. Niestety, nie jest tego wiele. Otóż siedząca tutaj pani Carmen Andrea Shukhov, z domu Jenkins, jest, a raczej była, dumną posiadaczką Platynowej. W miniony wtorek zgubiła swoją kartę, lecz z przyczyn, które zapewne zaraz nam wyjawi, nie zgłosiła jej zaginięcia i nie poprosiła o wydanie duplikatu. Zamiast tego, z bardzo mizernym efektem, postanowiła wstąpić na zdradliwą ścieżkę samodzielnego zaopatrywania się w towary po zerowych cenach. Decyzja tym bardziej zaskakująca, że jej konto znajduje się w wyśmienitej kondycji. – Morrison wskazuje przesuwające się przez ekran terminalu kolumny liczb. Jest to historia wszystkich zakupów, jakich pani Shukhov dokonała za pomocą swojej karty. Jedno dotknięcie klawisza i na ekranie pojawiają się inne cyfry. – To samo dotyczy jej rachunku bankowego, na który co miesiąc wpływa znaczna kwota z zagranicznego konta stanowiącego własność niejakiego G. Shukhova. Pieniądze na prowadzenie domu?

– Raczej na moje utrzymanie.

– Nie jest już pani z mężem?

– Od ponad dziesięciu lat. Po rozwodzie Grigor został w Moskwie, ja wróciłam tutaj. Poznaliśmy się i pobraliśmy, kiedy tam pracowałam. Spędziliśmy wspólnie kilka udanych lat. Mieszkaliśmy we wspaniałym apartamencie przy Twerskiej, Grigor troszczył się o mnie i nie przestał tego robić nawet po naszym rozstaniu. Zawsze był bardzo hojny. Niestety, nie byłam jedyną kobietą, która korzystała z jego hojności.

Głęboko ukryta w jej głosie gorycz jest prawie niewyczuwalna.

Pani Shukhov wyjaśnia następnie, iż zgodnie z ustaleniami poczynionymi w trakcie sprawy rozwodowej ma prawo do comiesięcznej pensji pod warunkiem, że nie podejmie żadnej pracy zarobkowej. Wtedy takie rozwiązanie wydawało jej się całkiem rozsądne, teraz jednak ogromnie żałuje, że się na nie zgodziła. Cóż, jeżeli alternatywą dla wygodnego i leniwego życia ma być ciężka harówka od świtu do nocy, chyba tylko szaleniec dobrowolnie zrezygnowałby z pierwszego na rzecz drugiego.

– Jednak miesiąc temu pieniądze przestały wpływać na konto i znalazłam się w nieciekawej sytuacji: bez źródła dochodu i bez najmniejszej szansy na takowe w dającej się przewidzieć przyszłości.

– Rzeczywiście – mówi Morrison, wpatrując się w ekran. – Źródełko wyschło. Wie pani dlaczego?

– Ponieważ wysechł Grigor.

W boksie przez chwilę panuje niepewne milczenie.

– Umarł – wyjaśnia wreszcie kobieta. – Zawał serca. Niespodziewany, rozległy, śmiertelny. Bez wątpienia to przez te wygimnastykowane kociaki, z których był tak dumny, albo przez nadmiar wódki, albo przez obie te rzeczy naraz.

– Proszę przyjąć wyrazy współczucia – mówi z powagą strażniczka.

Pani Shukhov macha ręką, jakby odganiała się od jej kondolencji jak od muchy.

– Nie trzeba. Od wielu lat kontaktowaliśmy się wyłącznie za pośrednictwem prawników. Utraciłam go na długo przed jego śmiercią i wtedy opłakałam. Był dla mnie już tylko wspomnieniem.

– A jednak...

– To stara, zabliźniona rana. Poza tym jestem teraz zbyt wściekła, żeby odczuwać smutek. Zostawił mnie przecież na lodzie, bez środków do życia! Wiem, to głupota, ale to właśnie czuję. Jak mógł nie zrobić zapisu na wypadek swojej śmierci! Chociaż, jeśli mam być całkiem szczera, to muszę przyznać, że jest w tym tyle samo jego winy, co mojej. Powinnam była się domyślić, że niczego po sobie nie zostawi. Takim właśnie był człowiekiem. Żył dniem dzisiejszym, jutro go nie obchodziło. Kiedy go poznałam, ogromnie mi się to spodobało: całkowita beztroska, umiejętność czerpania przyjemności ze wszystkiego, co człowieka otacza. Pracowałam wtedy w Nowym GUM-ie, oprowadzałam turystów, głównie z Europy Zachodniej. To była stresująca praca, a Grigor dawał mi wytchnienie, którego tak potrzebowałam. Stanowił doskonałe antidotum na stres.

Morrison nie może się powstrzymać przed przytoczeniem starego powiedzenia o jedynym rosyjskim gigamarkecie.

– Jak to mówią? Nowa nazwa, nowy sklep, tylko po staremu pustki na półkach?

– Nieprawda, proszę pana. Nieprawda. Owszem, panował tam nieprawdopodobny bałagan, nie tak jak w innych gigamarketach, i nigdy nie można było znaleźć tego, czego się szukało. Nie tak jak tutaj. Ale właśnie na tym polegała jego atrakcyjność, na tym sympatycznym chaosie. Pod tym względem przypominał całą Rosję: rozpadające się ogromne państwo, które jednak trwa na przekór wszystkiemu. Za moich czasów w Nowym GUM-ie czekało na klientów mnóstwo niespodzianek. O ilu gigamarketach da się powiedzieć coś takiego?

Na pewno nie o tym, myśli Frank, pogrążony aż po szyję w krępującym ruchy szlamie rutyny.

– Nawet chodząc codziennie tą samą trasą, można było trafić na coś, czego wczoraj jeszcze tam nie było – ciągnęła pani Shukhov. – Niekiedy z dnia na dzień przenoszono całe działy albo zamieniano je miejscami. Taka zaskakująco demokratyczna zabawa w krzesła – kto potrzebował więcej miejsca, ten je dostawał. Jasne, że ogromnie utrudniało mi to pracę, ale równocześnie pozwalało nie wpaść w nudę i rutynę. W sprzedaży znajdowało się to, co akurat udało się ściągnąć do sklepu. Jednego dnia przychodziło dziesięć tysięcy par pałeczek do jedzenia, następnego – sto tysięcy piłeczek pingpongowych, jeszcze innego – kilka ton puszkowanych odżywek dla niemowląt. Wszystko to działo się bez żadnego planu, ludzie zaś kupowali to, co akurat było dostępne, zgodnie z zasadą: „Nigdy nie wiadomo, kiedy przydadzą się pałeczki, piłeczki pingpongowe albo odżywka dla niemowląt". Co chyba dowodzi słuszności tezy Septimusa Daya, że sprzedać da się wszystko, co można kupić, i odwrotnie. Pamiętam doskonale, jak któregoś ranka opróżnili całą Halę Samowarów i ustawili tam ogromnego mamuta odkopanego na Syberii. Był wypchany i stał na samochodowym podwoziu, wyobrażacie sobie? – Chichocze na to wspomnienie i kręci głową. – Na samochodowym podwoziu! Nazajutrz mamut znikł tak nagle, jak się pojawił, i samowary wróciły na miejsce. Przypuszczam, że ktoś kupił go do muzeum, bo gdzie indziej mógłby się przydać wypchany mamut na kołach?

– Słyszałam, że ostatnio zarządzanie Nowym GUM-em znacznie się poprawiło – wtrąca Gould.

– Odkąd przejęła go mafia? Bardzo możliwe. Grigor często powtarzał, że prędzej czy później w całej Rosji zaczną obowiązywać zasady czarnego rynku, i miał rację. Rzecz jasna nie omieszkał sam z tego skorzystać. Handlował futrami, a że w tamtej części świata futro to nie luksus, lecz konieczność, doskonale na tym wychodził. I ja też. Ale to wszystko chyba trochę nie na temat, prawda?

Morrison musi przyznać jej rację.

– Cokolwiek.

– Tak naprawdę to chce pan wiedzieć, dlaczego nie zgłosiłam zaginięcia karty.

– Myślę, że już nam to pani wyjaśniła. Obawiała się pani, że w związku z ustaniem wpływów na konto Days nie zgodzi się wydać duplikatu.

– Obawiałam się? Byłam przerażona. Jak mogłabym żyć bez mojej Platynowej? A raczej: kim bym bez niej była?

– Miała pani słuszność. Sklep oczywiście odmówiłby wydania duplikatu aż do chwili uzupełnienia stanu konta do wymaganego poziomu, ale nawet gdyby pani jej nie zgubiła, konto i tak zostałoby zablokowane. Jedno tylko mnie zastanawia... – Morrison ponownie zerka na ekran. – Ostatniej transakcji dokonała pani przedwczoraj, we wtorek, w dniu, kiedy karta zaginęła. Kupiła pani wtedy... chwileczkę... rozmówki rosyjskie.

– Zamierzałam kupić jeszcze bilet do Moskwy w jedną stronę. Mam tam przyjaciół, a biorąc pod uwagę okoliczności, doszłam do wniosku, że tam będzie mi lepiej.

– Czyżby chciała pani wyczyścić konto do zera i uciec? – pyta Gould, unosząc brwi.

Pani Shukhov przyznaje, że istotnie miała taki zamiar.

– Nic by z tego nie wyszło – stwierdza stanowczo Morrison. – Prędzej czy później znaleźlibyśmy panią. Jest bardzo prawdopodobne, że zostałaby pani zatrzymana już na lotnisku, przed wejściem na pokład samolotu. Days zawsze odzyskuje swoje należności, proszę pani. Zawsze.

Frank wie, że to prawda. W umowie, którą klient podpisuje, zakładając konto, znajduje się zapis pozwalający sklepowi na ściągnięcie należnych sum z majątku klienta nawet w przypadku jego śmierci. Przed Days nie ma ucieczki. Nawet na tamten świat.

Pani Shukhov lekko wzrusza ramionami.

– No cóż, przynajmniej chciałam spróbować.

– Wracajmy jednak do rzeczy – mówi Morrison. – Ustaliliśmy już, że utraciła pani kartę dwa dni temu.

– No właśnie. I za nic nie mogę sobie uświadomić, co się z nią mogło stać.

– Wobec tego jak dostała się pani dzisiaj do sklepu?

Na twarzy pani Shukhov rozkwita szeroki uśmiech i w tej samej chwili Frank doznaje olśnienia. Wytłumaczenie jest niewiarygodne, ale zarazem oczywiste.

– Ona wcale stąd nie wychodziła.

Kobieta skinieniem głowy wyraża mu swoje uznanie.

– Jest pan bardzo przenikliwy, panie Hubble.

– Ale przecież... – Morrison przez chwilę bezskutecznie zmaga się z tym pomysłem. – Nie, chyba musi być jakieś inne wytłumaczenie?

– Właśnie dlatego potrzebowała płynu do szkieł kontaktowych i dlatego wygląda i pachnie tak niezachęcająco – mówi Frank.

– Grubiaństwo! – szepcze strażniczka Gould do pani Shukhov.

– Niestety trzeba przyznać, że uzasadnione – odpowiada zatrzymana z westchnieniem.

– Nie, to niemożliwe! – upiera się Morrison. – Jak miałaby to zrobić? Strażnicy, Oczy...

Kręci głową, jakby odganiał się od natrętnej muchy.

– Może mi pan wierzyć, że to nie było łatwe, ale zaskakujące jest, jak wiele można osiągnąć dzięki determinacji czy nawet desperacji.

I opowiada.

Jak tylko zauważyła brak karty, uświadomiła sobie, że z jej punktu widzenia jest całkowicie nieistotne, czy karta została skradziona, czy też znalazł ją ktoś uczciwy i zwrócił któremuś z pracowników sklepu. Tak czy inaczej, ona już na pewno jej nie zobaczy. Niemniej natychmiast zawróciła w płonnej nadziei, że dostrzeże ją gdzieś na podłodze albo pod którąś ladą. Ogarnięta paniką i niedowierzaniem szukała jej przez całe popołudnie.

A potem ogłoszono, że zbliża się godzina zamknięcia sklepu. Zdawała sobie sprawę, że jeśli teraz wyjdzie, nigdy już tu nie wróci. Nagle stanęła jak wryta i wyszeptała:

– Dlaczego więc nie zostać?

Natychmiast odrzuciła pomysł jako całkowicie niedorzeczny, potem jednak wróciła do niego i im dłużej się nad nim zastanawiała, tym bardziej się jej podobał. Nawet jeżeli zostanie schwytana, to co jej może grozić? Natychmiastowe i nieodwołalne wyrzucenie ze sklepu. Niczym więc nie ryzykowała.

Nie była pewna, czy ma w sobie dość odwagi, doszła jednak do wniosku, że głupio by było nie spróbować. Zaczęła się zastanawiać, gdzie w Days można by najlepiej spędzić noc; odpowiedź, która niebawem przyszła jej do głowy, była logiczna i zarazem dziecinnie prosta: naturalnie w Łóżkach na Piętrze Pomarańczowym!

Tak więc podczas gdy inni klienci zmierzali w stronę wyjść, ona poszła w kierunku Łóżek. Wślizgnęła się do jednej z pokazowych sypialni, zaczekała, i w chwili, kiedy żaden sprzedawca nie patrzył w jej stronę, błyskawicznie uklękła, położyła się na podłodze i wczołgała pod ogromne małżeńskie łoże. Skulona pod sprężynami na wykładzinie słyszała, jak oddalają się kroki, jak w sklepie zapada cisza. Wkrótce potem, na przekór wszystkiemu, zasnęła.

Strażniczka Gould nie jest w stanie powstrzymać uśmiechu, stara się więc bardzo, żeby go przynajmniej ukryć, i pochyla nisko głowę. Morrison ze sceptycznym grymasem na twarzy drapie się po karku, Frank zaś mówi:

– Musiało być pani niewygodnie.

– I to jak! – odpowiada pani Shukhov. – Obudziłam się około czwartej nad ranem. Potwornie chciało mi się siusiu, bałam się jednak pójść do toalety, żeby nie wpaść na nocnego strażnika. Niestety, jestem zbyt dobrze wychowana, żeby robić takie rzeczy byle gdzie, więc przez pięć długich godzin leżałam z podkulonymi nogami i zaciśniętymi zębami. Wreszcie wybiła dziewiąta, ale na wszelki wypadek postanowiłam zaczekać jeszcze kwadrans, bo sprzedawcy z Łóżek na pewno byliby trochę zdziwieni, gdyby ktoś pojawił się nagle w ich dziale zaledwie kilka sekund po otwarciu sklepu.

– Nikt nie zauważył, jak wychodzi pani spod łóżka? – dziwi się Gould.

– Zrobiłam to bardzo ostrożnie. I miałam dużo szczęścia.

– Mnóstwo szczęścia – poprawia ją Morrison. – Co było potem?

Potem pani Shukhov popędziła do najbliższej damskiej toalety, załatwiła tam, co miała do załatwienia, umyła się pod kranem najlepiej jak mogła, wyszła i spędziła cały dzień, wędrując po sklepie.

Kiedy już oswoiła się z myślą, że będzie wieść życie kogoś w rodzaju pasażera na gapę, zaczęło jej się to nawet podobać. Często i obficie korzystała z testerów perfum – częściowo po to, by choć częściowo ukryć fakt, iż spała w ubraniu i nie miała okazji się wykąpać, częściowo zaś dlatego, że po prostu sprawiało jej to przyjemność. W Kosmetykach miła dziewczyna zrobiła jej za darmo makijaż, krótko potem zaś, kiedy oglądała patelnie w Naczyniach Kuchennych, zaczęła ją podrywać młoda klientka. Coś takiego zdarzyło jej się po raz pierwszy w życiu i choć nie odpowiadało to jej upodobaniom, to jednak sprawiło dużą przyjemność. Szperała, oglądała, przymierzała, a kiedy chciało jej się jeść, odwiedzała któryś z działów z artykułami żywnościowymi i napychała się darmowymi próbkami. Krótko mówiąc, robiła wszystko to, co wtedy, kiedy miała kartę, z wyjątkiem zakupów. Nie budziło to jednak czyichkolwiek podejrzeń, dopóki bowiem wyglądała i zachowywała się jak klientka, to dla całego świata po prostu nią była.

Pani Shukhov milknie na chwilę, żeby zebrać myśli. Frank uświadamia sobie, że w trakcie opowieści uspokoiła się, opanowała, nabrała godności. Coś zdaje się z niej emanować, zwłaszcza ku niemu. Przypuszcza, że to pewność siebie, którą on przyciąga ku sobie całkowitym brakiem tej cechy, tak jak ujemny ładunek elektryczny przyciąga ku sobie ładunek dodatni. Pani Shukhov staje się niemal majestatyczna, jej uroda i atrakcyjność przybierają na sile. Frank słucha z coraz większym zainteresowaniem.

– Wydaje mi się, że zwiedziłam wszystkie działy, łącznie z Peryferiami – mówi z dumą kobieta – a to wcześniej nawet mi się nie śniło. Nie przypuszczałam, że kiedykolwiek zainteresują mnie Pojedyncze Skarpetki, Guziki i Sznurowadła albo Zużyte Opakowania. Ile się nachodziłam! Nogi wciąż mnie bolą. Chociaż pan Hubble z pewnością pokonuje podczas pracy znacznie większe odległości.

Frank nie wie, jak powinien zareagować, więc na wszelki wypadek milczy, wpatrując się w czubki swoich butów.

– Czy zechciałaby pani trochę się streszczać? – mówi Morrison. – Zdaje się, że pan Hubble chciałby jak najszybciej wrócić do swoich obowiązków.

– Nie mam wiele do dodania. – Pani Shukhov sprawia wrażenie odrobinę urażonej. – Kiedy znowu zaczęła się zbliżać pora zamknięcia, wróciłam do Łóżek – ale tym razem z pustym pęcherzem! – i zrobiłam to samo co poprzedniego wieczora, to znaczy zaczekałam na chwilę, kiedy nikt na mnie nie patrzył, i wsunęłam się pod łóżko. Gdy sprzedawcy wyszli, przesunęłam się bliżej krawędzi, gdzie było więcej światła, i zajęłam się lekturą moich rozmówek rosyjskich, żeby trochę podszlifować język. Kiedyś znałam go całkiem nieźle. Potem zasnęłam. Spało mi się bardzo dobrze aż do drugiej w nocy, kiedy przyszedł ktoś z odkurzaczem. Na szczęście nie przykładał się zanadto do pracy i nie sprzątał porządnie pod łóżkami. Jak tylko sobie poszedł, znowu usnęłam, obudziłam się około szóstej i już tylko czekałam na otwarcie. Przyszło mi do głowy, że gdybym postępowała ostrożnie i wszystko starannie zaplanowała, mogłabym żyć w ten sposób nie wiadomo jak długo. Nic nie byłoby w stanie mi przeszkodzić.

Okazało się jednak, że o czymś zapomniałam. Od czterdziestu ośmiu godzin nie zdejmowałam szkieł kontaktowych. Oczy szczypały i bolały mnie coraz bardziej. Bez szkieł jestem ślepa jak nietoperz, zdawałam więc sobie sprawę, że jeśli zamierzam kontynuować życie pasażera na gapę, muszę czym prędzej zdobyć płyn do soczewek. Rozmyślałam nad tym przy śniadaniu i w końcu doszłam do wniosku, że jest tylko jeden sposób, w jaki mogę tego dokonać. Wiecie już wszyscy, jak to się skończyło. Teraz jestem tutaj. Złapana na gorącym uczynku złodziejka sklepowa. Tak się kończy moja przygoda.

Szczerze mówiąc, nawet się z tego cieszę. Realnie rzecz biorąc, wątpię, czy udałoby mi się ukrywać dłużej niż tydzień. Prędzej czy później któryś ze sprzedawców w działach spożywczych zacząłby się zastanawiać, czy to nie dziwne, że ta sama kobieta codziennie opycha się próbkami, no i jak długo można chodzić w tym samym ubraniu i myć się pod kranem umywalki, nie wzbudzając niczyich podejrzeń swoim wyglądem? A jednak bardzo mi się to podobało, oczywiście z wyjątkiem kradzieży. Świetnie się bawiłam. Przez dziesięć lat wiodłam zbyt łatwe życie. Potrzebowałam autentycznego wyzwania i w końcu się go doczekałam. Gdybym miała okazję, zrobiłabym to jeszcze raz, bez namysłu.

Milknie, odchrząkuje, uśmiecha się.

– No cóż, przedstawiła nam pani niezmiernie interesującą opowieść – mówi Morrison, po czym rysy jego twarzy nagle tężeją. – A teraz może zechciałaby pani powiedzieć nam prawdę?

– To właśnie jest prawda! – stwierdza stanowczo kobieta. – Po co miałabym zmyślać?

– Zdziwiłaby się pani, jakie bzdury wygadują czasem zatrzymani, w nadziei że potraktuję ich łagodnie i ograniczę się do ostrzeżenia – mówi Morrison. – Przyznam, że pani historia korzystnie wyróżnia się na tle tego, czego muszę tu wysłuchiwać. Głodujące dzieci, umierające babcie, rodzeństwo chore na białaczkę... To standardowe historie. Pani bajeczka jest przynajmniej oryginalna, co wcale nie znaczy, że bardziej wiarygodna.

– Ale...

– Naprawdę już tego wystarczy! Traktowałem panią najlepiej jak można. Nawet odciągnąłem pana Hubble'a od pracy, ponieważ pani sobie tego zażyczyła. W rewanżu mogłaby pani przynajmniej okazać chęć do współpracy.

– Przecież współpracuję! Nie zaprzeczam, że próbowałam coś ukraść, przyznałam się do tego, a jeśli trzeba, mogę się do tego przyznać jeszcze raz. Ukradłam! Zadowolony pan? W takim razie proszę mnie teraz stąd wyrzucić i zakazać wstępu na zawsze! – Na policzkach pani Shukhov rozkwitają rumieńce oburzenia. – Na litość boską, dlaczego miałabym kłamać? Co niby miałabym w ten sposób osiągnąć? Opowiedziałam panu to wszystko dlatego, że... no, chyba dlatego, że jestem z siebie dość zadowolona i wcale się tego nie wstydzę, a trochę i dlatego, że przypuszczałam, iż jako pracownik odpowiedzialny za bezpieczeństwo tej firmy będzie pan zainteresowany informacją o lukach w pozornie hermetycznym systemie zabezpieczeń. Słowo daję, gdybym wiedziała, że zachowa się pan jak nadęty dureń, nie puściłabym pary z ust!

– Jeśli chce pan usłyszeć moją opinię – mówi Frank, znacząco spoglądając na zegarek (są już trzy minuty po jedenastej, co oznacza, że jego przerwa ponad wszelką wątpliwość dobiegła końca) – to jej historia wydaje mi się całkiem prawdopodobna.

– Dziękuję panu, panie Hubble.

Pani Shukhov splata ręce na kolanach i mierzy śledczego wyzywającym spojrzeniem.

– Wydaje mi się, Morrison – ciągnie Frank – że powinien pan z pomocą pani Shukhov sporządzić szczegółowy raport z jej poczynań, a następnie przekazać go szefom obu wydziałów ochrony. Takie jest moje zdanie.

Wypowiadane łagodnym tonem słowa przypominają piórka spadające z siłą bomb lotniczych. Morrison krzywi się – bo musi, jeśli chce zachować twarz – w końcu jednak ustępuje.

– No, jeżeli naprawdę sądzi pan, że to konieczne...

– Naprawdę. Powinien pan również powiadomić Rozliczenia, żeby zablokowali jej kartę na wypadek, gdyby ktoś chciał się nią posłużyć.

– Oczywiście. – Morrison odzyskuje nieco pewności siebie. – Właśnie zamierzałem to zrobić.

A potem Frank robi rzecz dziwną. Pod wpływem niewytłumaczalnego impulsu. Słowa padają z jego ust, zanim zdoła uczynić cokolwiek, żeby je zatrzymać:

– I proszę przekazać Oczom, żeby zawiadomili mnie, gdyby ktoś podjął taką próbę.

Morrison spogląda na niego ze zdziwieniem.

– Dlaczego?

– Ponieważ zależy mi na tym, żeby osobiście dokonać zatrzymania.

Brzmi to nawet sensownie, tyle że nie ma nic wspólnego ze standardową procedurą. Pełna powątpiewania mina Morrisona świadczy o tym, że on także zdaje sobie z tego sprawę. Nie ma żadnego powodu, dla którego Frank powinien być obecny przy tym zatrzymaniu. Może go dokonać dowolny funkcjonariusz Ochrony Taktycznej.

Dlaczego więc powiedział to, co powiedział? Tego nie wie nawet on sam. Niepokoi go spontaniczność zachowania, całkowicie niezgodna z jego charakterem. Przypuszczalnie uczynił to dlatego, że choć zatrzymał panią Shukhov podczas usiłowania kradzieży, to jednak ją podziwia. Podziwia ją za odwagę i determinację. Co prawda kierowała nią desperacja, niemniej jednak doskonale dała sobie radę. Jest mu jej żal, czy więc ktoś może mieć mu za złe, że zdobył się na niewielki gest wobec kobiety, która zasłużyła sobie zarówno na jego podziw, jak i na współczucie? Poza tym, biorąc pod uwagę, że to jego ostatni dzień w Days, jest wysoce wątpliwe, żeby tu jeszcze był, kiedy – o ile w ogóle – ktoś spróbuje się posłużyć jej kartą.

Uświadomiwszy to sobie, znacznie się uspokaja.

– W porządku – mówi Morrison, stukając w klawiaturę. – Zastosuję się do pańskiej prośby, chociaż muszę wyraźnie zaznaczyć, że jest ona dość niezwykła.

– Uważam, że to bardzo ładny gest – stwierdza strażniczka.

– Ja także – mówi pani Shukhov. – To miło wiedzieć, że pan Hubble osobiście zajmie się odzyskaniem mojej karty.

Frank udaje, że nie widzi znaczącego spojrzenia, jakie wymieniają obie kobiety.

– Czy jestem jeszcze potrzebny? – pyta Morrisona.

– Nie wydaje mi się.

– W takim razie, jeśli nie mają państwo nic przeciwko temu, wrócę do swoich zajęć.

Odwraca się w kierunku drzwi, nie może się jednak powstrzymać przed zerknięciem na panią Shukhov. Łagodne spojrzenie jej przekrwionych oczu sprawia, że nieruchomieje z ręką na klamce.

– Grigor polubiłby pana, panie Hubble – mówi cicho kobieta. – Właściwie lubił wszystkich, pan jednak zwróciłby na siebie jego szczególną uwagę. Takich jak pan nazywał „igłami kompasu odchylającymi się nieco od północy”.

– Co to znaczy? – pyta Frank, wciąż z ręką na klamce.

– Proszę się nad tym zastanowić.

Zastanawia się w drodze na górę.

Igła kompasu nie ma wyboru, musi kierować się ku północnemu biegunowi magnetycznemu Ziemi. Owszem, niekiedy drży i tak jakby próbowała odchylać się na boki, w końcu jednak zawsze zwróci się w kierunku północy. Czyżby pani Shukhov sugerowała, że walka, jaką podjął, by przestawić swoje życie na inne tory, zakończy się niepowodzeniem?

Nie wie tego. Chciałby wiedzieć. Może ona się jednak myli. Ma taką nadzieję.

XX

Siedem świętych ksiąg: siedem najważniejszych dzieł religijnych – chrześcijańska *Biblia*, skandynawska *Edda*, chiński *Wu-cing*, muzułmański *Koran*, hinduskie *Wedy*, buddyjska *Tripitaka* oraz perska *Awesta*

11.06

Panna Dalloway krzywi się na widok pudeł z oprogramowaniem ustawionych tuż za jednym z wejść do jej działu.

Zdążyła już poznać tę taktykę. Najpierw jest zwiad: pojawia się trochę przypadkowo dobranych, niepozornych akcesoriów komputerowych. Jeśli nie nastąpi natychmiastowa reakcja, od razu wyrasta stoisko, potem zaś jak za dotknięciem czarodziejskiej różdżki zjawia się komputer z lśniącą klawiaturą i monitorem. Niekiedy, jeżeli Technoidzi czują się wyjątkowo bezkarni, ukradkiem ustawiają całe stanowisko robocze – stolik, specjalny fotel, drukarkę – zajmując miejsce przynależne książkom w twardej i miękkiej oprawie, beletrystyce, podręcznikom, poradnikom i encyklopediom.

Tak, to doskonale znana taktyka, tak przewidywalna, że aż niemal nużąca. Zwykle panna Dalloway natychmiast kierowała się w stronę grupy Technoidów szczerzących szyderczo zęby w wąskim przejściu dzielącym działy, krzyczała, niekiedy ciskała podrzuconymi cichaczem towarami, zmuszała ich do ucieczki. Tym razem jednak ogranicza się do pogardliwego parsknięcia. Nie daje się sprowokować.

Wyjątkowo uda przez chwilę, że nie widzi ich niecnych uczynków.

Technoidzi - w białych poliestrowych koszulach, ze skuwkami długopisów sterczącymi z kieszonek na piersi - nie dają jednak za wygraną.

– Co się stało, panno Dalloway? Nie będzie dzisiaj wrzasków ani rzucania meblami?

– Może wreszcie do niej dotarło, że to nasz teren!

– Ostrożnie, panowie, bo napuści na nas jakiegoś Mola Książkowego.

– Mola? Rety, już się boję!

– Jak myślicie, co nam zrobi? Zacznie czytać na głos wiersze i zanudzi nas na śmierć?

Siłę ich szyderstw zdecydowanie osłabia jednak jej wyniosła obojętność. Zwykle panna Dalloway nie odmawia sobie przynajmniej wypełnionej barokowymi ozdobnikami tyrady, dziś jednak ignoruje zaczepki, sprawiając Technoidom spory zawód i wprawiając ich w zakłopotanie. Wobec tego przechodzą do innego stałego punktu programu, czyli do wyszydzania pracowników Książek.

– Mart-we-drew-no... – skandują cicho, powoli. – Mart-we-drew-no-mart-we-drew-no-mart-we-drew-no... – Głosy stopniowo przybierają na sile. – Martwe drewno, martwe drewno, martwe drewno! – Coraz prędzej, w coraz szybszym rytmie: Martwedrewnomartwedrewnomartwedrewno!

Dziś jednak nawet w ten sposób nie są w stanie wymusić reakcji na pannie Dalloway. Kierowniczka Działu Książek odwraca się na pięcie i z wysoko uniesioną głową znika między regałami z woluminami. Technoidzi milkną, po czym spoglądają po sobie z minami świadczącymi o całkowitej dezorientacji.

W dobrze znajomym przyjaznym otoczeniu panna Dalloway rozluźnia napięte jak postronki mięśnie (aż do tej chwili nie zdawała sobie sprawy z tego, jak mocno je napina) i prostuje palce zaciśniętych dłoni. Regały z książkami i starzy strażnicy są jak fortyfikacje obsadzone sprawdzoną załogą. Wzniesione z drewna – żadnego efemerycznego plastiku! – dają takie samo poczucie obcowania z ponadczasowością jak zadrukowany i oprawiony w okładki papier; niezliczone książki nie tylko tłoczą się na półkach, i to nieraz w dwóch albo trzech rzędach, lecz także piętrzą się w stosach na podłodze i na stopniach przesuwanych drabin. Idąc przez swoje królestwo, panna Dalloway wdycha słodkawy zapach starzejącego się papieru. Ta cudowna woń działa na nią jak kojący balsam. Oczywiście to za mało, żeby zapomnieć o zniewagach, jakimi przed chwilą ją obrzucono, ale przynajmniej ból jest nieco mniejszy.

Wysoka, szczupła i koścista porusza się z ptasią precyzją na długich jak u strusia nogach. Ma na sobie tweedowe spodnie. Niemal wszystko w jej wyglądzie, od płaskiego biustu po wąskie zaciśnięte usta, od zmrużonych oczu po nastroszone czarne włosy, świadczy o chłodzie i niedostępności. Ma czterdzieści pięć lat, wygląda na pięćdziesiąt pięć, czuje się jak sześćdziesięciopięciolatka. Lepiej nie mieć w niej wroga, ale chyba nie nadaje się też za bardzo na przyjaciela: zbyt intensywnie wszystko przeżywa, zanadto koncentruje się na tym, co robi, za bardzo skupia się na dążeniu do celu. Jednak te właśnie cechy czynią z niej doskonałą kierowniczkę Działu Książek.

Dociera do serca działu, czyli stoiska informacyjnego, gdzie czeka na nią grupka młodych mężczyzn. To jej wierni poddani. Jej pupile. Jak na komendę zwracają ku niej twarze, niczym pisklęta, które witają matkę powracającą do gniazda. Chociaż ich widok napełnia jej serce radością, panna Dalloway jeszcze mocniej zaciska usta, żeby nie pojawił się na nich nawet cień uśmiechu.

– Co mamy dzisiaj robić, panno Dalloway? – pyta jeden z nich, ponury młodzieniec o niezwykle wypukłym czole przypominającym cumulusa. – Chce pani, żebyśmy poszli i dali im nauczkę?

Z jego tonu wynika jasno, że nie cieszy go perspektywa bijatyki, niemniej jednak jest gotów uczynić wszystko, co poleci mu jego przełożona.

– Nie trzeba, Edgarze. Jeszcze nie teraz.

– Mógłbym im wysypać na podłogę zawartość kosza na śmieci – proponuje inny, pulchny nieszczęsny Oskar z ręką w gipsie. Złamana ręka jest rezultatem ubiegłotygodniowej potyczki z Technoidami. Zaczęło się od przerzucania wyzwiskami przy wąskim pasie ziemi niczyjej, skończyło zaś potężną bijatyką. Biedny dzielny chłopiec.

– Dziękuję ci, Oskarze, ale na razie będziemy po prostu siedzieć i czekać. Najdalej za godzinę powinien się tu zjawić pan Sonny i od jego decyzji zależy nasze dalsze postępowanie. Chwilowo musimy uzbroić się w cierpliwość.

– Jak pani myśli, czy mamy szansę na odzyskanie naszego terenu? Oficjalną drogą, ma się rozumieć? – pyta inny Mól.

– Trudno mi powiedzieć, Mervyn. Nie pozostaje nam nic innego, jak wierzyć, że pan Sonny uzna wagę naszych argumentów i podejmie sprawiedliwą decyzję.

Jej słowa nie napawają zaniepokojonych pupili zbyt wielką nadzieją, ona sama jednak nie jest pewna, czy zapadnie decyzja, z której będą zadowoleni, i chociaż bardzo by chciała, nie może podzielić się z nimi optymizmem, którego nie czuje. Dręczą ją złe przeczucia, przede wszystkim dlatego, że chociaż (w co święcie wierzy) słuszność jest po jej stronie, to jednak nie potrafi bronić swoich racji z taką charyzmą jak pan Armitage, kierownik

Komputerów. Brakuje jej talentów dyplomatycznych, może dlatego, że nigdy nie miała okazji pracować jako sprzedawca. Jest przekonana, iż książki powinno się kupować dla ich rzeczywistej wartości, niewspieranej zabiegami promocyjnymi i marketingowymi, w związku z czym w jej dziale klienci nie są poddawani żadnej presji ze strony sprzedawców, podczas gdy wystarczy przekroczyć próg działu w sąsiednich Komputerach, by natychmiast wpaść w ramiona tryskającego energią i dobrymi chęciami sprzedawcy. Dlatego panna Dalloway obawia się w głębi ducha, iż bez względu na merytoryczną wagę argumentów elokwencja i demagogiczne chwyty Armitage'a mogą wywrzeć na panu Sonnym większe wrażenie niż jej prośby i przekonywania.

Czułaby się szczęśliwa, gdyby jej niepewność i obawy nie były tak oczywiste, czułaby się szczęśliwa, gdyby mogła oszczędzić ich swoim pupilom, ale, niestety, to niemożliwe, wydaje im więc polecenie, aby wracali do pracy. Praca jest najlepszym lekarstwem dla zaniepokojonego umysłu.

– Mervyn, w Thrillerach część książek stoi nie tam, gdzie powinna. Salman, trzeba uporządkować stół z przecenionymi książkami. Oskar, tam stoi klient, którego trzeba obsłużyć. Colin i Edgar, przygotujcie ekspozycję atlasów w Podróżach. Pozostali też mają się chyba czym zająć, a więc do roboty, szybko!

Klaszcze w dłonie, a oni rozbiegają się posłusznie. Oddaliby za nią życie. Wszyscy co do jednego.

Panna Dalloway wycofuje się za biurko upchnięte w najbardziej zawalonym kącie działu, tuż przy prawie trzymetrowym, chwiejącym się groźnie stosie książek w twardej oprawie. To ogromne stare biurko z drzewa czereśniowego ma kółka i głębokie szuflady. Stoi na nim jedyny komputer, na którego obecność w dziale wyraziła zgodę. Gdyby to od niej zależało, z pewnością doskonale obyłaby się bez niego (papier, długopis i maszyna do pisania całkowicie by jej wystarczyły), musi się jednak nim posługiwać, sporządzając faktury i raporty, prowadząc bieżącą księgowość i wewnętrzną korespondencję. Na swój sposób jest to całkiem pożyteczne urządzenie, panna Dalloway jednak za nic nie jest w stanie zrozumieć tej aury tajemniczości i czegoś niemal w rodzaju histerii, towarzyszących wszystkiemu, co w jakiś sposób jest związane z komputerami. Po co ta cała gadanina o przełomie i nowatorstwie, skoro już dawno dokonano najbardziej nowatorskiego i przełomowego wynalazku w historii ludzkości, skoro przedmiot tak doskonale dostosowany do pełnionej przez niego funkcji już od dawna istnieje i nikt, choćby nie wiadomo jak się starał, w żaden sposób nie zdoła go już ulepszyć.

Książka.

Jako źródło łatwo dostępnej informacji, rzeczywiście przenośne, niezależne od zewnętrznych i wewnętrznych źródeł energii, dostępne dla każdego, kto potrafi czytać i ma dość siły, żeby przewracać kartki, książka po prostu nie ma sobie równych. Książki nie kupuje się z instrukcją obsługi. Książki nie trzeba ciągle upgrade'ować. Książka nie jest rozpaczliwie przestarzała po zaledwie półrocznym użytkowaniu. Książka nigdy się nie zawiesi, nie trzeba do niej wzywać wyszkolonego (i kosztownego) serwisanta. Informacji zawartych w książce nie da się wykasować przypadkowym naciśnięciem klawisza, książce nie zaszkodzi działanie silnych pól magnetycznych. Czy można sobie wyobrazić przedmiot bardziej – cóż za okropne określenie! – przyjazny dla użytkownika niż książka?

Martwe drewno. Obraźliwe zawołanie Technoidów rozbrzmiewa gorzkim echem w jej głowie.

Tak jednak traktuje książki wiele osób, nie tylko Technoidzi: nie dość, że są to dla nich jedynie przedmioty wykonane ze zmielonych na miazgę drzew, to patrzą na nie jako na starocie, przeżytki, rzeczy całkowicie zbędne i nikomu niepotrzebne. Coraz więcej ludzi czerpie rozrywkę i zdobywa edukację dzięki mediom elektronicznym: ekran wyobraźni jest zastępowany przez ekran monitora. Chyba można to zrozumieć, o ileż łatwiej bowiem biernie chłonąć obrazy, niż dzięki świadomemu wysiłkowi umysłowemu tworzyć własne z informacji zebranych dzięki lekturze. Ale przecież obraz namalowany słowem genialnego pisarza jest tylekroć bardziej wyrazisty i o tyle mocniej zapada w pamięć od wygenerowanego elektronicznie! Porównajmy przyjemność, jaką czytelnik czerpie z zajmującej lektury, z tą, jaką daje mu najbardziej choćby wymyślna lub interaktywna (cokolwiek to ma oznaczać) gra komputerowa. Nie ma takiej możliwości, tego po prostu n i e d a się porównać. Przez sam fakt, iż w jej powstaniu i rozpowszechnianiu najważniejszą rolę odgrywa maszyna, rozrywka elektroniczna jest zimna i bezosobowa, najzwyczajniej w świecie nieludzka, książka natomiast jest ciepłą, żywą, autentyczną rzeczą, na której widać oznaki upływającego czasu. Z czym chętniej zagłębiłbyś się w fotelu w zimowy wieczór, przy kominku, w którym buzuje ogień, z kieliszkiem dobrego wina lub kubkiem gorącej czekolady w dłoni – z komputerem czy z książką? Z plastikowo-silikonowo-metalowym tworem prezentującym wstępnie przetrawione słowno-obrazkowe kolaże czy ze zbiorem starannie wyartykułowanych myśli jednego człowieka, przesyłanych niemal telepatyczną drogą z umysłu do umysłu za pośrednictwem czarodziejskiego medium słów?

W najskrytszej głębi serca panna Dalloway doskonale zdaje sobie sprawę, iż nie powinna winić komputerów (ani Komputerów) za problemy, z jakimi musi się borykać jej dział, ponieważ za spadek popularności słowa drukowanego i czytanego odpowiada wiele uzupełniających się wzajemnie czynników, łatwiej jednak walczyć z konkretnym, widzialnym, łatwo osiągalnym przeciwnikiem niż z narastającą obojętnością całego świata. Tak więc, na dobre lub na złe, upatrzyła sobie takiego przeciwnika w Komputerach (i komputerach), choć można również powiedzieć, że wybór ten narzucono jej arogancką, nieprzemyślaną decyzją podjętą w Biurze Zarządu półtora roku temu.

Również z tego powodu żywi poważne obawy co do rezultatów arbitrażu. Bracia Day kierują sklepem elektronicznie, śląc z wyżyn swojej siedziby edykty i instrukcje, i chyba żaden z nich nigdy nie przejawiał jakiegoś szczególnego zamiłowania do literatury, chyba żeby za takowe uznać miłość pana Freda do gazet – panna Dalloway jednak nie zamierza tego uwzględnić. W jej opinii prasa nie ma nic, ale to nic wspólnego z literaturą. To właśnie bracia Day oddali panu Armitage'owi i jego Technoidom część jej ukochanego działu, czy może więc żywić nadzieję, że teraz opowiedzą się po jej stronie?

Z ciężkim westchnieniem włącza komputer i czeka na uruchomienie systemu operacyjnego. (Książki nie mają systemów operacyjnych, wystarczy je po prostu otworzyć). Opanowała obsługę maszyny jedynie w najbardziej podstawowym zakresie, mija więc trochę czasu, zanim udaje się jej wyświetlić na ekranie memorandum, które nadeszło przed półgodziną z Biura.

```
Czas: 10.28
Od: Zarząd
Do: Rebecca Dalloway, Książki

KIEROWNICTWO zwróciło uwagę na powtarzające
się nieakceptowalne zachowanie Pani personelu
```

związane z postępującym zaostrzaniem się stosunków z sąsiednim działem.

KIEROWNICTWO pragnie jak najszybciej rozwiązać tę sytuację, w związku z czym zdecydowało się wysłać swego reprezentanta, który wysłucha obu stron, a następnie podejmie ostateczną i wiążącą decyzję.

Oba działy mają natychmiast i bezwarunkowo zastosować się do zaleceń PANA SONNY'EGO. W razie kontynuowania postępowania stojącego w jaskrawej sprzeczności z ustaleniami zawartymi w punkcie 17, podpunktach a-f Umowy o Pracę, zostaną zastosowane natychmiastowe sankcje w postaci usunięcia z pracy zarówno osób dopuszczających się takiego postępowania, jak również ich przełożonego.

PAN SONNY przyjdzie dzisiaj między godziną 11.30 a 11.40.

d.w.: Roland Armitage, Komputery.

Uważnie studiuje tekst, w nadziei że znajdzie tam coś nowego, jakąś niedostrzeżoną wcześniej wskazówkę lub cień sugestii, który pozwoli jej na choćby odrobinę optymizmu. Z tonu notatki nie sposób wywnioskować, jaki nastrój panuje w Zarządzie; wzmianka, iż „KIEROWNICTWO pragnie jak najszybciej rozwiązać tę sytuację", wywołuje gorzki uśmieszek na jej twarzy. Panna Dalloway dobrze wie, od jak dawna Ochrona alarmuje braci Day o zaostrzającym się konflikcie. Fakt, że przez tyle miesięcy nie zwracali najmniejszej uwagi na akty agresji i wandalizmu, teraz zaś dosłownie z godziny na godzinę postanawiają podjąć interwencję, może świadczyć jedynie o ich irytacji. Zupełnie jakby aż do tej chwili mieli nadzieję, że problem sam się rozwiąże, skoro jednak tak się nie stało, uznali, że nadeszła pora, by uderzyć pięścią w stół. To kolejny niedobry znak. Zniecierpliwienie i chłodna bezstronność bardzo rzadko idą w parze.

Pannę Dalloway napełnia obawami także i to, iż przyjdzie do nich nie pan Chas, lecz pan Sonny. Wizyta pana Chasa jest rzadkością, wizyta pana Sonny'ego byłaby wydarzeniem bez precedensu. Wszyscy wiedzą o jego zamiłowaniu do trunków i o hulaszczym trybie życia. Czy gdyby bracia Day poważnie traktowali problem, powierzyliby jego rozwiązanie najmłodszemu, najmniej doświadczonemu i najbardziej nieobliczalnemu spośród nich? Ale czy jest się czemu dziwić? W umyśle panny Dalloway od dawna kiełkuje podejrzenie, że synowie Septimusa Daya nie mają najmniejszego pojęcia o tym, co robią, i że sklep przynosi jeszcze jakieś zyski nie dzięki ich wysiłkom, lecz raczej mimo nich.

Za czasów pana Septimusa (które nie tylko ona wspomina z łezką w oku) sprawy miały się zupełnie inaczej. Co prawda założyciel Days był surowym bezwzględnym człowiekiem, ale przynajmniej przewidywalnym. Nie podejmował decyzji pod wpływem chwilowego impulsu. Nie wprowadzał niczemu niesłużących, konfliktogennych zmian. Był tyranem, który właśnie dzięki swojej apodyktycznej naturze zasługiwał na zaufanie.

Panna Dalloway doskonale pamięta, jak pan Septimus codziennie robił obchód działów. Niekiedy towarzyszył mu jakiś szczególnie szacowny klient lub ważny dostawca, zwykle jednak kroczył sam, otoczony aurą powagi i dostojeństwa, przystając od czasu do czasu, aby zbesztać sprzedawcę za niestaranny ubiór, wysłuchać pytania kierownika działu lub odebrać komplement od zaskoczonego – i nieodmiennie onieśmielonego – niespodziewanym spotkaniem klienta.

Czy sprawy przybrały zły obrót, kiedy po śmierci żony pan Septimus przestał pojawiać się w sklepie, zamknął się w swej posiadłości i przekazał ster w ręce synów? Czy proces rozkładu zaczął się właśnie wtedy, kiedy właściciel stał się nieosiągalny dla pracowników i klientów, a tym samym przestał czuć się przed nimi odpowiedzialny? A może po prostu siedmiu synów Daya nie jest w stanie utrzymać wysokich standardów wyznaczonych przez ojca? Wydaje się całkiem zrozumiałe, iż spójna wizja jednego człowieka uległa rozszczepieniu i zdeformowaniu podczas filtrowania przez siedem niezależnych bytów, tak jak dzieje się z silnym i skupionym promieniem białego światła, który po wielokrotnym odbiciu i załamaniu rozszczepia się w tęczę nieostrych barw i nie jest w stanie już niczego oświetlić.

Panna Dalloway wyłącza komputer i sięga po popularne wydanie *Sztuki wojennej* Sün-cy, noszące ślady częstego czytania. Od wybuchu konfliktu książka ta stała się jej osobistą Biblią. Otwiera ją w miejscu, w którym tkwi karta – ukrywa ją tam, a równocześnie wykorzystuje w charakterze zakładki.

To Platynowa. Nazwisko właściciela: C.A. SHUKHOV.

Malcolm – jak wszyscy jej pupile jest porządnym, uczciwym chłopcem – przyniósł kartę we wtorek po południu. Zostawiła ją na ladzie pewna klientka, sprawiająca wrażenie mocno roztargnionej, kiedy płaciła za kupiony tutaj egzemplarz rozmówek rosyjskich. W pierwszym odruchu panna Dalloway postanowiła być lojalnym pracownikiem i natychmiast zawiadomić Wydział Rozliczeniowy o znalezieniu karty. Chwilę później przyszło jej do głowy, że oto Opatrzność zesłała jej okazję, na którą od tak dawna czekała.

Spogląda ukradkiem przez ramię. Chwiejny stos książek jest na tyle wysoki, by zasłonić ją przed okiem umieszczonej w suficie obrotowej kamery. I tak zresztą prawdopodobieństwo, że ktoś uważnie monitoruje wydarzenia w jej dziale, jest niewielkie, kradzieże bowiem nigdy nie stanowiły tu poważnego problemu. Niemniej kryjówka, jaką dają jej mury z woluminów w twardych okładkach, wzniesione zgodnie z jej wskazówkami przez posłusznych Moli Książkowych, okazała się już bardzo przydatna; panna Dalloway ma pewność, iż nikt nie wie o jej poczynaniach, które bracia Day - gdyby kiedykolwiek się o nich dowiedzieli - bez wątpienia uznaliby za „stojące w jaskrawej sprzeczności z ustaleniami zawartymi w Umowie o Pracę".

W stosie książek, w specjalnie skonstruowanej komorze, spoczywa doskonale ukryty owoc jej zabiegów.

Jeszcze czeka.

Ale już niedługo.

Cokolwiek wydarzy się tego przedpołudnia, czy decyzja pana Sonny'ego będzie dla niej korzystna, czy nie, panna Dalloway jest na wszystko przygotowana. Jeśli sprawy ułożą się po jej myśli, zorganizuje wielkie przyjęcie dla swoich Moli; w takim przypadku znaleziona karta nie będzie potrzebna, kupi bowiem wino i papierowe czapeczki za pieniądze z własnego konta. Jeżeli jednak stanie się inaczej, wówczas wprowadzi w życie starannie obmyślony plan, w którym Platynowa Karta pani Shukhov odegra kluczową rolę.

Elastyczność, zdolność dostosowywania się do warunków, gotowość. Jak powiada Sün-cy: „Tak jak woda dostosowuje swój bieg do ukształtowania terenu, tak armia dostosowuje taktykę do nieprzyjaciela. Chcąc odnieść zwycięstwo, armia nie może stosować sztywnych schematów strategicznych ani trwać niezmiennie na tych samych pozycjach".

Panna Dalloway przygotowała się na wszystkie okoliczności. Co prawda modli się w duchu o to, żeby nie musiała wprowadzać w życie swego podstawowego planu, niemniej jednak jeżeli zajdzie taka konieczność, na pewno się nie zawaha. Ani chwili.

Jeśli sprawiedliwość nie zatriumfuje, nadejdzie dzień gniewu.

I to jakiego gniewu.

XXI

Siedem zmysłów: według Księgi Syracha oprócz pięciu podstawowych istnieją jeszcze dwa zmysły – rozumienie i mowa

11.25

Jego zmysły otula warstwa błyskawicznie rozmnażającej się pleśni, upośledzając wzrok, słuch i dotyk, wypełniając gąbczasto-włóknistą substancją przestrzeń dzielącą go od rzeczywistości; mózg kolebie się na wszystkie strony i pędzi przed siebie niczym czółno, które silny prąd zerwał z uwięzi. Usiłuje się podnieść, ale natychmiast siada z powrotem.

Kanapa, na której siedzi, to obłok. Świat wiruje w zwariowanym, nieprzewidywalnym rytmie, przyspiesza i zwalnia, zatacza się jak szalony. Grawitacja pojawia się i znika: przez chwilę czuje się lekki jak piórko, zaraz potem wzdłuż jego kręgosłupa przetacza się potwornie ciężka kula i z impetem uderza w miednicę. Ponownie próbuje wstać – z identycznym skutkiem jak poprzednio.

Odczuwa jakiś dyskomfort, początkowo nie potrafi zlokalizować jego źródła, wreszcie sięga ręką do krocza i pod palcami czuje wilgotny zimny materiał. Czyżby się zsikał? I dlaczego ma pustą szklankę? Ach tak, przypomina sobie. Chwilowa dekoncentracja, i już. Szkoda dobrego alkoholu. Ale to nieważne, w barze jest go jeszcze mnóstwo, cała armia butelek. Gdyby tylko udało mu się wstać i jeszcze raz napełnić sobie szklaneczkę. Gdyby tylko udało mu się wstać...

Próbuje po raz trzeci. Bez rezultatu.

Parska donośnym śmiechem. Gdyby bracia teraz go zobaczyli, jakąż wzbudziłby w nich pogardę, jak wielkie ściągnąłby na siebie niezadowolenie!

– Pieprzę ich – oświadcza ze zmarszczonymi brwiami, a następnie śmieje się jeszcze głośniej.

Unosi głowę, nieco zdezorientowany rozgląda się po pokoju. Planeta wciąż to przyspiesza obroty, to znów niespodziewanie zwalnia. Żeby siedzieć prosto, Sonny musi się podeprzeć obiema rękami. Ma wrażenie, że jest na galeonie żeglującym po falach wzburzonego oceanu i siedzi w bocianim gnieździe, gdzie każdy przechył daje się we znaki znacznie bardziej niż na pokładzie. W górę i w dół, w górę i w dół.

Naprawdę powinien już wstać. Zdaje się, że miał coś do zrobienia?

Tak, nawet na pewno, ale w tej chwili nie jest w stanie sobie przypomnieć, co to było. Na pewno sobie przypomni, pod warunkiem że nie będzie zanadto wytężał umysłu. Taka zagubiona myśl zachowuje się jak wystraszona owca, która odłączyła się od stada: jeśli próbować ją osaczyć, może wpaść w panikę i spaść z urwiska. Najlepiej zostawić ją w spokoju, prędzej czy później sama się znajdzie.

Ćrrr, ćrrr.

A co to takiego? Chyba halucynacje. Mógłby przysiąc, że słyszał świerszcza.

Ćrrr, ćrrr.

Odgłos dobiega spod jego prawego pośladka. Usiadł na tym małym draniu! Ale świerszcz najwyraźniej nic sobie z tego nie robi, ćwierka w najlepsze.

Ćrrr, ćrrr.

Sonny przechyla się w lewo, unosi prawy pośladek niczym rugbista szykujący się do pierdnięcia, zgina się wpół, zagląda pod siebie. Nic.

Ćrrr, ćrrr.

Tylna kieszeń spodni. Ta, w której trzyma przenośny interkom.

No tak, oczywiście. Od początku wiedział, że to właśnie o to chodzi. Świerszcz? To był tylko taki niewinny żarcik. Ha, ha, ha.

Próbuje wyjąć z kieszeni nieduże płaskie pudełeczko, ale jego palce wykazują sprawność i chwytność nieugotowanych parówek. Sonny, spocony i zaczerwieniony, walczy jeszcze przez chwilę, w końcu się poddaje i zmienia taktykę: zamiast bezskutecznie wciskać palce do kieszeni, popycha interkom przez materiał, aż wreszcie wydłubuje go na wierzch niczym twardą pestkę z dżinsowego owocu.

Ćrrr, ćrrr.

Otwiera go, po kilku nieudanych próbach trafia palcem we właściwy przycisk.

– Sonny?

To Thurston. Instynkt podpowiada Sonny'emu, że nie może dać po sobie poznać, że jest pijany. To niezmiernie ważne. Co prawda wydaje mu się, jakby język miał obtoczony w maśle orzechowym, jakimś cudem udaje mu się jednak owinąć go wokół pojedynczego słowa:

– Tak?

Czy to właściwa odpowiedź?

– Wszystko w porządku? – pyta Thurston podejrzliwie.

– Jasne. Niby czemu nie?

– Długo nie odbierałeś.

Sonny'ego ogarnia panika. Przypomina sobie, dlaczego powinien udawać trzeźwego: dlatego, że m i a ł być trzeźwy.

Dlatego że niebawem ma zejść na dół, do sklepu. Dlatego że obiecał braciom, że się nie upije. Cholera! Cholera jasna! A jeśli Thurston się domyśli? Wtedy wszystko stracone. Ostatnią szansę szlag trafi.

Jak trudno wydusić z siebie małe niewinne kłamstwo.

– Zostawiłem interkom w innych spodniach.

Przeciągły biały szum w słuchawce, jakieś zakłócenia, akustyczny odpowiednik włókna albo innego śmiecia w obiektywie projektora kinowego, a potem głos Thurstona:

– ... nieważne. Chyba nawet ty nie byłbyś taki głupi.

Sonny'ego ogarnia tak ogromna ulga, że gdyby nie był pijany, z pewnością podziałałaby na niego jak solidna dawka alkoholu.

– Strażnicy czekają na ciebie na Żółtym. Jesteś już chyba gotowy, prawda?

– Jasne – mówi Sonny i zerka w dół, na koszulę i mokre spodnie. – Oczywiście.

– Gdybyś miał jakieś problemy, jakiekolwiek, natychmiast mnie zawiadom, rozumiesz? Pamiętaj, że idziesz tam tylko po to, żeby przekazać decyzję.

– Żeby przekazać decyzję, tak jest.

– Czekaj, Chas chce ci coś powiedzieć.

– Sonny? Słuchaj: jeżeli kierownicy działów zaczną się stawiać, natychmiast się wycofaj. Nie wdawaj się w żadne dyskusje. Wątpię, żeby ośmielili się sprawiać jakieś problemy, ale nigdy nic nie wiadomo. W gorącej atmosferze ludzie zapominają niekiedy, gdzie ich miejsce. Bądź opanowany, chłodny i wyniosły. Ty masz rację, oni jej nie mają. Rozumiesz?

– Ja mam rację, nie oni.

– Dobra, oddaję słuchawkę Thurstonowi. Nie, zaczekaj: Mungo chce zamienić z tobą słowo.

– Sonny? – Głos Munga brzmi jak dźwięk basowych piszczałek organów. – Liczymy na ciebie. Ja też na ciebie liczę. Na pewno sobie poradzisz.

Sonny'ego wprost rozpiera miłość do najstarszego brata. Niewiele brakuje, żeby się rozpłakał.

– Zrobię, co w mojej mocy, Mungo.

– Na to właśnie liczymy.

– Daj im popalić, Sonny! – słychać w tle głos Freda.

– Ruszaj więc, strażnicy czekają.

– Dziękuję, Mungo. Dziękuję.

Sonny wyłącza interkom, zatrzaskuje pokrywę, przyciska go do piersi. Musi się spieszyć. Do krwiobiegu trafia potężna dawka adrenaliny, Sonny przytomnieje na tyle, że jest w stanie oprzeć się kusząco miękkiej kanapie i pląsom roztańczonego świata. Prawie bez wysiłku triumfalnie wstaje z miejsca.

Zaraz potem chwieje się i zatacza, ponieważ na chwilę krew przestaje dopływać do jego mózgu. Przez ułamek sekundy wydaje mu się, że zemdleje, na szczęście jednak wszystko szybko wraca do normy. Nie zwlekając, prawie biegiem rusza w kierunku sypialni.

11.28

– Niezmiernie mi przykro – mówi Thurston, odbierając od Munga swój interkom i kładąc go na stole – ale wciąż odnoszę wrażenie, że popełniliśmy potworny błąd.

– Za bardzo się przejmujesz – odpowiada Fred.

– Może zażądamy stałej obserwacji przez Oko? – proponuje Sato. – W ten sposób przynajmniej będziemy na bieżąco wiedzieli, co wyczynia.

– Dobry pomysł – mówi Thurston. – Każę przesyłać obraz bezpośrednio tutaj.

Gdyby wiszący na ścianie portret mógł mówić, przypuszczalnie nie powiedziałby nic dobrego o decyzjach, które tego ranka zapadły w Biurze.

11.29

Garnitury wylatują z garderoby jak kanarki z klatki.

Sonny rozpaczliwie przetrząsa kolekcję eleganckich strojów, ściąga je kolejno z wieszaków, obrzuca dzikim spojrzeniem, po czym ciska za siebie, do sypialni, gdzie na podłodze piętrzy się już pokaźny wielobarwny stos. Co założyć? Co założyć?

Wcześniej, kiedy wydawało mu się, że ma mnóstwo czasu, nie mógł się zdecydować, który z niezliczonych garniturów jest najbardziej odpowiedni. Teraz, kiedy się potwornie spieszy, a w dodatku jest pijany, jeszcze trudniej mu podjąć decyzję. Zdaje sobie sprawę, że powinien złapać pierwszy z brzegu i czym prędzej go włożyć, równocześnie pamięta jednak o tym, iż to jego pierwsza i kto wie, czy nie jedyna szansa, by wywrzeć na wszystkich odpowiednie wrażenie. Gdyby nie miał tak ogromnego wyboru, gdyby nie to, że tak wiele z tych rzeczy w ogóle nie nadaje się do noszenia...

Różnokolorowy stos na podłodze rośnie coraz bardziej, warstwa po warstwie... aż nagle przestaje. Sonny się zdecydował.

11.41

Jorgenson, Kofi, Goring i Wallace, czterej strażnicy czekający na Żółtym Piętrze przy prywatnej windzie braci, w sumie służyli przez szesnaście lat w wojsku, przez sześć w policji, oraz spędzili osiem i pół roku w zakładach karnych – i jako strażnicy, i jako pensjonariusze. Niewrażliwi na ból i emocje, są jak cztery gigantyczne kamienne posągi, nadgryzione zębem czasu, lecz wciąż potężne. Nie sposób ocenić, czy czują się wyróżnieni tym, że to ich właśnie wyznaczono do ochrony jednego z siedmiu właścicieli pierwszego na świecie i (a co tam, można tak powiedzieć, w końcu kto to sprawdzi?) najlepszego gigamarketu. Ich twarze są tak całkowicie pozbawione wyrazu, iż można by odnieść wrażenie, że towarzyszenie jednemu z braci Day podczas wizyty na piętrach handlowych jest dla nich czymś równie zwyczajnym i powszednim, jak dłubanie wykałaczką w zębach po posiłku.

Gotowi na wszystko, stoją w lekkim rozkroku, z ramionami skrzyżowanymi na piersi i odrobinę przechylonymi na bok głowami. To typowa poza najemnych bandziorów na całym świecie. Czekają na przyjazd pana Sonny'ego w całkowitym milczeniu. Nie komentują jego spóźnienia, nie spoglądają na zegarki, nie zerkają na ścienny zegar. Po prostu stoją i czekają, tak jak im kazano, tak jak z rozkazu Boga stoją i czekają góry.

Niektórzy z przelewającego się dookoła tłumu klientów zastanawiają się nawet, dlaczego ci czterej strażnicy stoją nieruchomo przed wejściem do windy z tabliczką WINDA PRYWATNA, nikt jednak nie ma dość odwagi, żeby podejść i zapytać. Nawet tym, którzy się zgubili, wystarczy jedno spojrzenie rzucone na tych czterech olbrzymów, żeby zawrócić i poszukać kogoś innego, kogo można by zapytać o drogę.

Kiedy wreszcie słyszą, że winda rusza z Piętra Fioletowego, prostują się jeszcze bardziej, opuszczają ręce, rozpinają kabury. Gotowi na wszystko.

Nad drzwiami prywatnej windy nie ma żadnych lampek, strażnicy dowiadują się więc o przybyciu pana Sonny'ego dopiero wtedy, kiedy drzwi rozsuwają się bezszelestnie.

Jorgenson – powierzono mu zadanie dobrania sobie trzech najlepszych, jego zdaniem, fachowców, uważa się więc za nieformalnego dowódcę grupy – wypina pierś, strzela obcasami i salutuje przed pracodawcą. Sonny po krótkim wahaniu niezgrabnie unosi rękę do skroni.

– Dzień dobry panu – mówi Jorgenson bez zmrużenia powiek.

– Dzień dobry! – odpowiada Sonny radośnie jak dziecko.

Salutuje ponownie, tym razem nieco składniej. Chyba mu się to podoba, powtarza bowiem tę czynność jeszcze trzykrotnie na użytek Kofiego, Goringa i Wallace'a, wita się z nimi, a oni z nim.

Ma na sobie fioletowy garnitur w odcieniu czarnej porzeczki, który wcześniej odrzucił, ten ze złocistym logo Days na ramionach, mankietach i kieszeniach. Po namyśle – i kilku sporych porcjach wódki – doszedł do wniosku, że zarówno kolor garnituru, jak i zwielokrotniona obecność znaku firmowego stanowią raczej jego zaletę niż wadę. Beztroska pierwszej cechy oraz militarne skojarzenia wywoływane przez drugą tworzą w sumie pożądaną mieszankę przystępności i wyniosłego oddalenia. Strój uzupełniają szafranowa koszula i liliowy krawat oraz jasnobrązowe ażurowe pantofle. Z całością doskonale komponuje się zaczerwieniona, mokra od potu twarz.

– Czy możemy już ruszać? – pyta.

Strażnicy bezzwłocznie ustawiają się w szyku: Jorgenson i Kofi na przodzie, Goring i Wallace z tyłu. Cztery wierzchołki kwadratu z Sonnym w samym środku. Z kamiennymi twarzami kierują się w stronę Książek i Komputerów.

XXII

Wojna siedmioletnia: wojna w latach 1756–63, podczas której Anglia i Prusy pokonały Austrię, Rosję, Szwecję, Saksonię i Francję

Panna Dalloway czeka po jednej stronie wąskiego przejścia dzielącego Książki od Komputerów. Przy niej trzech jej ulubieńców: Oskar, Salman i Kurt. Po drugiej stronie, kilka metrów od niej, a zarazem po przeciwnej stronie ideologicznej przepaści, stoi pan Armitage w otoczeniu trzech Technoidów. Zjawił się w znacznie liczniejszym gronie, zobaczywszy jednak, że panna Dalloway ograniczyła swą świtę do trzech osób, odprawił resztę. Tego kurtuazyjnego gestu nie dostrzeżono, a jeżeli nawet, to został on całkowicie zignorowany. Wąską przestrzeń między dwiema grupkami przecinają wrogie spojrzenia. Panuje całkowite milczenie.

11.48

Wszyscy na niego patrzą. Nic w tym dziwnego. Kto by nie przystanął chociaż na chwilę, żeby rzucić okiem na człowieka eskortowanego przez czterech strażników? Jednak rozpoznają go tylko nieliczni klienci. Co prawda rzadko można zobaczyć w miarę choćby aktualne zdjęcia braci Day, niemniej jednak charakterystyczne dla rodziny rysy są aż nadto wyraźne. Ten nos, ta orientalna karnacja – wszystko na swoim miejscu.

Dla Sonny'ego jednak najważniejsze jest, że te spojrzenia ani nie próbują obnażać jego duszy, ani nie sugerują, iż ktokolwiek zna jej tajniki. Nikt nie patrzy na niego jak na osobę publiczną, nikt nie rości sobie praw do jego najgłębiej skrywanych tajemnic. Dzieje się tak albo dlatego, że ich spojrzenia nie są w stanie przedrzeć się przez spowijającą go mgiełkę upojenia alkoholowego, albo dlatego, że z powodu tej mgiełki on nie jest w stanie dostrzec wyrazu ich twarzy. Tak czy inaczej rezultat jest jak najbardziej pożądany. Niech sobie patrzą, i tak niczego nie zobaczą.

11.49

Przy wejściu po przeciwnej stronie Komputerów podnosi się szmer, który szybko narasta, niosąc oczekiwaną wiadomość: Idzie! Pan Sonny już idzie!

No tak, oczywiście wybrał drogę przez Dział Komputerów, myśli panna Dalloway. Co prawda doskonale zdaje sobie sprawę, że Komputery znajdują się dokładnie pomiędzy jej działem a prywatną windą braci i że Sonny idzie po prostu najkrótszą i najbardziej oczywistą trasą, niemniej jednak... No tak, oczywiście...

Fala hałasu wdziera się między wysokie regały z akcesoriami komputerowymi, podkładkami do myszy, podręcznikami, antystatycznymi pokrowcami i napędami. Pan Sonny jeszcze się nie pokazał, gwar i wrzawa poprzedzają go jednak niczym fale spiętrzone przed dziobem statku. Na twarzy pana Armitage'a rozkwita szeroki uśmiech. Właśnie ten uśmiech najpierw dostrzeże pan Sonny, kiedy dotrze do przejścia. Panna Dalloway zaciska zęby i stara się o tym nie myśleć. Liczy się tylko prawda. Uczciwość. Sprawiedliwość.

Wreszcie jest. Nie tak wysoki, jak się spodziewała, ale przy czterech olbrzymich strażnikach niemal każdy wydawałby się karzełkiem. Nie tak dostojny jak ojciec. Trochę pucołowata twarz, która z czasem – i przy niezmienionym trybie życia – może stać się po prostu nalana. Opuszczony wzrok, spojrzenie wbite w podłogę lub w pięty idących przodem strażników. A ten strój... To chyba jakiś żart? Panna Dalloway nawet przez chwilę nie przypuszcza, żeby pan Sonny mógł naprawdę uznać ten... ten kostium za odpowiedni strój dla poważnego biznesmena. Takie przebranie byłoby całkiem na miejscu na pokazie kolekcji jakiegoś ekscentrycznego projektanta mody, ale żeby wkładał je jeden z właścicieli pierwszego na świecie i (do niedawna) najlepszego gigamarketu? Niemożliwe. Wykluczone.

Pan Armitage natychmiast występuje naprzód z wyciągniętą ręką, przejmuje inicjatywę.

– Jesteśmy zaszczyceni, proszę pana! Roland Armitage, Komputery. To dla nas naprawdę ogromny zaszczyt. Jesteśmy niezmiernie zobowiązani, że znalazł pan czas, by nas odwiedzić. Bardzo zależy nam na tym, aby to niefortunne nieporozumienie wreszcie zostało raz na zawsze wyjaśnione.

Otwierający pochód strażnicy rozstępują się na boki, Sonny z bezradną miną wpatruje się w wyciągniętą rękę Armitage'a. Dopiero po chwili, jakby przypomniawszy sobie, co w takiej sytuacji należy uczynić, gwałtownie wyciąga swoją. Mężczyźni potrząsają dłońmi, następnie pan Armitage zaczyna przedstawiać towarzyszących mu Technoidów, którzy wręcz płaszczą się służalczo przed pracodawcą.

Jeśli chodzi o pannę Dalloway, to wzmianka Armitage'a o „niefortunnym nieporozumieniu" rozwścieczyła ją tak bardzo, że nie jest w stanie zebrać myśli. Czy celowo chciał wytrącić ją z równowagi, czy też naprawdę sądzi, iż jej zdeterminowana, trwająca już od półtora roku walka przeciwko bezprawnej aneksji wzięła się z jakiegoś „nieporozumienia"? Szybko jednak uświadamia sobie, że tak stojąc i zionąc wściekłością, niczego nie osiągnie, potrząsa więc głową, prycha wyniośle i rusza naprzód.

Technicznie rzecz biorąc, panna Dalloway może się swobodnie poruszać po całej części handlowej sklepu, jednak od chwili wybuchu konfliktu wykreśliła Komputery ze swojej prywatnej mapy i omija je szerokim łukiem, nawet jeśli wiąże się to z dużymi niedogodnościami oraz stratą czasu. Teraz, po raz pierwszy od wielu miesięcy przekraczając granicę sąsiedniego działu, czuje się jak żołnierz, który zapuszcza się na terytorium wroga.

Jej trzy Mole przeżywają chwilę rozterki. Panna Dalloway przecież kategorycznie zabroniła im wchodzić na teren Komputerów. Czy mają nadal stosować się do tego zakazu, czy też w obecnej sytuacji istotniejsze jest służenie jej moralnym, a w razie potrzeby także fizycznym, wsparciem? Po krótkim wahaniu nerwowym truchtem pokonują pas ziemi niczyjej i dołączają do niej.

Panna Dalloway roztrąca trójkę Technoidów, wciska się między Armitage'a i Sonny'ego. Kierownik Działu Komputerów właśnie opowiada, jak bardzo przydatna okazała się dodatkowa powierzchnia handlowa i jak wyraźnie dzięki temu wzrosła liczba klientów. Właśnie rozwodzi się nad tym, iż podobne powiększenie przydałoby się jeszcze z co najmniej dwóch stron, kiedy panna Dalloway wkracza do akcji.

– Rebecca Dalloway.

Sonny zwraca ku niej głowę. Można odnieść wrażenie, że zarówno jego wzrok, jak i uwaga powtarzają tę czynność z kilkusekundowym opóźnieniem.

– Pani jest...
– Rebecca Dalloway – powtarza cierpliwie.
– Nie, nie! Chodzi mi o to, co pani robi.
– Jestem kierowniczką Książek.
– Aha. No tak. Oczywiście.
– Chciałabym na samym początku powiedzieć jasno i wyraźnie, że jako lojalny pracownik z niemal dwudziestopięcioletnim stażem żywię najwyższy szacunek zarówno dla pana i pańskich braci, jak i dla sposobu, w jaki kierujecie sklepem, i że nigdy, pod żadnym pozorem nie ośmieliłabym się kwestionować żadnej z waszych decyzji.
– Trochę subtelniej z tymi pochlebstwami, panno Dalloway! – mamrocze półgębkiem pan Armitage, zbyt cicho, żeby Sonny go usłyszał. – To się robi cienkim pędzelkiem, a nie wałkiem z całym wiadrem farby.
Takie rady od człowieka, który z wazeliniarstwa uczynił niemal sztukę! Ale panna Dalloway nie daje się wyprowadzić z równowagi.
– Oczywiście dotyczy to także decyzji podejmowanych ze względów ekonomicznych. Bądź co bądź, wszyscy pracujemy ku pożytkowi naszej firmy, nieprawdaż? – Próbuje się przymilnie uśmiechnąć. Nie jest to ładny widok, pierwsza byłaby gotowa to przyznać, jednakże nadzwyczajne sytuacje wymagają uciekania się do nadzwyczajnych środków. – Chyba jednak zgodzi się pan ze mną, że minimalne powiększenie powierzchni handlowej Komputerów oraz prawie niezauważalny wzrost obrotów nie stanowią wystarczającego uzasadnienia dla ogromnego wysiłku i tylu godzin pracy niezbędnych dla zagospodarowania pozyskanego terenu i przeniesienia tam części ekspozycji.
Doskonale, przemyka jej przez głowę. Trzeba grać na nucie efektywności. Takie argumenty powinny zrobić na nim wrażenie.

– Skoro jednak powierzchnia, o której pani mówi, jest rzeczywiście tak niewielka – wtrąca się pan Armitage, zanim Sonny zdołał wyartykułować jakąkolwiek odpowiedź – to dlaczego poświęca pani tyle czasu i energii, żeby nas z niej usunąć? Czy nie byłoby lepiej, gdyby pani zamiast zwalczać nas ze wszystkich sił, skoncentrowała swoje wysiłki na działaniach zmierzających do podniesienia symbolicznej sprzedaży na choćby odrobinę wyższy poziom?

– Poziom ten byłby wyraźnie wyższy, gdyby nie odebrano nam części powierzchni handlowej!

– Właśnie! – wtóruje jej Oskar, a chwilę po nim to samo czynią Salman i Kurt.

To jedno słowo poparcia wystarcza, żeby panna Dalloway zesztywniała od czubka głowy po czubki palców u stóp, niczym skórzana pochwa, w którą właśnie wsunięto szablę.

– Moi pracownicy mogą zaś zgodnie potwierdzić, iż nasze zaangażowanie w wykonywanie obowiązków służbowych byłoby znacznie większe, gdyby nie powtarzające się akty agresji ze strony Komputerów. Jak możemy się skoncentrować na obsługiwaniu klientów, skoro co chwila stajemy się obiektem niewybrednych ataków oraz prześladowania?

– Jeśli przez „ataki i prześladowanie" rozumie pani walkę o to, co nam się prawnie należy, to całkowicie się z panią zgadzam – ripostuje Armitage. – Tak jest, atakowaliśmy i prześladowaliśmy, ale nie musielibyśmy uciekać się do tych środków, gdyby pani wraz z jej Molami Książkowymi od samego początku nie przyjęła obstrukcyjnej, a nawet buntowniczej postawy.

– Buntowniczej!

– Decyzja, dzięki której otrzymaliśmy dodatkową powierzchnię, została podjęta przez Zarząd – czy nie tak, panie Sonny? Przez ludzi odpowiedzialnych za Days. To chyba jasne, że odmowę podporządkowania się jej należy traktować co najmniej jako akt niesubordynacji, jeśli nie buntu.

– Proszę nie przesadzać. – Panna Dalloway oblewa się rumieńcem. Spodziewała się czegoś takiego. Pan Armitage odwraca kota ogonem, usiłuje stworzyć wrażenie, że słuszność jest po jego stronie. – On przesadza, proszę pana – zwraca się do Sonny'ego. – Sugeruje, że występując przeciwko niemu, występuję równocześnie przeciwko panu. To oczywiście nieprawda. Jak już wspomniałam, od dwudziestu pięciu lat jestem lojalnym pracownikiem tego sklepu. Przecież nie przeciwstawiałabym się ludziom, którzy od ćwierć wieku są moimi pracodawcami, prawda?

– Doprawdy? – pyta Armitage z ironicznie uniesioną brwią.

– Naturalnie!

– Skoro jednak ja wykonuję polecenia braci Day, a pani mi się przeciwstawia, to prosta logika nakazuje wyciągnąć wniosek, że występuje pani również przeciwko nim.

– Skoro A równa się B i B równa się C, to A równa się C, tak? Och, gdyby świat rzeczywiście chciał się stosować do pańskich prostych logicznych zasad! – Panna Dalloway zbliża się o krok do Sonny'ego, w nadziei że w ten sposób zmniejszy dzielącą ich nie tylko fizyczną odległość. Czuje na twarzy podmuch jego oddechu i nagle rozumie przyczynę jego apatycznej obojętności. Jest wstrząśnięta, zdaje sobie jednak sprawę, iż nie może sobie pozwolić nawet na chwilę dekoncentracji. – Gdyby pan widział, jak rzucili się na tę dodatkową powierzchnię! Ani słowa przeprosin, ani śladu wyrzutów sumienia, tylko arogancka pewność siebie i przekonanie, że pokornie oddam im wszystko, czego sobie zażyczą. Gdyby pan to widział, z pewnością przyznałby mi pan rację, że na to nie zasługują.

– Ach, więc nie zajmujemy się już tym, co otrzymaliśmy, tylko tym, na co zasługujemy! – stwierdza pan Armitage z wyniosłym uśmiechem. – Chodzi o nasze nastawienie i zachowanie, które w swej niezmierzonej mądrości uznała pani za niestosowne.

– Niestosowne, obraźliwe, gruboskórne...

– Czy byłoby inaczej, gdybyśmy zjawili się z bukietem i bombonierką i powiedzieli grzecznie: „Panno Dalloway, czy byłaby pani taka uprzejma i odstąpiła nam dziesięć metrów kwadratowych swojego działu, które bracia Day zechcieli nam przydzielić?". Ustąpiłaby pani wtedy bez szemrania? Wątpię.

– Przynajmniej mogłabym rozważyć taką ewentualność.

– A potem i tak zrobiłaby pani to samo. – Armitage spogląda znacząco na Sonny'ego i wzrusza ramionami. – To nie ma sensu, proszę pana. W ten sposób do niczego nie dojdziemy. Panna Dalloway musi wreszcie zrozumieć, że nie może ot, tak sobie ignorować decyzji pańskiej i pańskich braci. Wszyscy wiemy, co to znaczy urażona duma, niekiedy jednak trzeba przyznać się do porażki i zaakceptować to, co nieuchronne. Zachować się jak mężczyzna, jeśli wolno mi użyć tego określenia w stosunku do kobiety.

– Żaden mężczyzna nie pozwoliłby, żeby traktowano go w taki sposób jak mnie – stwierdza wyniośle panna Dalloway. – Kobiety wielokrotnie dawały dowody na to, że potrafią z godnością znosić niesprawiedliwość i upokorzenia. Myślę, że w związku z tym częściej powinno używać się określenia „zachować się jak kobieta", i że powinno ono mieć bardzo pozytywny wydźwięk!

– Niech pani nazywa to sobie, jak pani chce. Przełknąć gorzką pigułkę. Wycofać się na z góry upatrzone pozycje. Ugiąć się pod presją. Popłynąć z prądem.

– Akurat temu prądowi zamierzam opierać się ze wszystkich sił.

– Drzewo, które ugina się pod podmuchami wiatru, przetrwa najdłużej.

Panna Dalloway nie jest w stanie powstrzymać pogardliwego parsknięcia.

– Skąd wygrzebał pan tę żałosną sentencję? Z jakiegoś taniego podręcznika dla ambitnych przedstawicieli kadry kierowniczej średniego szczebla?

Czy tylko jej się wydaje, czy pan Armitage krzywi się boleśnie? Czyżby udało jej się posłać celną strzałę, która znalazła szczelinę w nieprzeniknionym do tej pory pancerzu? Nawet jeśli tak, to kierownik Komputerów błyskawicznie odzyskuje równowagę.

– Tylko mądry człowiek wie, jak sobie radzić ze zmianami.

– A jeszcze mądrzejszy potrafi odróżnić zmiany dobre od niedobrych. Nie wszystko, co nowe, musi równocześnie być lepsze. Być może nie dotyczy to świata komputerów, gdzie niemal każdy produkt jest przestarzały już w chwili, kiedy trafia do sprzedaży, ale w innych dziedzinach życia nowe nie zastępuje automatycznie starego – chyba że „nowe" wprowadzają w życie ludzie tacy jak Stalin, Mao albo Pol Pot. Zwykle nowe stanowi przedłużenie tradycji. Pojawia się w sposób naturalny. Nikt go nikomu nie narzuca jak nowej wersji oprogramowania albo szybszego procesora. Nikt nie musi go mieć, jeśli tego naprawdę nie chce.

– Kiedy opowiada pani o tradycji, od razu wyobrażam sobie stertę zakurzonych książek, których nikt nie czyta ani nie potrzebuje.

– Niekiedy tradycja trwa dlatego, że wciąż żyje. Na przykład kiedy pan Septimus dzielił Days na siedemset siedemdziesiąt siedem działów identycznej wielkości, niezależnie od tego co, w jakiej liczbie i przez ile osób miało być w każdym z nich sprzedawane, czynił to, aby zademonstrować, że wszystkie działy traktuje jednakowo i nie zamierza żadnego faworyzować.

– Ale przecież nie można porównywać działów z Peryferii, gdzie mogą mówić o dużym szczęściu, jeśli trafi im się chociaż jeden klient dziennie, na przykład z Biżuterią! To śmieszne!

– Proszę mi pozwolić dokończyć. Dla pana Septimusa, czyli dla pańskiego ojca, panie Sonny, wszystkie działy były jednakowo ważne. Oczywiście nie sposób porównywać pod względem finansowym Biżuterii z Pojedynczymi Skarpetkami, ale dzięki temu, że jest Biżuteria, mogą też funkcjonować Pojedyncze Skarpetki, prawdziwe błogosławieństwo dla wszystkich, którzy utracili podczas prania jedną skarpetkę, a nie chcą lub nie mogą kupować nowej pary. Days nadano taką strukturę, by panowała tu wewnętrzna równowaga, by wszystkie części składowe wzajemnie się wspomagały i uzupełniały.

– Skoro tak, to dlaczego tyle działów znikło albo połączyło się z innymi, kiedy bracia zajęli Piętro Fioletowe na swoje potrzeby? – pyta Armitage. – Czy zakłóciliby tę równowagę, gdyby rzeczywiście była tak istotna?

– Być może nie do końca zdawali sobie sprawę z wagi i konsekwencji swoich czynów – mówi panna Dalloway, starannie dobierając słowa i uważnie obserwując Sonny'ego na wypadek, gdyby nieprzychylnie zareagował na jej wypowiedź. Nic jednak nie świadczy o tym, żeby poczuł się dotknięty; prawdę powiedziawszy, nic nie świadczy również o tym, żeby dotarło do niego cokolwiek z tego, co mówiła przez kilka ostatnich minut.

– A ta swoje! – wykrzykuje pan Armitage, wznosząc ręce ku niebu. – Czy pan słyszy, panie Sonny? Kwestionuje wasze decyzje, podaje w wątpliwość wasze menadżerskie kwalifikacje! Jak długo jeszcze zamierza pan jej na to pozwalać?

– Można by pomyśleć, że dyskutowanie o strategii zarządzania firmą to coś w rodzaju herezji.

– A czy tak nie jest?

– Tylko kompletny idiota albo fanatyk bez szemrania podporządkowuje się każdej decyzji przełożonych!

Panna Dalloway zdaje sobie sprawę, że w ten sposób nie poprawia swoich notowań, niemniej jednak uważa, że trzeba było to wreszcie powiedzieć.

– Doprawdy, panno Dalloway, chyba pomyliła mnie pani z kimś, kogo sama sobie pani wymyśliła. Próbuje mnie pani przedstawić jako dzikiego, drapieżnego potwora, ponieważ potrzebuje pani właśnie takiego przeciwnika, podczas gdy naprawdę – i w głębi serca pani doskonale o tym wie – jestem po prostu kierownikiem działu stosującym się do otrzymanych poleceń.

– Panie Sonny – mówi panna Dalloway – słyszał pan z ust samego pana Armitage'a, że on i jego ludzie napastowali nas, grozili nam i próbowali nas nastraszyć. Widzi pan, z jaką pogardą ten człowiek traktuje mój dział. Nie ulega wątpliwości, iż wykorzystuje decyzję Zarządu jako pretekst do realizacji własnych niecnych celów. Zwykła ludzka sprawiedliwość wymaga, żebyście, panowie, zmienili swoją niefortunną decyzję. Nie ma to nic wspólnego z przyznaniem się do błędu: to będzie po prostu nowa *lepsza* decyzja.

– Proszę pana, tu chodzi o zasady! Jeżeli jej ustąpicie, wszyscy kierownicy działów, wszyscy sprzedawcy dojdą do wniosku, że mogą postępować według własnego uznania i że nic im za to nie grozi!

– Najważniejsza zasada, której za wszelką cenę należy bronić, jest taka, żeby każdy dział rządził się i rozwijał zgodnie ze swoimi możliwościami i potrzebami!

– Najważniejsze są korzyści dla całego sklepu!
– Te rzeczy wcale się nie wykluczają!
– Właśnie że tak!
– Co pan o tym sądzi, proszę pana?
– Proszę pana?
– Halo?...

11.56

Głowa Sonny'ego kręci się w lewo i prawo, zamglony wzrok przenosi się z pana Armitage'a na pannę Dalloway i z powrotem. Wymiana zdań następuje tak prędko, że w końcu traci rozeznanie, kto co powiedział. Od czasu do czasu dociera do jego świadomości jakieś słowo lub zdanie, ale jest to dla niego bełkot, nagromadzenie słów połączonych ze sobą bez żadnego sensu i nie wiadomo w jakim celu – chyba że tylko po to, by go całkowicie zdezorientować. Czuje się, jakby słuchał radia odbierającego jednocześnie dwie stacje nadające na niemal identycznych częstotliwościach: chwilami lepiej słychać jedną, chwilami drugą.

Twarze tych ludzi niewiele mogą mu pomóc. Mężczyzna wygląda całkiem porządnie, takiemu gościowi można zaufać, kobieta natomiast – z tym swoim spiczastym nosem i zadartą brodą – sprawia wrażenie kogoś, kto nigdy się nie myli. Czy to możliwe, żeby oboje mieli rację? Czy to jeden z tych nierozwiązywalnych problemów w rodzaju: jak klaskać jedną ręką albo określić, po wypadnięciu ilu włosów człowiek zaczyna łysieć.

W uszach rozbrzmiewają mu słowa Thurstona: „Pamiętaj, że idziesz tam tylko po to, żeby przekazać decyzję". Problem polega na tym, że Sonny za nic w świecie nie może sobie przypomnieć, jaka to decyzja. Musi jednak jakoś zareagować, inaczej bowiem tych dwoje będzie wytrząsało się nad nim do wieczora.

Chcą, żeby coś powiedział?

Doskonale.

11.57

– Jedno z was ma rację, drugie jej nie ma.

– Tak jest.

– To prawda, proszę pana.

– Przynajmniej w tej sprawie się zgadzacie. Chyba nie ma większych szans, żebyście zgodzili się w innej?

Panna Dalloway i pan Armitage wymieniają spojrzenia.

– Nie, proszę pana – odpowiadają jednocześnie.

– Tak myślałem. W takim razie... – Sonny wsuwa rękę do kieszeni marynarki. – Na studiach, kiedy czasem nie mogliśmy się dogadać... – Kieszeń jest pusta, sprawdza więc w drugiej. – ... rzucaliśmy kartę. – Podobnie jak w poprzedniej w tej kieszeni również nic nie ma. – Zwykle moją, bo chłopaki lubili ją oglądać. – Postanawia sprawdzić w kieszeni na piersi. – To było dla nich nieliche przeżycie.

Wreszcie wyciąga Osmową. Smoliście czarna, dyskretnie połyskująca, tak rzadko pojawia się w części handlowej sklepu, że nabrała już cech przedmiotu niemal mitycznego. Nawet ci, którzy już ją kiedyś widzieli, nie mogą oderwać od niej oczu.

– Teraz zrobimy to samo. Rzucę ją, i jeśli logo będzie na wierzchu, wtedy pan – wskazuje na Armitage'a – będzie mógł zająć tę dodatkową powierzchnię, a jeśli na wierzchu będzie pasek magnetyczny z moim podpisem, wtedy pani – wskazuje na pannę Dalloway – będzie miała do niej prawo. W porządku? Wszystko jasne? Logo – pan. Pasek magnetyczny – pani. To chyba proste, prawda? I uczciwe. No dobrze, wszyscy gotowi?

Sonny zaciska prawą rękę w pięść, zgina kciuk, starannie kładzie na nim kartę. Pan Armitage obserwuje go z założonymi rękami, dając wszem i wobec do zrozumienia, że nie obchodzi go szczególnie, jak upadnie karta ani to, że właśnie w ten sposób zostanie rozstrzygnięty spór. Skoro jeden z braci Day wybrał taką metodę, to on, kierownik Działu Komputerów, nie ma nic przeciwko temu.

Panna Dalloway natomiast nie wierzy własnym oczom i uszom. W głębi duszy wciąż jeszcze ma nadzieję, że to tylko żart, że lada chwila pan Sonny schowa kartę, mrugnie porozumiewawczo i powie z uśmiechem: „Tylko żartowałem", zaraz potem zaś dokona wnikliwej oceny sytuacji i podejmie rozważną, przemyślaną decyzję. Niestety, nic na to nie wskazuje, on chyba naprawdę zamierza wprowadzić w życie ten absurdalny pomysł, jej los naprawdę będzie zależał od trajektorii kawałka plastiku.

Czy może na to cokolwiek poradzić? Czy może wyrwać mu kartę i zażądać, żeby się nie wygłupiał? Czy może chwycić go za kark i potrząsać nim tak długo, aż otrzeźwieje i zacznie się zachowywać jak dorosły odpowiedzialny człowiek, a nie jak pijany gnojek w studenckim barze? Oczywiście, że nie. Jedyne, co jej pozostaje, to podać ręce stojącym za nią pupilom i starać się zaczerpnąć jak najwięcej energii z trzech par spoconych dłoni, które zaciskają się na jej palcach.

Karta zsuwa się z nieco rozchwianej pięści Sonny'ego i, koziołkując w powietrzu, spada na podłogę. Ląduje paskiem do góry.

Pannie Dalloway serce podskakuje w piersi. Zwyciężyła!

Sonny schyla się, podnosi kartę.

– To się nie liczy – oświadcza. – Nie rzuciłem jej, tylko mi spadła. Trzeba powtórzyć.

Radość zamienia się z powrotem w skuloną, niepewną nadzieję.

– No, dobra.

Sonny ponownie kładzie Osmową na zagiętym kciuku. Wydaje się, że nienaturalna cisza zapadła nie tylko w Komputerach, ale i w całym sklepie, jakby wynik tego rzutu miał zadecydować nie tylko o rozwiązaniu konfliktu między dwoma działami, lecz także o czymś więcej, jakby od tego rzutu zależała przyszłość całego gigamarketu.

Wszyscy wpatrują się w kartę: panna Dalloway, pan Armitage, Mole Książkowe, Technoidzi, grupka zaintrygowanych klientów. Nawet strażnicy – chociaż powinni rozglądać się dookoła, by w porę dostrzec ewentualne niebezpieczeństwo zagrażające ich pracodawcy – zerkają z ukosa na Osmową i jej właściciela.

Chociaż panna Dalloway nie jest osobą szczególnie wierzącą, to jednak się modli. Modli się o to, żeby na tym świecie – chociaż wszystko wskazuje, iż świat postradał zmysły – zachowała się jednak choćby ta jedna maleńka oaza rozsądku, w której wszystko dzieje się tak, jak powinno. Modli się o to, żeby – chociaż sprawiedliwość została w tym przypadku zredukowana do loterii, z równymi szansami na zwycięstwo i przegraną – prawda jednak zatriumfowała. Modli się o to, żeby miał rację Samuel Butler, który napisał kiedyś: „Choć ślepa jest sprawiedliwość, słabszym często okazuje litość". Przede wszystkim jednak modli się o to, żeby, kiedy pan Sonny ponownie rzuci kartę, ta powtórzyła swoje wcześniejsze ewolucje i spadła na podłogę tą samą stroną co poprzednio.

Sonny wsuwa czubek kciuka pod palec wskazujący. Ścięgna u nasady kciuka naprężają się, tworząc dwie równoległe linie. Przez chwilę nic się nie dzieje i panna Dalloway jest nawet skłonna uwierzyć, że czas wstrzymał swój bieg, że pan Sonny nigdy nie rzuci karty, że już na zawsze pozostanie zawieszona między rozpaczą i nadzieją.

A potem kciuk wyskakuje spod palca wskazującego jak uwolniona sprężyna, połyskujący metalicznie płaski pocisk rozpoczyna krótki paraboliczny lot, obracając się w powietrzu, osiąga najwyższy punkt trajektorii tuż przed nosem Sonny'ego, po czym opada, wciąż wirując wokół własnej osi. Panna Dalloway próbuje zmusić go myślami, żeby wylądował paskiem magnetycznym do góry, stara się siłą woli w taki sposób ustawić molekuły powietrza, żeby te odpowiednio przyspieszyły lub spowolniły jego obroty, żeby spadł na nieprzyjacielski grunt tak, aby mogła cieszyć się zwycięstwem. Cieniutki, prawie nieważki przedmiot spada, wydawałoby się, całą wieczność. Jego upadku ani odrobinę nie przyspiesza fakt, że gdyby przedstawić bogactwo, które reprezentuje, w postaci jednolitego bloku metalu, od którego wziął nazwę, to tego bloku nie byłoby w stanie dźwignąć nawet dziesięciu silnych mężczyzn. Spada i spada, aż wreszcie styka się zaokrąglonym rożkiem z węzełkami wykładziny dywanowej, odbija się, uderza o nią innym rożkiem, wiruje jak baletnica, waha się, wreszcie się przewraca.

Panna Dalloway boi się spojrzeć.

– Oskar? Powiedz mi, jak upadła?

Milczenie Oskara mówi jej wszystko.

Ogromnym wysiłkiem woli zmusza się, żeby opuścić wzrok na dwa stykające się półkola, prawe srebrzystoszare, mieniące się drobniutkimi ziarenkami miki, lewe lśniące gładką czernią świeżo położonego asfaltu.

11.58

– Co on robi? – pyta Wensley. – Nic nie widzę.

– Z drugiej kamery lepiej widać – mówi Mungo. – Odrobinę.

Wskazuje na sąsiedni megaekran złożony z szesnastu monitorów. Rozgrywa się na nim ta sama scena co na pierwszym, tyle że oglądana z nieco innego miejsca: Sonny przemawia do kierowników obu działów, wyjmuje kartę, pokazuje ją im. Oba obrazy, powiększone do znacznych rozmiarów, są niewyraźne i nieostre. Karta wygląda jak rozmazana czarna plama, garnitur Sonny'ego jak człekokształtna ciemnoszara plama, twarze jego słuchaczy jak białe, pozbawione wyrazu owale.

– Po co mu ta karta? – dziwi się Fred.

– Może oznaka władzy? – zastanawia się Thurston.

Chas kiwa głową.

– Rzeczywiście, z Osmową nie ma dyskusji.

– Szczególnie z taką, na której figuruje nazwisko Day – dodaje Sato.

– Ho, ho! Wypadła mu! – Fred rechocze donośnie. – Powinieneś mocniej trzymać pieniądze w garści, Sonny! No, podnieś ją. Grzeczny chłopiec. Rety, znowu ją upuścił!

– Mam wrażenie, że rzucił ją celowo – mówi Thurston ze zmarszczonymi brwiami.

– Skądże znowu – stwierdza Mungo z trochę naciąganym przekonaniem. – Widzisz? Podniósł ją i chowa do kieszeni. Chciał im pewnie tylko przypomnieć, z kim mają do czynienia.

– Szkoda, że nie widać go lepiej – wzdycha Sato.

Na obu ujęciach Sonny jest odwrócony plecami do kamery.

– Byłoby, gdyby wszedł w głąb działu. Tam zawsze jest więcej kamer.

Ciemna część gigantycznej kopuły zasłania równo połowę okien Biura. Septimus Day wciąż spoziera surowo, choć bezsilnie, ze swego portretu. Bracia powoli się odprężają. Wygląda na to, że Sonny sprostał zadaniu, że ich obawy były nieuzasadnione. Może jednak będą mogli pracować razem, w siedmiu, tak jak pragnął ich ojciec.

Mungo przypomina Chasowi, że zbliża się pora ich codziennej partii tenisa. Kiedy wychodzą z Biura i udają się do swych apartamentów, żeby się przebrać, Mungo czuje wyraźnie, iż szacunek, jakim do tej pory darzyli go bracia, jeszcze się zwiększył, a wszystko dzięki odważnym i trafnym decyzjom, które podjął tego przedpołudnia.

To bardzo miłe uczucie.

11.59

– No dobra – mówi Sonny, chowając kartę do kieszeni. – Muszę już zmykać. Bracia na pewno mają dla mnie jakąś nową robotę. Gratulacje dla zwycięzców, wyrazy współczucia dla przegranych. Decyzja zapadła. Do widzenia wszystkim.

Strażnicy ustawiają się w szyku i pięcioosobowy pochód rusza w kierunku, z którego przybył.

Panna Dalloway prawie przez minutę nie jest w stanie wykrztusić ani słowa.

– Decyzja? – wybucha wreszcie, odzyskawszy głos. – To ma być decyzja? To jej całkowite przeciwieństwo, karykatura, wynaturzenie! Panie Sonny? Halo, panie Sonny!

Rusza w pogoń za pracodawcą, lecz pan Armitage zatrzymuje ją silną ręką.

– Proszę się uspokoić. Przegrała pani. Trzeba się z tym pogodzić.

Kierowniczka Działu Książek nigdy w życiu nie czuła tak silnej pokusy, żeby rąbnąć kogoś w szczękę. Powstrzymuje się przed tym z największym trudem i tylko odpycha rękę mężczyzny z taką miną, jakby miała do czynienia z rozjuszoną tarantulą.

– To jeszcze nie koniec – oświadcza. – To jeszcze nie koniec.

Z wysoko uniesioną głową odwraca się na pięcie i opuszcza wrogi teren. Natychmiast po powrocie do Książek jej pupile otaczają ją zatrwożoną gromadką.

– I co teraz, proszę pani? – pyta Kurt.

– Musimy ustąpić, prawda?

– Wygląda na to, że nie mamy wyboru – mówi Salman. – Przecież pan Sonny...

– Niech szlag trafi pana Sonny'ego! – parska wściekle panna Dalloway. – Niech szlag trafi jego braci, wszystkich razem i każdego z osobna! Jeżeli myślą, że wolno im w taki sposób traktować długoletniego lojalnego pracownika, to czeka ich spore zaskoczenie.

– Ale przecież przegraliśmy...

– Przegraliśmy, Oskarze? Przegraliśmy? Wręcz przeciwnie. – Twarz panny Dalloway płonie, rozpalona czystą szlachetną wściekłością. – Jak powiedział Paul Jones: „Walka jeszcze się nawet nie zaczęła".

Wybija południe.

XXIII

Siódma Aleja: ulica w Nowym Jorku, jeden z jej odcinków nazywany jest niekiedy Aleją Mody

12.00

Południe zastaje Lindę Trivett w Krawatach na Piętrze Niebieskim, przetrząsającą torebkę w poszukiwaniu listy zakupów. Musi znaleźć numer katalogowy krawata, który wybrała dla Gordona, w inny sposób bowiem z pewnością nie uda się jej go odszukać. Krawaty są dosłownie wszędzie: zwieszają się jak liany z żyłek rozpiętych między regałami, wiszą kiściami na obrotowych stelażach, zdobią szyje kadłubkowych manekinów, leżą w gablotach i przeszklonych szufladach, zdobią ściany i filary. Szanse na znalezienie w tej nieprzebranej masie akurat tego jednego jedynego są takie same jak na odszukanie konkretnego ziarnka piasku na pustyni.

Ale samo szukanie to też niezła zabawa, Linda buszowała więc co najmniej przez kwadrans, dotykając, przekładając i podziwiając. Tak, to był doskonały pomysł, żeby się rozłączyć. Gdyby przywlokła tu ze sobą Gordona, z pewnością nie zdołałaby spokojnie przejrzeć oferty, no i oczywiście nic by nie wyszło z niespodzianki. Sama może chodzić, gdzie się jej podoba, i poświęcać dowolnie dużo czasu przedmiotom, które zwrócą na siebie jej uwagę. Nie czuje za plecami jego milczącej obecności, nie musi się przejmować jego zniecierpliwieniem. Oczywiście brakuje go jej, nawet bardzo, chętnie spędziłaby z nim cały dzień, choćby po to, by dzielić się z nim uczuciem triumfu, niemniej jednak nie ma najmniejszej wątpliwości, iż ta chwilowa separacja wyjdzie im tylko na dobre. Linda podejrzewa również, że w przyszłości, w trosce o ich małżeńskie szczęście, powinni odwiedzać Days nie wspólnie, lecz raczej osobno.

Nie wie, co teraz porabia Gordon, ale ma nadzieję, że jest bezpieczny i dobrze się bawi.

Wreszcie wyławia z torebki świstek z numerami katalogowymi krawata, zegara oraz pozostałych przedmiotów z listy zakupów i podchodzi do najbliższego sprzedawcy.

– Przepraszam pana, ale szukam...

Milknie w pół zdania.

– Czego szanowna pani szuka?

– Och, nieważne – mówi z uśmiechem. – Właśnie znalazłam!

– Tak zwykle bywa – odpowiada ekspedient. – Jak tylko przyjdzie hydraulik, kran natychmiast przestaje przeciekać.

Linda śmieje się, dziękuje mu i kieruje się do stojaka, gdzie wśród dziesiątków innych krawatów wypatrzyła ten w monety.

– Uwaga, klienci...

Podnosi wzrok. Jakież to ekscytujące: kolejna błyskawiczna wyprzedaż. Nieco ponad godzinę temu ogłoszono taką w Maszynach Rolniczych, i choć szybki rzut oka na mapę upewnił Lindę, iż dzielą ją od tego działu cztery piętra i kilkusetmetrowa odległość w płaszczyźnie poziomej, to i tak odczuwała ogromną pokusę, żeby popędzić tam co sił w nogach. Na widok innych klientów, którzy to właśnie robili, ogarnęło ją przemożne pragnienie, żeby postąpić tak samo. Przecież mogę to zrobić, myślała. Ja też mogę z tego skorzystać. Nie jestem od nich gorsza. Na szczęście zachowała dość przytomności umysłu, aby zdać sobie sprawę, iż w jej niewielkim przydomowym ogródku nie na wiele zdadzą się ciężkie maszyny rolnicze. Gdyby wyprzedaż ogłoszono w innym dziale – jakimkolwiek – przypuszczalnie by tam pobiegła.

Teraz słucha uważnie.

– Przez najbliższe pięć minut wszystkie towary w Krawatach będą sprzedawane z dwudziestoprocentowym upustem. Krawaty mieszczą się w południowo-wschodniej części Piętra Niebieskiego. Można do nich dotrzeć windami oznaczonymi literami G, H oraz I. Powtarzam: oferta jest ważna jedynie przez najbliższe pięć minut. Za wszystkie artykuły nabyte po tym czasie trzeba będzie zapłacić pełną cenę. Dziękuję państwu za uwagę.

Linda rozgląda się dookoła, by sprawdzić, w którą stronę pobiegną inni klienci. Tym razem na pewno do nich dołączy. Tym razem nie przepuści okazji.

Widzi napięte niespokojne twarze.

– O, cholera... – dociera do jej uszu szept sprzedawcy, z którym przed chwilą rozmawiała.

I wtedy do niej dociera.

Wyprzedaż jest w Krawatach.

Czyli tutaj. T u t a j.

Uczucie, które ogarnia Lindę Trivett, jest zbyt gwałtowne i złożone, żeby dało się je nazwać. Zalewa ją niczym gigantyczna biała fala, oczyszcza jej myśli, wyostrza zmysły, zmywa niepewność. Linda już wie, co ma robić, mało tego: wie na pewno, że do tego właśnie jest przeznaczona. Nigdy jeszcze nie miała tak precyzyjnie wytyczonego celu, nigdy tak dokładnie nie wiedziała, w jaki sposób go osiągnąć. Żyły wypełnia jej roztopiony ołów o temperaturze lodu. Linda wie, czuje, widzi. Wydaje jej się, że jest wszędzie.

Ręką drżącą z podniecenia ściąga ze stelaża upatrzony krawat i rozgląda się w poszukiwaniu najbliższej kasy. Dwudziestoprocentowy upust. A więc jedna piąta. Klienci zgarniają krawaty całymi naręczami. Gdzieś daleko szybko narasta jakby szum albo pomruk. Dwadzieścia procent. Pospiesznie, bez namysłu, chwyta jeszcze trzy krawaty. Jeden w skrzydlate błękitne świnie, drugi jest cały zadrukowany liczbami w układzie dwójkowym, tworzącymi coś w rodzaju kropkowanego wzoru, trzeci identyczny jak ten, który wybrała jeszcze przed ogłoszeniem wyprzedaży. Nie szkodzi, Gordon codziennie chodzi do pracy w krawacie, na pewno mu się przydadzą. Kątem oka Linda dostrzega pierwszych poławiaczy okazji, którzy wpadają pędem przez pobliskie wejście do działu.

Wlewają się niczym żądne krwi i łupów mongolskie hordy, wymachując kartami Days niczym szablami, z szeroko otwartymi, lecz milczącymi ustami – wojownicy Dżyngis-chana wydawaliby mrożące krew w żyłach okrzyki wojenne – i z dzikim wzrokiem. Linda, z czterema krawatami w rękach, nie ustępuje im z drogi, nie ucieka, nie stara się ukryć. Wyprostowana, dumna, czeka z godnością na ich przybycie. To *jej* krawaty i nikomu ich nie odda.

Kiedy dociera do niej forpoczta pędzącego co sił w nogach tłumu, nie stawia oporu, lecz daje się unieść. Przed oczami migają jej wyszczerzone zęby, utrefione włosy, wytrzeszczone oczy, zakrzywione jak szpony palce i młócące powietrze ramiona. Nagle, nie wiadomo jak ni skąd, czyjaś pięść ląduje na jej kości policzkowej i niemal równocześnie ktoś z potworną siłą następuje jej na nogę, ona jednak nadal daje się nieść ciżbie, wali łokciem w czyjeś żebra, uderza kolanem w czyjeś udo. Krawaty z jedwabistym świstem ześlizgują się z wieszaków i stelaży.

Linda otrzymuje mocny cios w plecy, leci do przodu, boleśnie przygryza sobie język, niewiele brakuje, żeby wypuściła krawaty z rąk. Odwraca się, staje twarzą w twarz ze starszą od siebie kobietą z rozwianą strzechą siwiejących włosów, która wymachuje jej przed nosem kawałkiem połyskującego chromem plastiku.

– To moje! Mam Palladową! To moje krawaty!

– Właśnie że moje – odpowiada spokojnie Linda – a jeżeli miałabym je komuś oddać, to na pewno nie takiej starej wiedźmie, która nawet nie wie, jak ufarbować odrosty!

Z gardła kobiety wyrywa się ryk lwicy. Wyciąga ręce po krawaty, Linda jednak reaguje równie błyskawicznie co bezwzględnie: cofa się o krok, schyla, celnym kopnięciem podcina nogi napastniczce. W normalnych okolicznościach nigdy nie zdobyłaby się na coś takiego, tutaj jednak takie zachowanie wydaje jej się całkowicie naturalne i na miejscu. Tamta, padając, usiłuje rozpaczliwie chwycić się jej bluzki, Linda jednak bez trudu wykonuje unik.

– Suka! – drze się kobieta, leżąc już na podłodze.

– Dziwka! – rewanżuje się Linda. Ułamek sekundy później ludzka fala unosi ją dalej.

Niczym pływak w wezbranej, rwącej rzece, może jedynie walczyć o to, by utrzymać się na powierzchni. O żadnym świadomym sterowaniu nie może być mowy. Niespodziewanie, w szczelinie, która na chwilę pojawia się przed nią między stłoczonymi głowami, dostrzega kasę. Wściekle kopie nogami, puszcza w ruch obie ręce, tę z torebką i tę z krawatami, za wszelką cenę usiłuje się tam dostać, równocześnie dokonując w myślach błyskawicznych obliczeń. Ile czasu minęło od ogłoszenia wyprzedaży? Ile minut? Jedna? Tysiąc? Szarpana w lewo i prawo, w przód i w tył, wreszcie jakimś cudem dociera do lady, wyciąga kartę, wpycha się między dwie klientki i niemal rzuca krawaty w twarz sprzedawcy, młodemu, najwyżej dwudziestoletniemu chłopakowi. To stażysta, taka informacja znajduje się na jego identyfikatorze.

– Te cztery! – krzyczy. – Szybko!

– Ja byłam pierwsza! – protestuje jedna z klientek. – Przecież pan widział, prawda?

Ekspedient mruga niepewnie. Jest przerażony, bliski łez. Trudno mu się dziwić: te czerwone, wykrzywione, wrzeszczące na niego twarze...

– Właśnie że ja! – krzyczy inna. – Teraz moja kolej!

Sprzedawca przenosi osłupiałe spojrzenie z twarzy na twarz. Kto naprawdę był pierwszy? Kogo obsługiwać?

Linda sięga przez ladę, chwyta go za klapy marynarki, szarpie ku sobie.

– Teraz ja, albo wylecisz z roboty!

To rozwiewa jego wątpliwości. Bierze od niej krawaty, wsuwa kartę do czytnika. Klientki po lewej i po prawej stronie głośno dają wyraz swemu oburzeniu; Linda kwituje je wydęciem ust i pogardliwym prychnięciem. Gdyby wiedziały, że to jej pierwsza błyskawiczna wyprzedaż w życiu! Dopiero wtedy miałyby się o co wściekać.

Obserwując, jak sprzedawca przesuwa czytnik nad kodami kreskowymi na metkach, Linda pielęgnuje w sercu cudownie ciepłe, rozkwitające, rozrastające się uczucie triumfu.

Zwyciężyła w równej bezpardonowej walce. Ma do tego autentyczny talent.

XXIV

Taniec siedmiu zasłon: erotyczny taniec, który tytułowa bohaterka dramatu Oscara Wilde'a *Salome* wykonuje przed Herodem, aby umilić mu oczekiwanie na egzekucję Jana Chrzciciela

12.00

Południe zastaje Gordona skulonego przed lustrem. Jest odwrócony do niego plecami, a dosłownie milimetry przed jego twarzą śmigają w tę i z powrotem dwie Irydowe. Tęczowe rozbłyski na ich powierzchni są wręcz hipnotyzująco piękne. Nie da się tego powiedzieć o śladach krwi na krawędzi jednej z nich. J e g o krwi.

Krew pochodzi z piekącej, pulsującej rany na prawej dłoni. Jest jej coraz więcej. Cały czas sączy się z rozcięcia, spływa po palcach, kapie na podłogę. Gordon ma wrażenie, że rana sięga kości: chciałby się jej przyjrzeć, ale nie ma dość odwagi.

Dwóch burlingtonów, którzy zapędzili go w ślepy zaułek w Lustrach, zbliża się z pogardliwie wykrzywionymi ustami. Ich Irydowe wykonują szaleńczy taniec dookoła jego głowy. Przekonał się już, jak ostre są te krawędzie; na myśl o tym, co mogą uczynić z jego twarzą, wyrywa mu się z gardła cichy jęk.

Najgorsze w tym wszystkim jest, że wcale nie zamierzał zaglądać do tego działu. Gdyby nie ta kobieta w Rozkosznych Rozrywkach... Gdyby nie Rose...

Pomimo bólu i paraliżującego strachu na wspomnienie Rose Gordon czuje słaby, lecz wyraźny przypływ pożądania. Rose w obcisłym różowym szlafroczku cudownie opinającym jej opływowe kształty, spływającym po jej nagim ciele niczym różowawa woda po gładkich zaokrąglonych skałach. Pamięta ciemny owal wokół sutków pod przezroczystym materiałem, pamięta zniewalający czar jej uśmiechu, pamięta, jak śmiało ujęła go za rękę i powiedziała jak nauczycielka do małego chłopca: „Chodź, zobaczymy, co da się z tobą zrobić". Te słowa wywołały prawdziwą lawinę obrazów i wyobrażeń, która przetoczyła się błyskawicznie przez jego mózg. Pamięta to niezwykle wyraźnie, choć wydaje mu się, że od tamtej pory minęły już całe wieki, a nie zaledwie kilka minut.

Do Rozkosznych Rozrywek nie zamierzał wstępować, ale zwrócił uwagę na kuszący czerwony blask sączący się z wejścia do działu, a słodkawy zapach perfum zwabił go do środka. Kiedy mijał strażnika, dostrzegł – teraz Gordon jest tego pewien – niezbyt dobrze skrywany domyślny uśmieszek na jego twarzy.

Nieco zagubiony, bez mapy, która mogłaby służyć mu pomocą, Gordon nie zorientował się, co się tu sprzedaje. Dwie nagie ścianki działowe tworzyły wąski korytarz prowadzący aż do wejścia po drugiej stronie; w regularnych odstępach pojawiały się otwory drzwiowe zasłonięte szczelnymi kotarami. W zasięgu wzroku nie było ani jednego sprzedawcy. Gdyby nie aromatyczny dym sączący się z zawieszonych u sufitu kadzideł, można by odnieść wrażenie, że dział jest nieczynny albo że znajduje się dopiero w fazie organizacji.

Zamierzał już zawrócić i poprosić strażnika o jakieś informacje, kiedy jego uwagę zwróciły przytłumione odgłosy dobiegające zza niektórych zasłon. Najpierw pomyślał, że wydają je ludzie próbujący przymierzyć elementy garderoby o kilka rozmiarów za małe. Teraz oczywiście wydaje się to zabawne, wtedy jednak naprawdę sądził, że pomieszczenia za kotarami to przymierzalnie i że w każdej znajduje się jakaś otyła osoba usiłująca wbić się w ubranie przeznaczone dla kogoś znacznie szczuplejszego. Dopiero po dłuższej chwili stwierdził, iż odgłosy te docierają do niego „parami", że każdemu stęknięciu odpowiada stęknięcie, każdemu sapaniu – sapanie, że każde gardłowe pojękiwanie jest po chwili dokładnie skopiowane. Kiedy wreszcie zrozumiał, o co chodzi, flegmatyczna i racjonalna część jego umysłu – ta od oceny ryzyka kredytu i kalkulacji odsetek – pomyślała po prostu: „No cóż, to przecież biznes jak każdy inny, nieprawdaż? Całkiem normalna wymiana usług na korzyści finansowe". Równocześnie jednak poruszyło się w nim coś znacznie bardziej niespokojnego, dzikiego, głęboko ukrytego.

Z tego, że ona przy nim stoi, zdał sobie sprawę dopiero wtedy, kiedy się do niego odezwała:

– Witamy pana w Rozkosznych Rozrywkach, proszę bardzo.

Kobieta w przezroczystym różowym szlafroczku. Zaraz potem ujęła go za rękę i wypowiedziała słowa, które uwolniły hordę więzionych przez wiele lat fantazji. Pozycje, o jakich marzył, których nigdy nie spróbował z Lindą, wszystko to, o czym z wypiekami na twarzy czytał w czasopismach i książkach! Oszołomiony rozległością horyzontów, jakie się nagle przed nim otworzyły, i niemal zahipnotyzowany roztaczającą się wokół wonią perfum, pozwolił zaprowadzić się jak dziecko do jednego z pomieszczeń po lewej stronie korytarza. Zasłona zasunęła się za nim, zobaczył wąskie łóżko, obok stolik uginający się pod lubrykantami, prezerwatywami i przeróżnymi gumowymi urządzeniami niepokojących kształtów i rozmiarów, a także czytnik kart zawieszony na ściance dzielącej komórkę od sąsiedniego pomieszczenia, gdzie, sądząc po odgłosach, dość poważna transakcja wchodziła właśnie w końcową, decydującą fazę.

Chciała wiedzieć, jak się nazywa. Przedstawił się i zapytał o jej imię. Odparła, że może do niej mówić, jak chce. Wtedy, patrząc na jej szlafroczek, powiedział:

– Rose.

– A więc jestem Rose. Gordon, jaką masz kartę?

– Srebrną.

– Będę z tobą szczera – powiedziała, starając się ukryć politowanie. – Za Srebrną niewiele u mnie dostaniesz. Ale – dodała pospiesznie, widząc jego minę – i tak możemy się nieźle zabawić, oczywiście jeśli trochę popuścimy wodze wyobraźni.

– Oczywiście.

Wówczas zdjęła szlafroczek, ot tak, po prostu, rozsunęła jego poły i zrzuciła go z ramion, a on różową mgiełką spłynął do jej stóp, i stanęła przed nim całkiem naga, różowa w delikatnym różowym świetle, swobodna i naturalna w swojej nagości, nie tak jak Linda, która zakrywa sobie piersi za każdym razem, kiedy Gordon przypadkowo zobaczy ją w kąpieli, i która kocha się z nim tylko przy zgaszonym świetle. Była szczupła tam, gdzie trzeba, i obfita tam, gdzie należy, wspaniała i majestatyczna. Nie taka jak Linda.

– No to wyciągaj – powiedziała. Drżącymi rękami sięgnął do paska, zaczął gmerać przy rozporku, ale ona roześmiała się i pokręciła głową. – Nie to! Kartę.

– Moja żona... – wykrztusił.

– Ach, twoja żona! Bolesny problem, prawda?

– Nie o to chodzi. Moja żona ma naszą kartę.

Rose ponownie się roześmiała, tym razem zimno i wyniośle.

– W takim razie szybko stąd zmykaj, bo bez karty niczego nie dostaniesz. Ostrzegam, że jeśli spróbujesz zrobić coś, za co trzeba zapłacić, wezwę strażnika, który tu się pojawi w ciągu trzech sekund.

Wskazała duży czerwony przycisk nad łóżkiem.

– Zaaresztuje mnie?

– Za kradzież.

Tępo skinął głową.

– Do zobaczenia, Gordon. Może innym razem.

Schyliła się po szlafroczek, on zaś odwrócił się na pięcie i uciekł. Wypadł z impetem na korytarz, popędził co sił w nogach w kierunku wyjścia, zawstydzony, ośmieszony, z poczuciem winy. Wydawało mu się, że korytarz nigdy się nie skończy, że będzie tak biegł całą wieczność, mijając kolejne komórki z wejściami zasłoniętymi szczelnie zasłonami, aż nagle stwierdził, że jest w Lustrach, zasapany i zaczerwieniony po uszy. Nie ulegało dla niego wątpliwości, że każdy, kto na niego spojrzy, natychmiast się domyśli, gdzie był i co robił, miał to wypisane na twarzy, zapuszczał się więc coraz głębiej w labirynt luster razem z gromadą zawstydzonych, przerażonych, roztrzęsionych, zrozpaczonych Gordonów. W końcu znalazł się w ślepym zaułku, zahamował przed zmierzającym mu na spotkanie odbiciem, zatrzymał się i zawrócił, i wpadł prosto na dwóch stojących przed nim ponuro uśmiechniętych burlingtonów. Zanim zdążył wydusić z siebie jakieś słowo, coś przecięło ze świstem powietrze tuż przed jego twarzą, zasłonił się więc odruchowo i poczuł piekący ból w dłoni...

Usiłuje coś powiedzieć, próbuje zapytać, czego od niego chcą, dlaczego mu to robią, z ust jednak wydobywa mu się tylko ni to pisk, ni jęk, który wyższy burlington natychmiast imituje, jeszcze bardziej pogłębiając jego upokorzenie. Ten burlington - ten sam, który go zranił - ma długą końską twarz i długie końskie zęby, sprawiające wrażenie jeszcze większych, niż są w istocie, a to za sprawą wyraźnie cofniętej dolnej szczęki. Drugiemu chów wsobny, od pokoleń praktykowany przez klasy wyższe, posłużył w jeszcze mniejszym stopniu. Ma niskie czoło, blisko osadzone oczy, wysunięte do przodu usta, ziemistą skórę pokrytą archipelagiem nieprzeliczonych pryszczy. Podczas gdy jego towarzysz wyróżnia się ponadprzeciętnym wzrostem i szczupłą sylwetką, ten jest wyjątkowo niski i przysadzisty; identyczne fryzury i identyczne stroje, złożone ze złocistych marynarek, czarnych rurowatych spodni i najmodniejszych pantofli, tuszują nawet tak drastyczne różnice w budowie ciała, sprawiając, iż ci dwaj osobnicy wyglądają niemal jak bliźniacy.

Gordon rozpaczliwie rozgląda się w poszukiwaniu pomocy, lecz oprócz ich trzech w tej części Luster nie ma żywego ducha. Widzi tylko swoje nieszczęście w kilkunastu wersjach różniących się kątem patrzenia, każda zaś wersja stanowi wariację na ten sam temat: przycupnięta, żałosna postać w przekrzywionych okularach na nosie, łapiąca powietrze rozpaczliwymi płytkimi łykami, z zakrwawioną ręką, osaczona przez dwóch burlingtonów. Gordon jest niemal w stanie uwierzyć, że gdyby w którymś z tych odbić ostra jak brzytwa Irydowa przecięła nagle gardło skulonej postaci, to właśnie nie on, a ona, brocząc krwią i charkocząc, osunęłaby się na podłogę. Myśl jest groteskowa, niewiele bardziej jednak niż sytuacja, w której się znalazł.

Pierwszy burlington mierzy Gordona szyderczym spojrzeniem, a następnie mówi:

– To już nawet takie badziewie wpuszczają do sklepu? To już o takie coś musimy się potykać? Żałosne!

– Żałosne – potwierdza jego kompan.

– Proszę... – Gordon ryzykuje kolejny rozpaczliwy pisk, tym razem jednak udaje mu się odezwać prawie normalnym głosem. – Puśćcie mnie, obiecuję, że nikomu o niczym nie powiem... Po prostu pójdę sobie, i już.

– Sądząc po akcencie, mamy chyba do czynienia z przedstawicielem sektora usług. Przypuszczalnie personel kierowniczy niższego albo średniego szczebla – stwierdza wyższy burlington. – Co o tym myślisz, Algy?

Algy, którego główne zadanie polega na tym, żeby nie mieć własnego zdania, rechocze i kiwa głową.

– Proszę! – powtarza Gordon. – Jestem tylko klientem, takim jak wy.

– Już mam. Bankowość albo ubezpieczenia. Może księgowość, ale raczej coś z tamtych dwóch. Ta służalczość w głosie, to obrzydliwe lizusostwo...

– Jestem kierownikiem działu kredytów w oddziale dużego banku o ogólnokrajowym zasięgu.

Gordon nie próbuje się chełpić ani usprawiedliwiać, mówi po prostu prawdę.

– I pewnie parę ładnych lat ciułałeś ciężko zarobione pensy, żeby założyć konto w Days, a twoja żona łapała różne fuchy, zgadza się? A wszystko po to, żeby tu się dostać, żeby wspiąć się na następny szczebel.

– To był pomysł Lindy... – szepcze Gordon.

– Czy naprawdę nie rozumiesz, czterooka pokrako? – Burlington chwyta Gordona za gardło, wali jego głową w lustro, wpycha mu Irydową pod okulary, przyciska jej róg do powieki, utacza kroplę krwi. – Nie ma żadnej drabiny! To kłamstwo wymyślone po to, żeby nadać waszemu bezcelowemu, niepotrzebnemu życiu jakiś sens, żeby dać wam nadzieję, żebyście zaharowywali się na śmierć, dążąc do swoich upragnionych Aluminiowych i Srebrnych.

W rzeczywistości to nie ma żadnego znaczenia, rozumiesz? Żadnego. Urodziłeś się żałosnym, nudnym palantem z niższej klasy średniej i na zawsze nim pozostaniesz.

– Rupert...

– Nie teraz, Algy – odpowiada wysoki burlington, nie odrywając wzroku od twarzy Gordona. – Jestem zajęty.

– Rupert... Wydaje mi się, że powinieneś go puścić.

Rupert wzdycha głośno.

– O co chodzi, Algy? Czy może być coś ważniejszego niż zademonstrowanie, jak naprawdę funkcjonuje system klasowy?

Spogląda w lustro nad głową Gordona i niedorozwinięta dolna szczęka opada mu o kilka centymetrów.

Za Algym stoi strażnik. Jedną ręką trzyma go za kołnierz, druga spoczywa na kaburze. Rupert puszcza Gordona, cofa się o krok, naostrzona Irydowa znika jak kamfora. Gordon chwieje się, krztusi, sięga ręką do obolałego gardła.

– Dzień dobry – mówi Rupert do strażnika, w okamgnieniu przeistaczając się z sadystycznego snoba w skruszonego ucznika.

– Czy aby na pewno dobry? – pyta strażnik.

– Eee... Ja i mój przyjaciel właśnie tłumaczyliśmy temu człowiekowi, jak ma stąd wyjść. Zdaje się, że zgubił drogę.

– Naprawdę? To miło z waszej strony.

– Też tak pomyśleliśmy.

Gordon próbuje coś powiedzieć, nie sposób jednak zrozumieć charkotu, który wydobywa się z jego zmaltretowanej tchawicy. Na szczęście strażnik widział dość, żeby wyrobić sobie własny pogląd na sytuację.

– Chyba będzie lepiej, jeżeli pan nas opuści – zwraca się uprzejmie do Gordona. – Chcę omówić z tymi chłopcami pewną sprawę prywatnej natury. Zamierzam mianowicie zademonstrować im, jak naprawdę działa system klasowy.

Gordonowi nie trzeba powtarzać dwa razy. Skręcając w pierwszą boczną alejkę, słyszy głos Ruperta:

– Chwileczkę, czy nie moglibyśmy załatwić tego jak rozsąAAAAAAAAAAAA!...

Reszta tonie w głuchym łomocie uderzeń i rozpaczliwych wrzaskach.

XXV

Buty siedmiomilowe: zaczarowane buty, dzięki którym Tomcio Paluch mógł się poruszać ogromnymi, siedmiomilowej długości krokami

12.00

W przełomowym punkcie dnia, w samo południe, po godzinie bezowocnego wałęsania się od działu do działu, Frank zapada w coś w rodzaju letargu.

Nic się nie dzieje. Wokół niego klienci snują się, szperają, wędrują, gapią się, zastanawiają, oglądają, decydują się i rezygnują, sprzedawcy zaś uśmiechają się, kłaniają, namawiają, prezentują, wyjaśniają, inkasują i pakują. Trwa bezustanna wymiana: pieniądz za towar, towar za pieniądz, tak oczywista i wieczna jak przypływy i odpływy morza, Frank zaś nie ma nic innego do roboty, jak tylko przemieszczać się z działu do działu, z piętra na piętro, pozwalając nogom nieść się naprzód, wciąż naprzód, bez wyznaczonego celu. Od czasu do czasu kontaktuje się z Okiem. Jest coś w pobliżu? Czy dzieje się coś, co wymagałoby jego obecności? Za każdym razem otrzymuje tę samą odpowiedź: nic. Oko mówi przyciszonym głosem, hałas w tle też jest mniejszy, zupełnie jakby w oświetlonym blaskiem monitorów pomieszczeniu w Podziemiach także zapanowała całkowita flauta.

Szlak, którym podąża Frank, wielokrotnie krzyżuje się i przeplata. Frank porusza się właściwie wyłącznie dlatego, że za to mu płacą, że na tym polega jego zadanie. Nie stara się do czegoś zbliżyć, nie usiłuje się od czegoś oddalić. Nie podąża ku mecie, nie ucieka z Sodomy i Gomory, wędrówka jest celem samym w sobie, podróż może trwać nawet całą wieczność i nigdzie go nie doprowadzić, jemu jednak wcale to nie przeszkadza.

Kiedy jedzie windą, również się porusza.

Kiedy gapi się na wystawę, również się porusza.

Kiedy stoi na ruchomych schodach, również się porusza.

Kiedy czeka, aż rozładuje się korek w wąskim przejściu, również się porusza.

Kiedy kręci się w pobliżu przymierzalni, sprawdzając, czy klienci wychodzą z nich w tych samych ubraniach, w których tam weszli, również się porusza.

Porusza się bez przerwy, jakby w ciągu trzydziestu trzech lat pracy w charakterze sklepowego detektywa wykształciła się w nim jakaś wewnętrzna siła bezwładności, pchająca go naprzód nawet wtedy, kiedy stoi w miejscu. Gdyby jego nogi nagle znieruchomiały, uznawszy na przykład, że mają dość, że pokonały już znacznie większy dystans, niż powinno przypaść im w udziale, że nie zrobią już ani jednego kroku, to nawet wtedy jego ciało nie zdołałoby się zatrzymać, parłoby wciąż do przodu niczym sonda kosmiczna mknąca na oślep, bez wysiłku, przez kosmiczną pustkę, wciąż naprzód i naprzód, kpiąc z entropii, ku nieskończoności.

Kiedy nic się nie dzieje, czas płynie znacznie wolniej. Myśli strzelają we wszystkie strony z na wpół uśpionego mózgu Franka jak iskry z tlącego się kloca. Głowę wypełnia mu ich wymieszany gwar, monolog strumienia świadomości tak głośny i zwariowany, że korci go, by zasłonić uszy rękami i przeraźliwym krzykiem nakazać mu milczenie.

Pomogłaby mu zwyczajna rozmowa, Duchy jednak z nikim nie rozmawiają, jeśli nie ma ku temu wyraźnej potrzeby. Podczas szkolenia wpaja się im, by ograniczały do minimum nawet kontakty ze współpracownikami, ponieważ ten, kto otwiera usta, zwraca na siebie uwagę. Jeżeli zaś chodzi o klientów, to nawet jeśli któryś z nich pomyli się i zapyta o drogę, albo zagadnie w jakiejś innej sprawie, oschła i lakoniczna odpowiedź stanowi najlepszą reakcję. Dobrego Ducha powinny charakteryzować przede wszystkim cztery cechy: milczenie, wytrwałość, czujność i nieustępliwość. Najważniejsze jest milczenie. Milczenie za wszelką cenę, nawet wtedy, kiedy bezsensowny bełkot otępiałego mózgu doprowadza cię do szaleństwa.

Mijając inne Duchy, Frank odnosi niekiedy wrażenie, że dostrzega w ich oczach ślad tych samych doznań, które kłębią się w jego wnętrzu. Spod profesjonalnej powłoki chłodu i obojętności wyziera z trudem hamowane pragnienie uwolnienia stłoczonych, ściśniętych myśli – najlepiej w grzecznościowej pogawędce, a jeśli to niemożliwe, w dzikim krzyku.

Chociaż być może tylko mu się tak wydaje. Być może to tylko wytwór jego nudzącego się mózgu, który nie ma nic do roboty, podczas gdy nogi niosą Franka niestrudzenie przez doskonale znajomy sklepowy krajobraz. Być może po trzydziestu trzech latach przemierzania wciąż tych samych ścieżek zaczął przypisywać innym własne, nieustannie narastające frustracje.

Teraz, kiedy znowu chodzi i chodzi, i znowu nic się nie dzieje, Frank czuje, jak ponownie zapada się w wewnętrzną otchłań wypełnioną kłębiącymi się bezgłośnie stworami, splątanymi jak kopulujące węże. Z rozdziawionych pysków i wytrzeszczonych błagalnie oczu docierają do niego niewyartykułowane wezwania. Słyszy je wyraźnie, przekonują go bez słów, że powinien dołączyć do nich tam, w dole, zanurzyć się w magmie anonimowości, roztopić się w niej; tam, gdzie twoje imię będzie Legion, gdzie możesz być po prostu jednym z wielu, gdzie zlepek mięsa i kości zwany

Frankiem Hubble'em przestanie cokolwiek znaczyć. Wycofaj się. Ukryj. Schowaj się jak ślimak w skorupie i już nigdy nie wychodź na zewnątrz.

Jakże łatwo byłoby usłuchać tego wezwania. Były Duchy, które to uczyniły. Niejaki Falconer kilka lat temu uwierzył na przykład, że jest autentycznie niewidzialny, i pewnego dnia zjawił się w pracy całkiem goły, sądząc, że i tak nikt tego nie zauważy. Szybko i dyskretnie odesłano go na emeryturę. Niejaki Eames nie zjawił się przez dwa dni w pracy; znaleziono go w jego mieszkaniu, siedzącego na łóżku z podkulonymi nogami i kołyszącego się w przód i w tył. Z ust ciekła mu ślina. Niejaki Burgess dostał ataku szału, wyciągnął pistolet i zaczął strzelać na oślep. Zanim zdołano go obezwładnić, zabił czworo klientów, a sześcioro poważnie ranił. Nikt się nie spodziewał, że ci odpowiedzialni, sprawdzeni, długoletni funkcjonariusze Ochrony Taktycznej załamią się nagle, ale tak się jednak stało, i gdyby Frank został tu jeszcze kilka miesięcy, z nim byłoby podobnie. Któregoś dnia po przebudzeniu się nie znalazłby w sobie dość sił, żeby wstać, ubrać się i wyjść z domu. Znaleźliby go, jak Eamesa, w łóżku. Głęboko w dole, między niemymi upiorami. Zostałby tam już na zawsze.

Tak bez wątpienia wyglądałaby jego przyszłość, gdyby nie postanowił przedsięwziąć środków zaradczych, gdyby już za – dyskretne zerknięcie na zegarek – trzy kwadranse nie wręczył panu Bloomowi swojej rezygnacji.

Trzy kwadranse spowolnionego czasu. Czterdzieści pięć rozciągniętych minut. Dwa tysiące siedemset ospałych sekund odliczanych miarowymi krokami w somnambulicznym jawośnie Całkowitej Nudy Days.

XXVI

Siedmiobój: kobieca konkurencja lekkoatletyczna składająca się z biegu na sto metrów przez płotki, pchnięcia kulą, rzutu oszczepem, skoku wzwyż, skoku w dal oraz biegów płaskich na dwieście i osiemset metrów

12.15

Zimny ostry wiatr chłoszcze dach budynku, przeciska się między sterczącymi w górę niczym kominy parostatku potężnymi wylotami powietrza, omija ze świstem rozmieszczone w regularnych odstępach nadbudówki z maszynowniami wind, szarpie rosnącymi na gazonach i w donicach drzewkami i krzewami, marszczy powierzchnię wody w basenie, targa siatką otaczającą kort tenisowy.

Na korcie Mungo unosi ramiona, wzdycha z rozkoszą, kiedy wiatr ześlizguje się po jego napiętych mięśniach. Zwilża śliną palce, przekręca tułów najpierw w lewo, potem w prawo. Na gołych odkrytych nogach pojawia się gęsia skórka. Dobrze jest znaleźć się poza Biurem. Nie to, żeby Mungo nie lubił zajmować się codziennymi obowiązkami związanymi z prowadzeniem sklepu, skądże znowu. To dla niego wyzwanie, z którym chętnie się mierzy. Najszczęśliwszy jest jednak tutaj, na samej górze, albo w siłowni, gdzie nie musi podejmować żadnego innego wysiłku poza czysto fizycznym.

Po drugiej stronie kortu Chas opiera się nonszalancko na rakiecie. Ma na sobie śnieżnobiałe spodenki tenisowe i bladoróżową koszulkę polo oraz lekki sweter narzucony na ramiona, z rękawami związanymi z przodu. Jego długie włosy powiewają na wietrze. Ziewa demonstracyjnie, Mungo jednak nie zwraca na niego uwagi, tylko kontynuuje rozgrzewkę.

Ponieważ ziewanie nie przyniosło zamierzonego rezultatu, Chas udaje znudzenie, rozglądając się dookoła. Najpierw spogląda w niebo, potem na burobrązowe miasto daleko w dole, ciągnące się ponurymi łatami aż po horyzont. Po jakimś czasie ponownie kieruje spojrzenie na najstarszego brata, który właśnie skończył rozciąganie i zaczął przebieżkę w miejscu.

– Jesteś wreszcie gotów?

– Tak.

– No to znakomicie. Już mi drętwieją nogi.

– Dziesięć za punkt? – pyta Mungo; bierze rakietę do ręki i wyjmuje piłkę z kieszeni. Ponieważ jest starszy, zawsze serwuje jako pierwszy.

– Dwadzieścia. Dzisiaj jestem wyjątkowo pewny swego.

– A może wyjątkowo rozrzutny?

– Jako Day nie mogę być inny.

Mungo cofa się za końcową linię, kilka razy odbija piłkę od gładkiej zielonej nawierzchni kortu, a następnie podrzuca ją, by wykonać zabójczy serw. Piłka uderza w sam narożnik pola serwisowego, odbija się z ostrym plaśnięciem i uderza w ogrodzenie.

– Nieźle – mówi Chas, który nawet nie próbował odebrać podania. – Piętnaście zero.

– I dwadzieścia do tyłu.

– To tylko pieniądze.

Z następnych trzech serwów Chas przyjmuje tylko ten, po którym piłka sama trafia niemal w środek jego rakiety. Mungo bez trudu dobiega do niezbyt silnego returnu i wspaniałym wolejem posyła piłkę w przeciwległy narożnik kortu.

– Widzę, że postanowiłeś się dzisiaj nie przemęczać – zauważa z przekąsem po wygranym z łatwością gemie.

– Staram się uśpić twoją czujność, braciszku.

Serwy Chasa są zwodniczo delikatne, lecz mimo to piłka szybuje z zawrotną prędkością, uzyskaną dzięki nieznacznemu ruchowi nadgarstka na ułamek sekundy przed uderzeniem. Mungo dochodzi do piłki za każdym razem, czyni to jednak z najwyższym trudem. Wymiany są długie, piłka przelatuje nad siatką siedem, osiem, nawet jedenaście razy. Gem dla Chasa. Następny Mungo rozstrzyga na swoją korzyść pięknym asem, ale dyszy już ciężko, podczas gdy Chas jeszcze się nawet nie spocił.

Spotykają się przy siatce.

– Wiesz, co sobie czasem myślę, kiedy tu przychodzę? – pyta Chas.

Stara się maksymalnie przedłużać przerwy między gemami, jakby zależało mu na tym, by wydatkować jak najmniej energii w jak najdłuższym czasie. Mungo toleruje to zachowanie wyłącznie dlatego, że nikt inny spośród braci nie chce grać z nim w tenisa.

– Nie mam pojęcia – odpowiada, ocierając pot z czoła. – Wiem tylko, że grając w takim tempie, masz mnóstwo czasu na myślenie.

– Myślę o zamku i o wsi leżącej za jego murami. Wyobrażam sobie, że jesteśmy feudalnymi panami odbierającymi dziesięcinę od wieśniaków.

– Zawsze wiedziałem, że niepotrzebnie chodzisz na wykłady z historii, filozofii i politologii.

– Och, nie zrozum mnie źle. Wcale nie twierdzę, że tak, jak jest teraz, jest niedobrze. Chcę tylko powiedzieć, że od stuleci w gruncie rzeczy nic się nie zmieniło. Wszyscy jesteśmy niewolnikami historii nieświadomie powielającymi stworzone przed wiekami archetypy.

– To ty tak twierdzisz... Twój serw.

W następnym gemie dochodzi do gry na przewagi. Chas rozstrzyga go na swoją korzyść nonszalanckim backhandem.

– Jeszcze się nie ciesz – ostrzega go Mungo. – Wciąż jesteś mi winien prawie stówę.

W kolejnym gemie Chas stawia zacięty opór, Mungo jednak wygrywa, głównie dzięki potężnemu serwisowi.

– Tylko szaleniec odważyłby przeciwstawić się tobie, Mungo – mówi Chas, kiedy znowu spotykają się przy siatce.

Mungo zerka spode łba na brata.

– Rozumiem, że masz na myśli nie tylko moją grę?

Chas kiwa głową, zadowolony, że aluzja została dostrzeżona.

– Dziś rano zdobyłeś się na odważny czyn. Zawsze stawałeś po stronie Sonny'ego, a my zdążyliśmy się do tego przyzwyczaić, i w jakiś perwersyjny sposób chyba cię nawet za to podziwiamy, ale tym razem naprawdę nadstawiłeś za niego karku. Przez chwilę miałem wrażenie, że Thurston i Sato mogą uderzyć pięścią w stół.

– Przyznaję, było to dość ryzykowne pociągnięcie.

– A gdyby się nie powiodło...

– Pewnie zamknęlibyście Sonny'ego w jego apartamencie i wyrzucilibyście klucz.

– Coś w tym rodzaju.

– Ojciec na pewno byłby zadowolony.

– Gdybyśmy zamknęli Sonny'ego?

– Że udało się zachować jedność.

– Bez względu na koszty?

– Bez względu na koszty. W końcu po coś chyba zadał sobie tyle trudu, żeby było nas właśnie siedmiu?

– O ile sobie przypominam, osobą, która zadała sobie ten trud, była nasza matka. Ojciec tylko obliczał daty i przekupywał lekarzy, żeby każdy z nas urodził się we właściwym dniu tygodnia. To był dziwny człowiek. Nawet bardzo dziwny, jeśli się nad tym zastanowić.

– Był wizjonerem – mówi Mungo takim tonem, jakby to wszystko usprawiedliwiało.

– Jednookim wizjonerem. Jak się nazywa ktoś taki? Półwizjoner? Monowizjoner?

– To także stanowiło część jego wizji. Słuchaj, czy przyszliśmy tu, żeby stać i międlić jęzorami, czy po to, żeby pograć w tenisa?

– Mam wybrać?

– Nie.

– Dobry chłopiec. Przemawia przez ciebie duch Septimusa Daya.

Mungo przełamuje serwis Chasa, po czym wygrywa swój. Chociaż Chas wykorzystuje nawet wiatr, by uczynić swoje zagrania mniej przewidywalnymi, nie ma szans w konfrontacji z dziką zawziętością Munga, która każe mu walczyć o każdą, nawet najbardziej beznadziejną piłkę.

– Cztery-dwa, dwa-cztery – sapie Mungo, opierając się o siatkę. – Mam nadzieję, że nie zapomniałeś karty, bo jeśli się nie mylę, to jesteś mi już winien co najmniej sto sześćdziesiąt.

– Spokojnie, Mungo, wszystko toczy się zgodnie z planem. Już niedługo staniesz się zbyt pewny siebie i zaczniesz popełniać błędy.

– Zobaczymy.

Chas wybucha śmiechem, chwyta za taśmę, ciągnie ją w dół, przechodzi na drugą stronę siatki.

– Boże, ty naprawdę jesteś taki jak on! Ta sama niezachwiana wiara w swoje możliwości, ta sama niechęć do brania pod uwagę możliwości porażki.

– Jeśli myślisz o porażce, to tak jakbyś sam się o nią prosił.

– Dobrze powiedziane, „Septimusie". Ciekawe tylko, czy poświęciłbyś oko, żeby dowieść swoich racji?

Mungo zastanawia się przez chwilę.

– Raczej nie. Potrzebuję głębi widzenia, żeby ogrywać cię w tenisa.

– Pytam serio. Posunąłbyś się tak daleko?

– Nasz ojciec był niezwykłym człowiekiem – odpowiada Mungo. – Zrobił to, co uważał za stosowne. Zdobył się na niezbędne, jego zdaniem, poświęcenie, żeby osiągnąć cel. Gdybym był na jego miejscu, gdybym zainwestował pieniądze milionów ludzi w tak szaleńczo ambitne przedsięwzięcie, gdybym myślał, a raczej gdybym święcie wierzył, że wydłubując sobie oko, przechylę szalę zwycięstwa na swoją stronę, to kto wie, może nawet bym się na to zdecydował. Chwila cierpienia w zamian za życiowy sukces to chyba niewiele. Tak mi się wydaje. Zresztą nie wiem.

– Ale on postąpił tak również dlatego, by udowodnić, że to możliwe. Taka próba silnej woli.

– Myślę, że to, co zrobił, miało służyć obu tym celom. Miał być testem i równocześnie ofiarą złożoną na ołtarzu bogów handlu. W oczach... w oku ojca wola i przeznaczenie były ze sobą nierozerwalnie związane. „Los nie jest czymś, co ci się przydarza, los jest czymś, co ty tworzysz". Zdaje się, że tak właśnie mawiał, prawda? Kiedy wymyślił Days, inwestorzy nie pchali się do jego gabinetu, wymachując książeczkami czekowymi. Musiał walczyć o każdego pensa, musiał walczyć, żeby w niego uwierzyli. Tak samo mają się sprawy z bogami handlu, z Mamoną, przeznaczeniem, czy jak chcesz to nazwać. Z boskim porządkiem rzeczy. Ojciec musiał zademonstrować całemu światu, jak bardzo jest zdeterminowany, jak daleko jest gotów się posunąć, żeby osiągnąć cel. Uczynił to i odniósł sukces. Naprawdę nie wiem, czy zdołałbym przekonać samego siebie, że jest to rzeczywiście konieczne.

– A ja bez trudu mogę sobie wyobrazić, jak robisz to samo, co on – mówi Chas, doskonale wiedząc, że starszy brat uwielbia, kiedy w pochlebny dla niego sposób porównuje się go z ojcem. – Widzę, jak klękasz na środku ogromnej działki, którą właśnie kupiłeś, rozglądasz się dookoła, patrzysz na ziemię, na której ma wyrosnąć gigantyczna budowla, doskonale zdając sobie sprawę, iż po raz ostatni widzisz ją dwojgiem oczu. Sklecone byle jak budy, obskurne pasaże, budki i stragany – wszystko to wkrótce zniknie, by zrobić miejsce dla twojego marzenia, które ucieleśni się tu, gdzie teraz klęczysz w błocie. Widzę, jak wygrzebujesz w ziemi niewielki dołek, w którym niebawem znajdzie się cząstka ciebie, jak wyjmujesz z kieszeni scyzoryk, otwierasz największe ostrze, napinasz mięśnie, zaciskasz zęby, zbliżasz je do lewego oka...

Chas zdaje się czerpać autentyczną przyjemność ze szczegółowego odtwarzania aktu samookaleczenia dokonanego przez ich ojca. Mungo tylko wzrusza ramionami.

– Ty to widzisz, ja nie. Przypuszczalnie oznacza to, że brakuje mi tej determinacji, jaką miał ojciec, i nie byłbym w stanie zdobyć się na takie poświęcenie, a więc wcale nie jestem taki jak on.

– Czyżby? A jak nazwiesz swoje wstawiennictwo za Sonnym, jeśli nie poświęceniem?

– Utrata szacunku braci jest z pewnością mniej bolesna niż utrata oka. Poza tym szacunek zawsze można odzyskać, a oka nie. No dobrze, wystarczy. Niedługo pora na lunch. Ty serwujesz.

W następnym gemie, być może podbudowany wspomnieniami o ojcu, Chas odzyskuje wiarę w zwycięstwo. Wykorzystuje wszystkie znane sobie sposoby, żeby utrudnić życie Mungowi, od wysokich lobów poczynając, na kąśliwych backspinach kończąc. Bierze potężny zamach, piłka przelatuje tuż nad siatką, uderza z woleja po przekątnej; Mungo, który jednak jakimś cudem dochodzi do wszystkich, nawet najtrudniejszych piłek, i tę przebija na drugą stronę, po czym błyskawicznie wraca na pozycję, gotów sprostać kolejnemu wyzwaniu. Przez cały czas dyszy i sapie jak szczęśliwy pies.

Ponownie dochodzi do gry na przewagi. Tym razem nie widać jej końca. Mungo osiąga cudowne delirium fizycznego udręczenia, jęczy głośno przy każdym uderzeniu rakietą, a i Chas coraz bardziej angażuje się w grę, marszcząc brwi niczym szachista, jakby każda wymiana piłek była nowym teorematem, który musi rozwiązać. Żaden nie zdaje sobie sprawy, iż przy korcie pojawił się obserwator: wczepiony palcami w siatkę, z twarzą przyciśniętą do drucianej plecionki, śledzi grę szklistym tępym wzrokiem.

Mungo wreszcie wykorzystuje przewagę i wygrywa decydującą piłkę. Wyczerpany, wypuszcza rakietę, zgina się wpół, ciężko dysząc, opiera ręce na kolanach. Dopiero wtedy, spoglądając spod mokrych od potu brwi, dostrzega przy siatce Sonny'ego.

Chas zauważa go niemal w tej samej chwili.

– Oto powrót zwycięskiego bohatera! – mówi z przyjazną ironią. – Piękny strój, Sonny. Widzę, że już zdążyłeś się przebrać.

Sonny nie odpowiada. Pionową postawę utrzymuje wyłącznie dzięki zakrzywionym jak szpony palcom, które zahaczył o oka siatki. Przenosi puste spojrzenie z brata na brata, jakby ci wciąż jeszcze toczyli zażarty bój na korcie.

Mungo prostuje się powoli.

– Wszystko w porządku, Sonny? – pyta z niepokojem. – Jak ci poszło?

Cisza. Wreszcie, po długim namyśle, Sonny zwraca twarz w jego stronę.

– Hm?

– Pytałem...

– J-j-jaki wynik, M-m-mungo? K-k-kto wygrywa?

– O Boże... – szepcze Chas.

Mungo podchodzi kilkoma szybkimi krokami do ogrodzenia, zbliża twarz do twarzy Sonny'ego, robi głęboki wdech, cofa się o krok i kiwa głową. Sonny wpatruje się w niego z niepewnym uśmiechem. Jedna ręka zsuwa się po siatce; Sonny o mało się nie przewraca, w ostatniej chwili jednak chwyta równowagę.

Z ust Munga wydobywa się najpierw cichy jęk, szybko jednak jego głos narasta do ryku.

– Och, ty mały draniu, ty mały pieprzony draniu, ty idioto, ty cholerny pieprzony idioto, co ty narobiłeś, co narobiłeś, na litość boską? Nie mogłeś wytrzymać nawet paru godzin? Wystarczyło parę godzin, ty beznadziejny, pierdolony kretynie! Nie potrafiłeś zrobić nawet tej jednej prostej rzeczy! Spieprzyłeś nawet coś tak beznadziejnie prostego i głupiego, z czym dałoby sobie radę każde dziecko! Ty bezużyteczny, obrzydliwy gówniarzu! Czy wiesz, co teraz z tobą zrobię? Wiesz? Zabiję cię! Wyrwę twoje serce i wepchnę ci je do gardła, to właśnie zrobię!

– Mungo, uspokój się.

– Nie, Chas, nie uspokoję się! Nie ma mowy. Staję na głowie, żeby jakoś pomóc temu śmierdzącemu gównu, daję mu jeszcze jedną szansę, na którą wcale nie zasługuje, i co otrzymuję w zamian? Co dostaję w nagrodę? Splunięcie w twarz!

Nie zważając na dzielące ich ogrodzenie, Mungo rzuca się z wściekłością ku bratu. Sonny, który chyba również zapomniał o siatce, cofa się pospiesznie, potyka o własne nogi, i pada na ziemię, szorując rękami po drobnym żwirku.

– Co się stało tam, na dole?! – ryczy Mungo, szarpiąc siatkę. – Co tam nawyrabiałeś? Co powiedziałeś kierownikom Książek i Komputerów? Czy powtórzyłeś im to, co kazaliśmy ci powtórzyć, czy raczej ośmieszyłeś nas wszystkich? Co zrobiłeś, Sonny? Co powiedziałeś?

Dopiero teraz Sonny'ego ogarnia autentyczny lęk. Nabrzmiała, niemal sina twarz Munga wypełnia jego pole widzenia niczym średniowieczna chimera. Wcale by się nie zdziwił, gdyby brat rozszarpał gołymi rękami drucianą siatkę, chwycił go i uczynił z nim to samo.

Chas kładzie rękę na ramieniu Munga.

– Posłuchaj...

Mungo lekko odwraca głowę w jego kierunku, nie odrywając jednak wzroku od Sonny'ego.

– O co chodzi, Chas?

– Przecież nie wiemy, co się tam naprawdę stało.

– Nie musimy wiedzieć. Spójrz tylko na niego. Pijany w trzy dupy. I nie próbuj mnie przekonywać, że narąbał się dopiero po powrocie. Znam jego pijackie zwyczaje i wiem, że po to, żeby doprowadzić się do takiego stanu, musiał chlać co najmniej od godziny, a to oznacza, że zszedł na dół już pijany, i że wszystko tam spieprzył!

– Ale jednak nie wiemy tego na pewno. Tymczasem powinniśmy jak najprędzej usunąć go z widoku. Musimy zaprowadzić go do jego apartamentu i zamknąć na klucz.

– Dlaczego?

– Bo jeśli nasi bracia dowiedzą się, że zszedł na dół w takim stanie, nie wiadomo, co może się wydarzyć. Zwróć uwagę, w jaki sposób ty zareagowałeś, a przecież jesteś, a raczej byłeś, jego największym sojusznikiem.

Mungo wpatruje się w Sonny'ego, który tymczasem zdążył stracić zainteresowanie braćmi i niezdarnie stara się otrzepać ręce.

– A może lepiej zawlec go do Biura i od razu im go pokazać? Niech zobaczą, jakie z niego beznadziejne gówno.

– Może i lepiej, ale, jak już powiedziałem, nikt nie jest w stanie przewidzieć ich reakcji.

– I co z tego? Dlaczego nagle zacząłeś się tak przejmować tym, co się z nim stanie?

Chas waha się przez chwilę, po czym mówi:

– Ujmijmy to w ten sposób: może nie do końca wierzę w cały ten cyrk z Siódemką, ale i nie widzę powodu, żeby niepotrzebnie ryzykować.

Mungo potrzebuje trochę czasu, by przetrawić słowa brata.

– Rozumiem – mówi wreszcie. – A więc ukrywamy Sonny'ego i modlimy, żeby okazało się, że jednak niczego nie spieprzył?

– Coś w tym rodzaju.

– A wszystko to w imię zachowania spójności naszej Siódemki?

– Tak jest.

Mungo robi głęboki powolny wdech, po czym wypuszcza ze świstem powietrze. Razem z powietrzem zdaje się uchodzić z niego znaczna część gniewu.

– Tak, masz rację. Najważniejsza jest Siódemka. – Odwraca się od ogrodzenia i kieruje w stronę furtki. – Ale klnę się na Boga, Chas: jeżeli jednak coś tam narozrabiał, jeżeli narobił jakichś szkód, uduszę go gołymi rękami!

– Jeżeli naprawdę coś takiego się stało, to będziesz musiał wylosować numerek i zająć miejsce w kolejce.

Te słowa to nie czcze pogróżki. Mungo i Chas są synami człowieka, który po to, by osiągnąć cel, wydłubał sobie oko scyzorykiem. Mają w genach stalową determinację i żądzę osiągnięcia sukcesu za wszelką cenę. Tak jak Septimus potrafił użyć brutalnej siły przeciwko sobie, tak każdy z jego synów jest w stanie użyć jej przeciwko swoim braciom. Można powiedzieć, iż grzech ojca promieniuje na jego potomstwo.

XXVII

Siódmy grudnia 1941: dzień, w którym Japończycy znienacka zaatakowali bazę amerykańskiej marynarki wojennej w Pearl Harbor na Hawajach, przyspieszając w ten sposób czynne zaangażowanie się Stanów Zjednoczonych w działania militarne na frontach drugiej wojny światowej

12.35

Panna Dalloway siedzi za biurkiem z kanapką (ser brie i ogórek) w ręce i *Sztuką wojenną* na kolanach. Książka jest już tak zaczytana, że kartki się niemal rozsypują, i panna Dalloway nie musi jej nawet przytrzymywać.

Dokładnie żuje każdy kęs kanapki, zjada ją do końca, a następnie starannie wylizuje palce, wypija niedużą butelkę wody mineralnej i wyrzuca pustą butelkę i opakowanie po kanapce do kosza. Oczywiście zdaje sobie sprawę, że to głupie tak dbać o porządek, jeśli bowiem wszystko ułoży się zgodnie z planem, to już niedługo zaśmiecone biuro będzie najmniej istotnym z jej zmartwień. Trudno jednak pozbyć się starych przyzwyczajeń.

Zamyka książkę, kładzie na biurku. Czytała ją już tyle razy, że zna niemal na pamięć zawarte w niej zdania i frazy, które podnoszą ją jednak wciąż na duchu, a logiczna precyzja wywodów autora działa na nią uspokajająco. Wyciąga z kieszeni spodni mały kluczyk, otwiera jedną z szuflad i wyjmuje z niej inną książkę, która całkiem niedawno znalazła się w jej prywatnej bibliotece.

Książka ma duży format, miękką okładkę, wydrukowana jest na grubym szorstkim papierze, wydała ją zaś oficyna, której ofertę tworzą niemal wyłącznie poradniki dla tropicieli UFO, demaskatorskie traktaty zwolenników konspiracyjnej teorii dziejów oraz podręczniki uprawy i zażywania marihuany. Okładkę zdobi rysunek przedstawiający opasłą teczkę z dokumentami opatrzoną pieczęcią „ściśle tajne", nigdzie natomiast nie ma nazwiska autora.

Tytuł brzmi *Kuchenny arsenał*; podobnie jak *Sztuka wojenna*, ta książka również nosi ślady częstego i długotrwałego używania.

Panna Dalloway kładzie *Kuchenny arsenał* obok *Sztuki wojennej*, otwiera książkę, wygładza kartki, po czym wstaje, przyciska ręce do krzyża i prostuje się z wysiłkiem. Mogłaby przysiąc, że jeszcze niedawno czuła się znacznie, znacznie lepiej. Teraz nagle się postarzała. Duchowo także. Ma chorą zmęczoną duszę – to zapłata za życie poświęcone bez reszty wymagającej, surowej pani, jaką jest literatura.

Bierze do ręki Platynową pani C.A. Shukhov i podchodzi do stanowiska informacyjnego. Dyżur pełnią Oskar i Edgar. Reszta pupili albo poszła na lunch, albo jest zajęta w innych częściach działu.

– Moi chłopcy...

Oba Mole Książkowe rozpływają się z rozkoszy, słysząc jej łagodny głos.

– Moi chłopcy, potrzebuję waszej pomocy.

– Co możemy dla pani zrobić, panno Dalloway? – pyta Oskar. – Proszę tylko powiedzieć.

W tej chwili do stanowiska podchodzi klient i pyta, gdzie może znaleźć książki na kasetach.

– Tutaj nie sprzedajemy książek na kasetach, proszę pana – informuje go panna Dalloway. – Znajdzie je pan w Artykułach dla Niedowidzących na Piętrze Indygo. W tym dziale mamy wyłącznie takie książki, które się czyta.

– Książki na kasetach! – parska pogardliwie Oskar, zanim klient zdąży się oddalić. – Też coś!

– Niedługo już w ogóle nie trzeba będzie czytać – mówi Edgar ponurym tonem. – Wystarczy podłączyć do mózgu elektrodę i załadować tekst w parę sekund.

– Edgarze, w naszym dziale nie rozmawiamy o takich rzeczach!

– Przepraszam, panno Dalloway.

– Rozumiem jednak doskonale twoje rozgoryczenie. A teraz do rzeczy. Chcę wam zlecić pewną misję do wypełnienia. Jak zapewne pamiętacie, we wtorek wysłałam was do sklepu z prośbą o nabycie kilku rzeczy. Ty, Oskarze, kupiłeś bańkę z olejem opałowym.

– A ja dziewięciowoltową bateryjkę – wtrąca Edgar.

– O ile pamiętam, Malcolm miał kupić lampę błyskową – mówi Oskar.

– A Collina wysłała pani po worek nawozu ogrodniczego.

– Mervyn przyniósł beczułkę piwa.

– Zgadza się. Nie wątpię, iż zdziwiła was ta lista, niemniej bez zbędnych pytań dostarczyliście mi wszystko, o co was prosiłam, ponieważ jesteście, co do jednego, dobrymi i mądrymi chłopcami.

Oba Mole Książkowe mruczą z rozkoszy i poruszają głowami jak pieszczone koty.

– Teraz jeden z was będzie musiał dokupić jeszcze dwie rzeczy.

– Proszę tylko powiedzieć co, a natychmiast to pani przyniosę – mówi Oskar.

– Dziękuję ci bardzo, chłopcze, ale, jak się zaraz przekonasz, do tego zadania potrzebny będzie ktoś, kto potrafi biec jak błyskawica. – Delikatnie poklepuje go po fałdach tłuszczu na karku. – Nie obraź się, mój drogi, ale szybkość nie jest twoją największą zaletą, nie wspominając już o tym, że masz złamaną rękę...

Oskar daje niezbyt przekonujący pokaz urażonej dumy i ambicji.

– Poza tym potrzebuję cię tu, przy sobie. Jako wsparcie moralne.

– Ale...

– Każdy służy tak, jak może i potrafi.

– Z czego wynika, że zostaję tylko ja – odzywa się Edgar markotny jak zwykle. Udaje mu się sprawiać wrażenie równocześnie zadowolonego i przygnębionego. – Co mam pani przynieść, panno Dalloway?

– Zanim ci to powiem, Edgarze, muszę cię ostrzec, że z tym zadaniem wiąże się pewne ryzyko. Jeśli nie zechcesz tego zrobić, zrozumiem to i nie będę miała do ciebie najmniejszych pretensji.

Edgar zapewnia swoją zwierzchniczkę, że uczyni wszystko, co będzie trzeba, że nie cofnie się przed żadnym niebezpieczeństwem, że traktuje to zadanie jako zaszczyt i przyjemność, nawet gdyby miało się okazać bardzo ryzykowne. Chociaż panna Dalloway spodziewała się takiej właśnie reakcji, jest wzruszona.

– W takim razie słuchaj uważnie. Potrzebny mi jest zwój izolowanego drutu miedzianego oraz budzik, taki staroświecki, nakręcany, z dużymi dzwonkami.

– Wydawało mi się, że to miała być niebezpieczna misja! – mówi Edgar, wydymając wargi. – Kupienie kabla i budzika nie jest chyba zbyt trudne.

– Być może. Jednak tym razem nie posłużysz się swoją kartą, tylko tą.

Podaje mu Platynową.

– Czy to nie jest ta sama, którą znalazł Malcolm? – pyta Oskar, przyglądając się podejrzliwie kawałkowi plastiku. – W takim razie, czy nie powinna pani...

Milknie raptownie, by nie sprawić wrażenia, że zarzuca swojej ukochanej przełożonej nieuczciwość lub postępowanie niezgodne z przepisami. Jednak panna Dalloway wyjaśnia sprawę sama.

– Tak, Oskarze, masz rację. Powinnam była zwrócić ją do Rozliczeń, ale tego nie zrobiłam. Zachowałam się wbrew regulaminowi i zasadom uczciwości, potomność jednak na pewno uzna, iż ten mój mały grzeszek jest niczym wobec występków, których dopuszczono się wobec mnie.

– Na pewno zgłoszono już jej zaginięcie – wtrąca się Edgar. – Jeśli spróbuję jej użyć, od razu mnie aresztują.

– Na tym właśnie polega ryzyko, o którym mówiłam. Czy teraz, kiedy już wiesz, jak wygląda sytuacja, nadal zamierzasz podjąć się tego zadania?

– Czy mogę wiedzieć, dlaczego mam posłużyć się właśnie tą kartą? – pyta Edgar. – Na pewno ma pani jakiś powód. Pani nic nigdy nie robi bez powodu.

– To prawda, Edgarze. Owszem, możesz wiedzieć. Odpowiedź jest prosta: chcę, żeby bracia Day wiedzieli, co zamierzam zrobić. Chcę, żeby wszyscy wiedzieli.

– Przepraszam bardzo, panno Dalloway... – mamrocze niepewnie Oskar – ale c o właściwie pani zamierza?

Panna Dalloway kręci głową. Jeszcze za wcześnie, żeby im powiedzieć. Dzięki temu, gdyby Edgar jednak został zatrzymany, jego zapewnienia o niewinności będą bardziej wiarygodne.

– Dowiecie się wszystkiego we właściwym czasie. Na razie proszę, żebyście mi zaufali. Ty, Edgarze, dasz dowód swego zaufania, jeżeli kupisz kabel i budzik i przyniesiesz je tutaj.

– Czy to ma coś wspólnego z tym, co pani robiła wczoraj? – pyta Oskar. – Wtedy, kiedy na dwie godziny zabroniła nam pani podchodzić do swojego biurka?

Panna Dalloway unosi dłoń.

– Oskarze! Niecierpliwość nigdzie cię nie zaprowadzi. Niebawem wszystkiego się dowiesz.

– Tak jest, proszę pani. Bardzo przepraszam.

– Będzie mi również potrzebny wózek – mówi do Edgara, wręczając mu kartę pani Shukhov. – Od niego właśnie zacznij, ale zapłać swoją kartą. Pamiętaj jednak, żeby należność za kabel i budzik uregulować tą Platynową.

– A potem zmykaj jak diabli – dodaje Edgar.

– Tak jest. Będzie ci łatwiej, bo jesteś pracownikiem Days, ale ryzyko i tak jest spore. Czy teraz, znając ewentualne konsekwencje, nadal zgadzasz się to zrobić? Przemów teraz albo na zawsze zachowaj milczenie!

Edgar z trudem przełyka ślinę.

– Chcę.

– W takim razie masz moje błogosławieństwo. – Głaszcze go po głowie. – Wierzę, że ci się powiedzie.

– Nie zawiodę pani, panno Dalloway.

– A więc na co czekasz?

– Mam już iść?

– Nie czekaj na rozkaz, chłopcze, tylko ruszaj!

XXVIII

Siedem złotych miast Ciboli: siedem legendarnych miast poszukiwanych w XVI wieku przez hiszpańskich konkwistadorów w Ameryce Środkowej. W roku 1540 Francisco Vásquez de Coronado wyruszył na czele ekspedycji złożonej z tysiąca trzystu ludzi, by zdobyć ich bajeczne bogactwa. Ani miast, ani bogactw nie odnaleziono

12.45

– Frank! – Pan Bloom z uśmiechem wskazuje mu miejsce po drugiej stronie małego stolika. – Pozwoliłem sobie zamówić wino.

– Nie piję w pracy – mówi Frank, siadając na krześle.

– Daj spokój, raz na jakiś czas możesz sobie pozwolić. – Pan Bloom bierze do ręki butelkę chianti w wiklinowym koszyczku. – Jest całkiem niezłe. Nie tak kwaśne jak niektóre włoskie wina.

Frank zasłania ręką kieliszek.

– Naprawdę dziękuję.

– Jak sobie życzysz.

Lokal, w którym się spotkali, mieści się na Piętrze Zielonym i udaje włoską trattorię; pomalowane na biało stoliki z nogami z kutego żelaza i takie same krzesła są ciasno ustawione pod obrośniętą przez winorośl drewnianą pergolą. Pan Bloom dzięki swemu wysokiemu stanowisku otrzymał stolik przy samym parapecie. Na dole, dwadzieścia metrów niżej rozpościera się teren Menażerii; połowę przykrywającego ją baldachimu oświetlają promienie słońca spływające kaskadą z przezroczystej części kopuły, drugą połowę spowija cień. W tej części, gdzie odbija się blask kopuły, jest tak jasno, że kilkoro gości założyło ciemne okulary.

W atrium kumulują się dobiegające z sześciu pięter odgłosy. W porze lunchu znaczna część klientów gromadzi się właśnie w tych okolicach. Wielu z nich zjawiło się w Days wyłącznie po to, by spotkać się z kimś przy lunchu, ponieważ gigamarket oferuje przebogatą gamę restauracji, pubów i barów, dopasowanych – także cenowo – do możliwości rozmaitych grup klientów. Nalawszy sobie wina, pan Bloom dyskretnie pokazuje Frankowi siedzące wokół nich sławy: słynną modelkę, która zajmuje się niejedzeniem stojącej przed nią sałatki; dwóch znanych aktorów rozprawiających o czymś konspiracyjnym szeptem; *enfant terrible* przemysłu odzieżowego w towarzystwie słynnego reżysera i szefa dużej firmy reklamowej (zapach poważnych interesów jest silny i wyraźny nawet z takiej odległości). Frank posłusznie spogląda to tu, to tam, nie rozpoznaje jednak większości twarzy i w gruncie rzeczy niewiele go obchodzi, do kogo należą. Dla niego to po prostu klienci, tacy jak wszyscy.

– Zobaczmy, co tu mamy – mówi pan Bloom, otwierając menu. Tak jakby chciał wynagrodzić sobie długie lata skromności i anonimowości, zwraca na siebie uwagę, porusza się majestatycznie, zachowuje się z niewymuszoną swobodą.

Frank również bierze do ręki kartę, przesuwa wzrokiem po wypisanej ręcznie liście dań, myśli ma jednak zaprzątnięte czymś innym.

– Wolałbym, żeby pan wybrał – mówi, odkładając menu.

Opiera łokieć na stole, wsuwa brodę w wygiętą łódkowato dłoń i bębniąc palcami w dolną wargę, wpatruje się w otwartą przestrzeń atrium. Pan Bloom przywołuje kelnera – Frankowi przyszłoby to z największym trudem – po czym zamawia zupę minestrone i fettuccine puttanesca.

– Mam nadzieję, że lubisz pikantne potrawy? – pyta.

Frank obojętnie kiwa głową. Kelner odchodzi. Przy stoliku zapada cisza.

– No cóż – odzywa się po jakimś czasie pan Bloom. – Ponieważ widzę, że masz spore problemy z przejściem do rzeczy, spróbuję zrobić to za ciebie. Wydaje mi się, że na podstawie naszych wcześniejszych niedokończonych, a właściwie nawet na dobre nierozpoczętych rozmów, mogę się domyślić, co zamierzasz mi powiedzieć.

Frank wciąż wpatruje się gdzieś przed siebie, pan Bloom zaś kontynuuje:

– Nie wątpię, że podjąłeś tę decyzję po długiej wewnętrznej walce, i jestem przekonany, iż sądzisz, że nic, co teraz powiem, nie zdoła jej zmienić. Od razu więc spieszę z zapewnieniem, że nawet nie będę próbował. Powiem tylko tyle, że wszystkim nam tutaj w Days będzie ciebie brakowało. To nie szantaż emocjonalny, lecz szczera prawda. Jesteś doskonałym detektywem sklepowym. Wielka szkoda, że postanowiłeś odejść.

Frank nadal nie reaguje, ale pan Bloom jest przyzwyczajony do takich reakcji Duchów i wie, że wbrew pozorom wcale nie przemawia do ściany.

– Czy niepokoi cię kwestia broni?

Frank kręci głową tak delikatnie, że ten ruch może dostrzec tylko wprawne oko innego Ducha.

– Aha. Zazwyczaj właśnie o to chodzi. Po jakimś czasie ta sprawa zaczyna dręczyć niemal wszystkie Duchy. Mnie też. Myślisz o tym, że zadajesz innym ból i cierpienie, czasem zaś nawet coś gorszego. W większości przypadków potrafiłem znaleźć dla siebie usprawiedliwienie. Każdy złodziej wie, na jakie decyduje się ryzyko, a jeżeli nie wie, to w pełni zasługuje na los, jaki go spotka. Jednak od czasu do czasu... – Pan Bloom drapie się po czole. – Kiedy wcześniej mówiłem ci o tym, jak straciłem wyczucie, nie opowiedziałem ci, jak do tego doszło. To znaczy, wcale nie jestem do końca pewien, czy właśnie dlatego, ale w każdym razie tak mi się wtedy wydawało. Pamiętasz, jak zastrzeliłem tamtego chłopaka?

– Przykro mi, ale nie.

– No cóż, właściwie nie ma powodu, żebyś pamiętał. Nikt nie chwali się takimi wyczynami. Miał najwyżej piętnaście albo szesnaście lat. Chudy jak jaszczurka. Przyłapałem go na kradzieży komiksu, ale dosłownie wyślizgnął mi się z rąk, taki był zwinny. Strażnik jeszcze się nie zjawił, a ja wiedziałem, że szczeniak bez trudu mi ucieknie, więc oczywiście wyciągnąłem pistolet. Ostrzegłem go. Nie zareagował. Strzeliłem. Chciałem go tylko zranić, ale był taki chudy, bez grama mięśni i tłuszczu. To był tylko dzieciak, lecz mimo to strzeliłem do niego bez najmniejszego wahania, ponieważ tego mnie nauczono. Pocisk prawie rozerwał mu klatkę piersiową. Czasem jeszcze teraz śni mi się to po nocach. Zabiłem pięciu złodziei, raniłem co najmniej drugie tyle, i za każdym razem powtarzałem sobie, że wykonuję swój obowiązek. Kiedy jednak przypominam sobie twarz tego dzieciaka i kiedy znowu słyszę okropny charkot, z jakim umierał na podłodze u moich stóp, wtedy formułka o wykonywaniu obowiązku już nie wystarcza.

Przez chwilę pan Bloom sprawia wrażenie starszego, niż jest w istocie; mroczne spojrzenie rzuca głęboki cień na jego twarz. Wydobył je z głębi duszy z ogromnym trudem, wiele go kosztowało, żeby rzucić je na szalę – ja dałem ci aż tyle, co ty dasz mi w zamian? – lecz Frank, nieobyty w niuansach stosunków międzyludzkich, nie bardzo wie, jak zareagować.

– Nikogo nie zabiłem – mówi, nie patrząc na rozmówcę.

Pan Bloom kiwa głową.

– Wiem. Bardzo rzadko zdarzało ci się sięgać po broń. To cecha dobrego Ducha.

– Zwykle wystarczały takt i zdecydowanie.

– No widzisz. Właśnie o tym mówię, Frank. Ty jesteś po prostu stworzony do tej pracy.

– Czy to dobrze?

– Chyba nie jest źle, jeśli człowiek robi to, co potrafi najlepiej, prawda?

– Być stworzonym do pracy, w której nie można mieć osobowości, w której trzeba wtapiać się w tło i znikać ludziom z oczu... Czy to dobrze?

Uwagi pana Blooma nie umyka gorycz w rzeczowym i spokojnym zazwyczaj głosie Franka.

– Taka umiejętność wcale nie musi być twoją cechą – odpowiada ostrożnie. – Wystarczy, jeśli potrafisz się nią wykazać i zastosować wówczas, gdy zachodzi potrzeba.

– A jeżeli nie mogę tego uniknąć? – Frank wreszcie decyduje się skierować na przełożonego swoje smutne i ciężkie jak nagrobna płyta spojrzenie. – Jeżeli wszystko się miesza, jeśli umiejętność staje się moją cechą, jeśli zawód staje się mną, człowiekiem? Pamiętasz Falconera? I Eamesa?

– To były wyjątkowe przypadki.

– Czego trzeba, żeby stać się wyjątkowym przypadkiem? Jak wiele albo jak mało trzeba, żeby przekroczyć granicę?

Zjawia się zupa minestrone, gorąca i esencjonalna, w kamionkowych miseczkach z ręcznie wymalowanym logo Days. Kelner przynosi również wyścielony serwetą koszyczek z chlebem focaccia. Pan Bloom natychmiast przystępuje do jedzenia, Frank natomiast odchyla się do tyłu na krześle i dalej bębni palcami, tym razem w blat stolika.

– Co zamierzasz zrobić? – pyta pan Bloom między siorbnięciami. – Po tym, jak zrezygnujesz?

– Wyjechać.

– Dokąd?

– Do Ameryki.

Niewiele brakuje, żeby pan Bloom zakrztusił się zupą.

– Do Ameryki? Na litość boską, dlaczego?

– Ponieważ jest duża. Można w niej przepaść bez śladu.

– Days też jest wielkie i ludzie bez przerwy tu przepadają. Naprawdę wybierasz się do Ameryki? Wiem, to podobno wspaniały kraj, pełen możliwości i tak dalej, ale skoro w Ameryce jest tak wspaniale, to dlaczego wszyscy, którzy tam mieszkają, leczą się u psychiatrów?

– To przesada, Donaldzie.

Pan Bloom oddala protest machnięciem łyżki.

– Cokolwiek o tym sądzić, Frank, Amerykanie to jednak dziwni ludzie.

Takie podejście irytuje Franka. Co pan Bloom wie o Ameryce? Co wie o czymkolwiek poza Days?

– Ameryka to tylko początek – mówi, powściągając zniecierpliwienie. – W gruncie rzeczy nie obchodzi mnie, gdzie będę żył, byleby nie tutaj. Mam ponad pięćdziesiąt lat i nigdy nie wystawiłem nosa poza granice tego miasta. Czy to nie żałosne? Przeszedłem w życiu tysiące kilometrów, może nawet miliony, kilka razy obszedłem świat dookoła, ale widziałem tylko to miasto i wnętrze tego sklepu.

– Nie ma w tym niczego żałosnego. Jesteś lojalnym i oddanym pracownikiem. Wszyscy wiemy, jak trudno jest oderwać się od Days. Weźmy na przykład mnie. Od lat zamierzam odwiedzić siostrę w Vancouver. Nie widziałem siostrzenicy, odkąd tam wyjechali. Miała wtedy czternaście lat, teraz jest już dorosłą kobietą. Z przyjemnością wpadłbym do nich w odwiedziny, ale nie mogę znaleźć czasu. Praca zawsze wchodzi mi w drogę. Zawsze jest coś, co trzeba dokończyć, czym trzeba się zająć.

– Właśnie to nas tu zatrzymuje, Donaldzie. Wmawiamy sobie, że praca nas potrzebuje, że my potrzebujemy pracy, że nasza lojalność i zaangażowanie zostaną dostrzeżone i w jakiś sposób nagrodzone. Ale to tylko wymówki, zwykłe tchórzostwo, nic więcej. Wierz mi, ja to wiem. Przez długie lata byłem święcie przekonany, że w całym świecie nie ma nic cenniejszego od posady w Days, ostatnio jednak doszedłem do wniosku, iż praca nie rekompensuje mi tego wszystkiego, co w związku z nią tracę. Ominęło mnie mnóstwo rzeczy, które dla innych ludzi są czymś całkowicie naturalnym: przyjaciele, życie towarzyskie, rodzina. Zamierzam odzyskać przynajmniej część z tego, dopóki nie jest za późno, i chcę zacząć zaraz. Natychmiast.

Czy powinien powiedzieć też o tym, że utracił odbicie w lustrze? Może lepiej nie. Lepiej przedstawić jedynie racjonalne przemyślane argumenty. To samo dotyczy wyimaginowanych upiorów. To wszystko musi pozostać jego tajemnicą.

– No dobrze – mówi pan Bloom. – Nie mam najmniejszego zamiaru powstrzymywać cię. Domyślam się, że zarezerwowałeś już bilet. Weź w takim razie urlop. Poleć do Stanów. Wypocznij. Odpręż się. Zasługujesz na to. Taka odmiana na pewno ci się przyda. Zmienisz otoczenie, pooddychasz innym powietrzem...

Pan Bloom kiwa głową i podnosi łyżkę do ust. Chyba uwierzył w to, że Frank od początku zamierzał tylko poprosić o urlop, i ma nadzieję, że jeśli jego wiara okaże się wystarczająco silna, to za sprawą emocjonalnej osmozy udzieli się także Frankowi.

– Wyjazd i powrót niczego nie zmienią, Donaldzie. Muszę wyjechać, kropka. Muszę zrezygnować z tej pracy. Muszę odejść. I odchodzę.

Uff! Nareszcie. Nareszcie wykrztusił to słowo. Odchodzę. Dziwne, ale wbrew oczekiwaniom wcale nie czuje jakiegoś szczególnego uniesienia. Miał nadzieję, że to jedno małe słowo zepchnie mu z barków cały ciężar trosk i zmartwień, że kiedy uleci z jego ust, pozostawi go lżejszym, swobodniejszym i oczyszczonym. Ulga jednak nie nadchodzi, oczyszczenie nie następuje, nagromadzone przez lata frustracje nie znikają.

Pan Bloom w milczeniu dalej zajada zupę. Dookoła ich stolika rozmowy i dyskusje trwają w najlepsze, gwar wylewa się do wielkiej przestrzeni atrium, wypełnia ją po brzegi. Kiedy miseczka jest już prawie pusta, pan Bloom wyciera resztki zupy kawałkiem chleba.

– A z czego zamierzasz żyć? Zastanawiałeś się nad tym?

– Z prac dorywczych. Zatrudnię się gdzieś, odłożę trochę pieniędzy i przeniosę się w inne miejsce.

– Łatwiej powiedzieć niż zrobić.

– Dam sobie radę.

– Człowiek w twoim wieku powinien już szykować się do przejścia na zasłużoną emeryturę, a nie do zmywania podłóg, pracy w kuchni i podawania do stołów. Chyba jednak nie przemyślałeś tego do końca, prawda? Mógłbyś przecież zająć się szkoleniem następców. To chyba nie byłoby takie złe zajęcie?

– Chcę mieć jakieś życie poza Days.

– Tak jak my wszyscy, Frank. Tak jak my wszyscy. – Frank ma wrażenie, że uśmiech pana Blooma jest nieco protekcjonalny. – Ale, jak sam powiedziałeś, nie należymy do siebie. Wszystko, co mamy, wszystko, czym jesteśmy, stanowi własność sklepu. Teraz może nam się to nie podobać, ale kiedyś na to się zgodziliśmy. Jeśli chcesz to wszystko porzucić, masz do tego święte prawo, pamiętaj jednak, że bez Days będziesz nikim.

– Co więc mam do stracenia? Przecież już jestem nikim.

– Naprawdę sądzisz, że odchodząc stąd, staniesz się kimś?

– Nie zaszkodzi spróbować.

– Podziwiam twoją odwagę, ale na wypadek gdybyś o tym zapomniał, muszę ci przypomnieć, że świat tam, na zewnątrz, jest drapieżny i ponury. Wszystko w porządku, jeśli jesteś bogaty, jeśli jednak nie jesteś, to czeka cię mordercza walka od początku do końca, bez żadnej gwarancji, że zdołasz cokolwiek osiągnąć. Właśnie dlatego gigamarkety cieszą się taką popularnością. Dzięki ściśle przestrzeganym zasadom, dzięki sztywnej hierarchii, stanowią symbol stałości. Ludzie patrzą na nie jak na oazy, gdzie można się schronić przed chaosem i nieprzewidywalnością życia. Bez względu na to, czy tak jest naprawdę, czy nie, to Days, Blumberg's, Unified Ginza Consortium, Euro-Mart i cała reszta są tak właśnie postrzegane. Nawet jeśli reszta świata legnie w gruzach, to gigamarkety pozostaną nienaruszone.

– Dlaczego chcę zrezygnować z wygody i bezpieczeństwa, jakie daje mi życie w Days, i puścić się we wrogi groźny świat? Czy tego właśnie nie możesz zrozumieć? Dlaczego uciekam ze złotej klatki? Chyba że postradałem zmysły.

– Nawet jeśli tutaj jest ci źle, Frank, to tam może ci być tylko gorzej.

– Mimo wszystko zaryzykuję.

Kelner przynosi główne danie i zabiera miseczki – jedną pustą, drugą z nietkniętą zawartością. Po chwili wraca z tarką do serów i parmezanem. Pan Bloom życzy sobie, żeby jego danie zostało posypane dość obficie. Kelner spełnia jego polecenie i odchodzi, nawet nie spojrzawszy na Franka. Frank tak bardzo zdążył przywyknąć do takich zachowań innych ludzi, którzy go nie dostrzegają albo zapominają o jego obecności, że nawet nie zwraca na to uwagi.

Pan Bloom natychmiast puszcza w ruch widelec. Po kilku kęsach wskazuje na talerz Franka i mówi:

– Nie jesz? Jest całkiem niezłe.

– Nie jestem głodny.

Pan Bloom wyczuwa chyba, że jego doskonały apetyt może zostać odebrany jako oznaka braku wrażliwości, bo z ociąganiem odkłada widelec.

– Posłuchaj, Frank. Chciałbym, żebyś to jeszcze raz przemyślał. Porównaj sobie wszystko, co stracisz, z tym, czego możesz nigdy nie zyskać. Zastanów się, a pod koniec dnia przyjdź do mnie i powiedz, co postanowiłeś. Jeśli nie zmienisz zdania, przyjmę do wiadomości twoją decyzję i spróbuję wywalczyć dla ciebie jakąś choćby częściową odprawę. Znając ludzi, którzy pracują w Rozliczeniach, na twoim miejscu nie czyniłbym sobie zbyt wielkich nadziei, ale może jednak mi się uda. Jeżeli jednak się rozmyślisz, będzie tak, jakby ta rozmowa nigdy się nie odbyła. Zgadzasz się?

– Nie rozumiem, jaką różnicę może uczynić kilka godzin.

– Zapewne żadną – przyznaje pan Bloom, ponownie biorąc widelec do ręki. – Chociaż nigdy nie wiadomo. No dobrze: darowałem ci zupę, ale nie pozwolę, żeby zmarnował się pełen talerz doskonałego fettuccine puttanesca. Do roboty!

Frank prostuje się na krześle i posłusznie zabiera się do jedzenia. Gdyby ktoś teraz na nich spojrzał, siedzących w milczeniu naprzeciwko siebie i zajadających makaron, bez wątpienia wziąłby ich za starych przyjaciół, którzy co prawda nie mają sobie już nic do powiedzenia, ale wciąż dobrze się czują w swoim towarzystwie. Kto jednak chciałby patrzeć na dwóch nijakich, skromnie ubranych mężczyzn w średnim wieku, skoro dookoła aż roi się od znanych, pięknych i bogatych?

XXIX

Siedem lat pecha: według przesądów taka właśnie kara grozi temu, kto stłucze lustro; Rzymianie wierzyli, że życie – a więc również jego zniszczone odbicie – potrzebuje siedmiu lat, żeby się odrodzić

12.48

Gordon miał jednak łut szczęścia. Udało mu się dotrzeć na miejsce spotkania z Lindą dzięki temu, że choć wciąż był w szoku i błąkał się po piętrach gigamarketu, zdołał jednak zachować instynktowne wyczucie kierunku.

Linda czeka przed wejściem do Sprzętu Oświetleniowego. W ręce ściska niewielką foliową torebkę z logo Days. Mimo że Gordon zjawia się z trzyipółminutowym opóźnieniem, jego żona w ogóle tego nie komentuje, co w innych okolicznościach z pewnością napełniłoby go niepokojem. Jeżeli Linda nie dostrzega jakiegoś uchybienia z jego strony, oznacza to prawie na pewno, że roztrząsa i analizuje inne, wcześniejsze i znacznie bardziej poważne, o którym poinformuje go dopiero za jakiś czas, żeby zdążył się porządnie spocić ze strachu. Tym razem jednak Gordon nie myśli o dąsach Lindy, tylko o tym, by jak najprędzej wydostać się z Days.

– Wracajmy już do domu, dobrze? – Tak brzmią pierwsze słowa, które padają z jego ust, kiedy staje obok żony i spogląda na nią, osłaniając oczy przed oślepiającym blaskiem. Ten sam blask, tyle że łagodniejszy i dostojniejszy, emanuje z twarzy Lindy.

– Co ci się stało w rękę?

– W rękę? Nic takiego. Więc jak, idziemy?

– Pokaż mi ją.

Gordon z ociąganiem pozwala Lindzie obejrzeć swoją zranioną rękę.

Jak tylko jako tako doszedł do siebie po ucieczce z Luster, znalazł męską toaletę i obmył rękę w umywalce. Ze zdziwieniem stwierdził, iż rana jest mniejsza i płytsza, niż mu się wydawało. Wyobrażał sobie, że cięcie niemal dosięgło kości, tymczasem jednak, choć ręka bolała jak diabli, wyglądało to niezbyt groźnie.

Właśnie wtedy, kiedy zakładał na rękę prowizoryczny opatrunek z chusteczki do nosa i oglądał w lustrze drobniutkie nacięcie w powiece, zaczął się zastanawiać, czy powiedzieć Lindzie o swojej przygodzie. Bez trudu potrafił przewidzieć, co usłyszy, kiedy jej powie, że został zaatakowany i sterroryzowany przez dwóch nastolatków. „Czy to znaczy, że po prostu stałeś i nic nie robiłeś? Dwaj chłopcy? Nie broniłeś się? Pozwoliłeś, żeby cię obrażali, i nawet nie spróbowałeś spuścić im lania?". Ona na pewno zachowałaby się inaczej. Nikomu, kto w jakikolwiek sposób narazi się Lindzie Trivett, nawet gdyby był to burlington z zaostrzoną kartą w dłoni, nie ujdzie to na sucho. Przekonało się o tym boleśnie wielu klientów w sklepach i gadatliwych widzów w kinach. Tak, Linda ponad wszelką wątpliwość stawiłaby czoło zagrożeniu i palnęłaby burlingtonom taki wykład, że zapamiętaliby go do końca życia. Całkiem możliwe, że nawet by ich pobiła. Tę właśnie zajadłą nieustępliwość Gordon podziwia w niej najbardziej, tego najbardziej jej zazdrości i tego najbardziej się obawia.

Jeszcze w łazience dochodzi do wniosku, że jest dodatkowo jeden powód, dla którego kłamstwo byłoby w tym przypadku bardzo wskazane. Przyznanie się do tchórzostwa to jedno. Prędzej czy później by mu to wybaczyła. Gdyby jednak, nawet w żartach, chociaż zająknął się o przygodzie w Rozkosznych Rozrywkach, wydałby na siebie wyrok. Co prawda w oświetlonej na różowo komórce nic się nie wydarzyło, niewiele jednak brakowało, i Linda bez trudu wyczytałaby to z jego twarzy. Zwęszyłaby poczucie winy jak lwica, która bez trudu potrafi zwęszyć strach.

Tak więc, biorąc to wszystko pod uwagę, powinien jak najprędzej zapomnieć o obu zdarzeniach, najprostszym sposobem zaś, by to osiągnąć, będzie zachowywanie się w taki sposób, jakby się nic nie zdarzyło, to natomiast, rzecz jasna, wymaga wkroczenia na ścieżkę kłamstwa. Spuszczając zasłonę milczenia na swoje tchórzostwo w Lustrach, spuści ją równocześnie na niedoszłą zdradę w Rozkosznych Rozrywkach; mniejszy przekręt stanie się usprawiedliwieniem dla większego. Jeśli zdoła wymyślić jakąś zgrabną bajeczkę, oba wstydliwe zdarzenia pozostaną tajemnicą, którą zabierze ze sobą do grobu.

Myślał więc intensywnie. A oto co wymyślił. Zawędrował do Luster, szukając czegoś, co mogliby powiesić na ścianie nad kominkiem. (To doskonały pomysł. W ten sposób dowiedzie, że jednak troszczy się o wygląd domu). I tam właśnie przydarzył mu się mały wypadek. Potknął się o wystający skraj wykładziny, stracił równowagę, wyciągnął na oślep rękę, trafił na niewielkie lusterko do golenia, które pękło, kalecząc go w dłoń. (W tym miejscu dobrze będzie roześmiać się lekceważąco. Takie ironiczne potraktowanie własnej niezdarności powinno wywrzeć na Lindzie dobre wrażenie. Zawsze lubiła, kiedy inni się ośmieszają). Równocześnie za sprawą nadzwyczajnego zbiegu okoliczności znacznie drobniejszy odłamek lustra trafił go w oko. Naturalnie można by oczekiwać, że okulary zadziałają jak tarcza, ale – co za zbieg okoliczności – akurat w tym ułamku sekundy zsunęły mu się z nosa. Na szczęście kawałek szkła zranił go tylko w powiekę. Parę milimetrów w bok i byłby teraz jak Septimus Day, ha, ha, ha!

Cóż, może nie było to najbardziej wiarygodne wytłumaczenie, nie miał jednak czasu wymyślić innego, i tylko w ten sposób mógł przynajmniej spróbować wyjaśnić pochodzenie obu ran. Idąc na spotkanie, tak długo powtarzał w duchu tę historyjkę, aż sam prawie uwierzył, że jest prawdziwa.

Teraz, obserwując z niepokojem, jak Linda zdejmuje mu z ręki prowizoryczny opatrunek, raczy ją swoją konfabulacją, nie zapominając o niczym. Przerywa tylko raz, na krótką chwilę, by syknąć z bólu, kiedy palce Lindy odrobinę zbyt mocno uciskają brzegi rany. Linda kończy badanie w chwili, kiedy Gordon wypowiada ostatnie słowa bajeczki:

– Parę milimetrów w bok i byłbym teraz jak Septimus Day, ha, ha, ha!

Zapada cisza. Milczenie przeciąga się, pod Gordonem powoli uginają się nogi. Wcale by go nie zdziwiło, gdyby się okazało, że jego żona jest w stanie na podstawie pobieżnych oględzin stwierdzić, czy rana rzeczywiście powstała w wyniku skaleczenia kawałkiem szkła, czy z jakiegoś innego powodu. Wreszcie Linda mówi:

– Nie umrzesz od tego. – Ponownie zawiązuje mu chusteczkę na ręce. – Powinniśmy chyba jednak pójść do Artykułów Medycznych po plaster i środek dezynfekujący.

– Mogę z tym zaczekać do powrotu do domu. Naprawdę.

Przygląda się jego powiece.

– I pójść do lekarza, żeby zobaczył twoje oko. Tak na wszelki wypadek.

– Skoro tak mówisz... – Wprost trudno uwierzyć, że Linda tak gładko przełknęła tę historyjkę, zwykle bowiem jest czujna niby najlepszy wykrywacz kłamstw. Gordon postanawia zaryzykować i dokładniej zbadać jej reakcję. – To znaczy mieć pecha, co?

– Stłuczenie lustra zwykle przynosi pecha. To co, pójdziemy na lunch? Z planu wynika, że restauracje są w pobliżu atrium.

Obeszło się bez szczegółowego przesłuchania? Bez uniesionych z powątpiewaniem brwi? Czy to możliwe, żeby udało mu się aż tak łatwo?

W tym całkowitym braku podejrzliwości jest coś... bardzo podejrzanego. To zupełnie do niej niepodobne. Drepcząc obok żony w kierunku atrium i obserwując ją z ukosa, Gordon wciąż widzi na jej twarzy jakąś spokojną świetlistość, którą w pierwszej chwili wziął za odbicie blasku bijącego ze Sprzętu Oświetleniowego. Ta jasność bierze się z niej, z jej wnętrza. Porusza się znacznie łagodniej i spokojniej niż zwykle, z większym wdziękiem, stawia długie płynne kroki. W jej głosie prawie nie słychać oschłości ani zgryźliwości. Chociaż Gordon wytęża umysł, za nic w świecie nie może odgadnąć, co spowodowało w niej taką zmianę. Foliowa torba oznacza, że coś kupiła, ale przecież sam fakt dokonania zakupów to chyba za mało. A może atmosfera sklepu po prostu działa uspokajająco na niektórych klientów?

Wreszcie docierają do rozświetlonego słonecznymi refleksami atrium. Powietrze oczyszczone w zielonych płucach Menażerii jest tu wyraźnie świeższe i bardziej rześkie niż w głębi sklepu. Unoszą się w nim apetyczne zapachy docierające z niezliczonych restauracji, barów i kawiarni. Po kilku minutach spędzonych na podziwianiu Menażerii Gordon pyta Lindę, co chciałaby zjeść, ona zaś zaskakuje go po raz kolejny, zdając się na jego wybór.

Najtańszym daniem w ofercie jest kurczak z makaronem po chińsku, Gordon więc nieśmiało proponuje, żeby właśnie to zamówili. Linda godzi się bez szemrania i wręcza mu ich kartę. Chwilę potem Gordon Trivett dokonuje pierwszego zakupu w Days: dwie miseczki z kawałkami kurczaka i ryżowym makaronem polanym sosem, z surówkami i plastikowymi pałeczkami. Siadają na najbliższej wolnej ławce i jedzą, spoglądając na tęczowy przekrój atrium.

– Zupełnie jakbyśmy byli we wnętrzu jakiegoś ogromnego wydrążonego tortu... – wyrywa się Gordonowi.

Natychmiast żałuje swoich słów, spodziewając się ostrej reprymendy lub kąśliwego komentarza na temat niemądrych uwag, Linda jednak tylko w milczeniu kiwa głową.

Bardzo dziwne.

– Co kupiłaś? – pyta po pewnym czasie, wskazując na torbę.

– Sam zobacz. Prezent dla ciebie.

– Prezent?

Gordon odkłada pałeczki, wyciera palce w papierową serwetkę, otwiera torbę, zagląda do środka.

– Ogłosili błyskawiczną wyprzedaż akurat wtedy, kiedy byłam w tym dziale – dodaje Linda.

Gordon wyjmuje z torby cztery krawaty i układa je w poprzek uda.

– Wszystkie dla mnie? Dlaczego tak dużo?

– Nie podobają ci się?

– Podobają. Szczególnie te w monety.

– Naprawdę?

– Naprawdę. – Tak jest rzeczywiście, podobają mu się i jest wzruszony, że zadała sobie trud, by je dla niego wyszukać, chociaż w ostatecznym rozrachunku i tak on za nie zapłaci. – Ale czy musiałaś kupować aż cztery? I dlaczego dwa są takie same?

– Przecież ci mówię, że to była błyskawiczna wyprzedaż. Łapiesz, co nawinie ci się pod rękę. A poza tym były przecenione o dwadzieścia procent, co znaczy, że ten czwarty jest prawie za darmo.

– Prawie.

– Ty chyba nie zdajesz sobie sprawy, przez co przeszłam, żeby je zdobyć. Musiałam o nie walczyć!

– Walczyć?

Linda ze smutkiem kręci głową.

– Tak właśnie myślałam. Ty tego nie możesz zrozumieć. Ktoś, kto nie uczestniczył w błyskawicznej wyprzedaży, nie ma najmniejszego pojęcia, co to znaczy.

W jej głosie brzmi lekko pobłażliwa nuta, jakby była doświadczonym weteranem wielu wojen wspominającym tygodnie i miesiące spędzone w okopach.

– Sądząc po tym, co słyszałem o tych wyprzedażach, wolałbym chyba nie brać w nich udziału.

– To było niesamowite! Tego, co przeżywałam, z pewnością nie uda mi się opisać. Czułam się tak, jakbym przez całe lata spała, i nagle w mojej duszy zadzwonił budzik, i wreszcie się przebudziłam. Naprawdę się przebudziłam. – Linda wyraźnie ożywa, w jej oczach pojawiają się roztańczone błyski. – Aż cała drżę, kiedy o tym myślę. Spójrz na moje ramię! – Gordon posłusznie patrzy i widzi gęsią skórkę oraz zjeżone włoski. – To było trochę przerażające, ale i podniecające. Mnóstwo hałasu, ogromne zamieszanie... Zdaje się, że kogoś uderzyłam... Nie wszystko mogę sobie przypomnieć, ale najważniejsze, że zdobyłam to, co chciałam.

– Uderzyłaś kogoś? Linda, co się z tobą dzieje?

– Nic złego, więc proszę, nie patrz na mnie takim potępiającym wzrokiem. Chyba właśnie się przekonałam, do czego mogę być zdolna, jeśli zajdzie potrzeba. Jak to się mówi? Poznałam swój ukryty potencjał. Pełen potencjał.

– Bijąc kogoś?

– Już powiedziałam, że ty nie możesz tego zrozumieć. Przyszedłeś tu nastawiony negatywnie. Nie zaprzeczaj,

Gordonie, tak właśnie było. Przyszedłeś tu przekonany, że stracisz mnóstwo czasu i że nie spotka cię tu nic przyjemnego. Dlatego byłeś taki wściekły w taksówce. I co się wkrótce potem dzieje? Tłuczesz lusterko i kaleczysz sobie rękę i twarz. Ja natomiast wchodziłam do tego sklepu z myślą, że to najpiękniejszy dzień mojego życia. I wiesz co? Tak właśnie jest. Czy według ciebie to o czymś świadczy? Moim zdaniem tak, o tym, że każdy dostaje to, czego oczekuje. Że każdy jest kowalem swego losu. I że dobrze by było, żeby jak najwięcej ludzi o tym pamiętało.

Blask gaśnie na jej twarzy, jego miejsce zajmuje surowy nieprzyjazny grymas, mięśnie napinają się, jakby nie mogły znieść zbyt długiego rozluźnienia. To znowu ta sama, dobrze mu znana Linda. Gordon wita jej powrót niemal z ulgą. Widok tamtej Lindy, lekko oszołomionej, oddającej inicjatywę w jego ręce, pozwalającej mu podejmować decyzje w imieniu ich dwojga, napełniał go niepokojem.

– Co za okropne żarcie! – krzywi się i odstawia miseczkę na ławkę. – Dlaczego akurat to wybrałeś?

No, tak już lepiej. Gordon ma ochotę pochylić się i pocałować kobietę, którą kocha, której zazdrości i której się lęka. Zamiast tego jednak tylko idzie w jej ślady i odstawia niedojedzone danie.

– Masz rację. Ten kurczak jest jak z gumy.

Równowaga została przywrócona, w świecie znów zapanował porządek, niemniej jednak Gordon postanawia, że od tej pory będzie miał żonę na oku. Ponieważ wszystko wskazuje na to, że jednak pozostaną w Days, zamierza nie odstępować jej na krok.

Tak będzie bezpieczniej.

Dla nich obojga.

XXX

Piekło: według wyznawców islamu piekło jest podzielone na siedem wyraźnie wyodrębnionych rejonów – dla muzułmanów, żydów, chrześcijan, sabean (przedstawicieli pogańskiego kultu wierzących w boskość Orfeusza), wyznawców zoroastryzmu, bałwochwalców i hipokrytów

12.51

Mungo i Chas sprowadzają Sonny'ego schodami łączącymi jego apartament z dachem (każdy z braci ma do dyspozycji własną klatkę schodową). Mungo otwiera kolanem drzwi i wciągają Sonny'ego do środka.

W hallu akurat pracuje sprzątaczka. Na widok trzech braci pospiesznie odkłada pastę do czyszczenia mebli i szmatkę, prześlizguje się między nimi z pochyloną głową, po czym znika za drzwiami.

Sonny, z ramionami zarzuconymi na szyje braci, zwisa bezwładnie między nimi. Co prawda mógłby bez trudu dotrzeć tu o własnych siłach, uznał jednak, że skoro zaproponowali mu pomoc, niegrzecznie byłoby im odmówić. Poza tym Mungo uparł się, żeby zastosować tę metodę, jakby nie wierzył, że Sonny zdoła samodzielnie zejść po schodach. Mungo chyba się na niego o coś gniewa, a kiedy Mungo się gniewa, wtedy lepiej z nim nie dyskutować.

– Dom, słodki dom! – wykrzykuje radośnie Sonny, rozpoznając swoje mieszkanie. – Czy ktoś ma ochotę na drinka?

– Tędy! – odpowiada Mungo ponurym warknięciem.

Wprowadzają Sonny'ego do salonu i próbują posadzić na jednej z przepastnych kanap.

– Bar jest tam, nalejcie sobie – zaprasza Sonny, wskazując w niewłaściwym kierunku, po czym osuwa się na bok.

Mungo chwyta go za fioletowe klapy marynarki i sadza prosto tak gwałtownym szarpnięciem, że aż puszczają szwy.

– Ejże, ostrożnie!

Sonny bezskutecznie usiłuje obejrzeć rozdarcie pod pachą, a następnie, z wyrazem urażonej godności na twarzy, wygładza klapy marynarki. Tymczasem Mungo przysiada dokładnie naprzeciwko niego na krawędzi bazaltowego stolika, opiera ręce na potężnych nagich udach i z rozstawionymi szeroko łokciami pochyla się do przodu.

– Spójrz na mnie.

Sonny usiłuje skoncentrować wzrok na twarzy brata, lecz ma z tym ogromne problemy. Cel chwieje się na boki, umyka w górę i w dół, cały czas robi uniki. Nagle z lewej strony wybucha ognisty fajerwerk, jego siła przekręca Sonny'emu głowę w prawo. Ból dociera do mózgu z sekundowym opóźnieniem, lewa połowa twarzy piecze żywym ogniem.

– Auu! – ostrożnie dotyka policzka. – Dlaczego to zrobiłeś?

Na szczęście ból szybko ustępuje miejsca lekko swędzącemu odrętwieniu. Drętwiejąca część twarzy ma kształt dłoni Munga, i to odciśnięty tak wyraźnie, iż Sonny jest niemal pewien, że czuje nawet linie papilarne.

– Spójrz na mnie.

Tym razem próba kończy się niemal całkowitym powodzeniem.

– Jeżeli choć na chwilę odwrócisz wzrok, uderzę cię znowu. Rozumiesz?

Sonny kiwa głową.

– To dobrze. A teraz opowiedz mi o kilku rzeczach. Po pierwsze, czy poszedłeś na dół ubrany w ten sposób w jakimś konkretnym celu, czy tylko po to, żeby wyjść na kompletnego idiotę?

Sonny z zapałem zaczyna bronić swoich koncepcji estetycznych, Mungo jednak ucisza go, podnosząc rękę – tę samą, którą przed chwilą go uderzył.

– Nie mam zamiaru słuchać bełkotliwych przemówień. Oczekuję konkretnej odpowiedzi: tak czy nie?

– Tak. To znaczy nie. Sam nie wiem.

– Ludzie widują nas tak rzadko, że za każdym razem, kiedy pokazujemy się publicznie, musimy sprawiać jak najlepsze wrażenie – odzywa się Chas. – Kompromitacja jednego z nas oznacza kompromitację wszystkich.

– Otóż to – potwierdza Mungo. – Stąd właśnie bierze się moje kolejne pytanie. Widzieliśmy na monitorach, jak rozmawiasz z kierownikami Książek i Komputerów. Co im powiedziałeś? Prosimy o skróconą wersję, jeśli można.

– Zcedo... Zdycedo...

– Zdecydowałem.

– Zdecydowałem, że rację mają Komputery.

– Naprawdę? Jesteś tego pewien?

– Tak.

Mungo zerka na Chasa.

– A więc jednak nie wszystko stracone.

– Czy ktoś sprawiał ci jakieś trudności?

– Nie wydaje mi się. Tyle że okropnie dużo gadali.

– Tak, widzieliśmy.

– A ja zdecydowałem... Po prostu zdecydowałem, i już. – Sonny dochodzi do wniosku, że raczej nie powinien się chwalić, jaką metodą się posłużył. – Tak jak mi kazaliście.

Metoda nie ma najmniejszego znaczenia. Liczy się tylko rezultat. Szczęśliwie osiągnął to, czego od niego oczekiwano.

– Nie próbuj mnie okłamać, Sonny – ostrzega go Mungo. – Sprawdzę wszystko dokładnie, poproszę o raport obu kierowników, więc lepiej powiedz nam prawdę. Jeżeli twoja wersja będzie się różniła od tego, co ustalę, to...

Sonny'ego ogarnia niepokój. Może jednak lepiej przyznać się, w jaki sposób podjął decyzję? Może jeśli ubierze opowieść we właściwe słowa, nada jej heroiczny charakter, odwoła się do Aleksandra Macedońskiego, który rozwiązał spór, przecinając mieczem... przecinając... Co on właściwie przeciął? Chyba jakiś supeł. Zresztą, nieważne. Nie, to nie jest dobry pomysł, Mungo się na to nie nabierze. Cóż, chyba rzeczywiście postąpił niezbyt profesjonalnie, ale przecież znajdował się pod silną presją, obie strony przytaczały równie przekonujące argumenty, a przecież taka metoda doskonale sprawdza się w pubach i, w wariancie z monetą, na boisku, więc...

Pozostaje mu tylko mieć nadzieję, że Mungo nigdy się o tym nie dowie. Kierownicy przypuszczalnie nie puszczą pary z ust. Nie odważą się powiedzieć czegoś, co mogłoby ukazać jednego z braci Day w niekorzystnym świetle, prawda? Chyba że mają już dość swojej pracy.

– To wszystko święta prawda – stwierdza stanowczo. – Nie cofam ani słowa.

– No dobrze... – Mungo nabiera w płuca powietrza i wypuszcza je z głośnym świstem. – Wygląda na to, że jednak nie skompromitowałeś się aż tak bardzo, jak przypuszczałem. Co oczywiście w niczym nie zmienia faktu, że bardzo nas zawiodłeś, nie dotrzymując słowa i sięgając po butelkę, zanim wyruszyłeś wykonać zadanie, które ci powierzyliśmy.

Sonny uważa, że nie byłoby rozsądne wspominać o luce w ich umowie, którą odkrył. Ma wrażenie, że Mungo mógłby nie przyjąć tego zbyt dobrze.

– Co więcej – ciągnie Mungo – nadużyłeś naszego zaufania i nadszarpnąłeś naszą reputację, co bardzo, ale to bardzo mi się nie podoba. Gdyby Thurston i pozostali dowiedzieli się o twoim zachowaniu, z pewnością spodobałoby im się jeszcze mniej. Jestem jednak gotów pójść ci na rękę: nie powiemy im o tym, ani ja, ani Chas. Ta sprawa zostanie wyłącznie między nami, a żeby tak się stało, musisz zostać tu, w swoim mieszkaniu, do końca dnia. Rób, co chcesz: pij, śpij, gap się w telewizor, bylebyś tylko nie pokazywał się w Biurze. Chas i ja poinformujemy braci, że odwiedziliśmy cię po meczu i zastaliśmy cię całkowicie trzeźwego, w doskonałym nastroju. Rozumiesz? Doskonale się spisałeś, załatwiłeś wszystko jak trzeba, przed pójściem na dół nie tknąłeś alkoholu, po powrocie natomiast uznałeś, że masz powody do świętowania, więc co nieco wypiłeś. Jeśli więc ktoś jeszcze dzisiaj tu do ciebie zajrzy i znajdzie cię nabąblowanego jak bury świstak, to masz mówić, że zalałeś się p o odwiedzinach moich i Chasa. Czy to jest jasne?

Co prawda Sonny ma trochę problemów z zapamiętaniem, co ma – lub może – nastąpić po czym i dlaczego, niemniej jednak wydaje mu się, że pojął ogólny zamysł brata. Kiwa więc głową.

– Ostatni raz robię dla ciebie coś takiego – ciągnie Mungo. – Od tej pory jesteś zdany sam na siebie. Od tej pory ponosisz pełną odpowiedzialność za wszystko, co uda ci się spieprzyć. Ja umywam ręce.

Sonny ponownie kiwa głową. Wyraz twarzy i ton głosu Munga odrobinę łagodnieją.

– Od śmierci ojca starałem się wychowywać cię tak, jak on by sobie tego życzył, ale nie było to łatwe. Dla nikogo. Jesteśmy braćmi Day, lecz to nie oznacza, że przestaliśmy być ludźmi. Staramy się ze wszystkich sił, czasem jednak to nie wystarcza. – Kładzie rękę (drugą, nie tę, którą go uderzył) na kolanie Sonny'ego. – Dlatego proszę cię, błagam po raz ostatni. Weź się w garść. Zmobilizuj się. Chcemy, żebyś nam pomógł prowadzić sklep. Potrzebujemy cię. Chcemy znowu być Siódemką.

Łzy pojawiają się bez ostrzeżenia, wytryskują z oczu Sonny'ego wezbranym wodospadem. Sonny rozpaczliwie szuka odpowiedzi na pytanie, dlaczego płacze, i dochodzi do wniosku, iż dlatego, że Mungo go kocha, a on nie jest godny tej miłości. Jest karaluchem, amebą, plamą, bezużyteczną grudką materii przyklejoną do podeszwy ludzkości, a mimo to jego brat nadal go kocha.

– Wybacz mi, Mungo! – szlocha. – Wybacz mi. Wybacz. To wszystko moja wina. Wszystko. Gdyby nie ja, ojciec wciąż byłby z nami, a matka...

– No nie, tylko nie to! – wzdycha Chas pod nosem.

– Wiesz równie dobrze jak ja, że nie masz z tym nic wspólnego – mówi Mungo.

– Ale gdyby mnie nie urodziła...

– To był wypadek. Takie rzeczy się zdarzają.

– Dlaczego wybrał mnie, a nie ją? Dlaczego chciał, żeby ratowali mnie, a nie moją matkę?

Ostatnie zdanie wypływa z piersi Sonny'ego na wezbranej fali łkania. Łzy spływają mu po policzkach, palce szarpią materiał spodni. Całym ciałem wstrząsają gwałtowne dreszcze, jakby ból i rozpacz przybrały fizyczną postać jakiegoś ogromnego pasożyta, który teraz usiłuje wydostać się z ciała karmiciela.

– Ojciec był przekonany, że postępuje tak, jak należy. – Nawet gdyby chciał, Mungo nie zdołałby policzyć, jak często wypowiadał te chłodne surowe słowa pocieszenia. – Później nie mógł sobie tego wybaczyć.

– Ani sobie, ani mnie! – łka Sonny. Potężnym fliknięciem wciąga wielki żółtawy bąbel wiszący mu u nosa. Łzy płyną bez przerwy. – Nigdy mi nie wybaczył. Wciąż tak na mnie patrzył... Wy też czasem na mnie tak patrzycie. Wszyscy tak na mnie patrzą!

– Sonny...

Sonny kładzie się na boku, podkula nogi, zasłania dłońmi twarz.

– Wszyscy wiedzą, co zrobiłem, i wszyscy mnie nienawidzą! – szlocha. – Dlaczego on pozwolił mi żyć? Czy nie zdawał sobie sprawy z tego, co robi? Czy nie zdawał sobie sprawy z tego, na co mnie skazuje?

Mungo nie potrafi znaleźć sensownej odpowiedzi. Szczerze mówiąc, sam miał zawsze problemy ze zrozumieniem i zaakceptowaniem zachowania ojca podczas narodzin Sonny'ego.

Pamięta dobrze, jak któregoś popołudnia pił z matką herbatę w salonie ich wiejskiej rezydencji. Była wtedy w szóstym miesiącu ciąży. Leżała wsparta na poduszkach na szerokim dębowym parapecie jednego z okien. Górna część jej ciała częściowo zasłaniała rozpościerający się za szybami panoramiczny widok na jesienne trawniki. Wyglądała równie dostojnie jak zawsze, ponieważ Hiroko Day pochodziła ze szlacheckiego japońskiego rodu i potrafiła trzymać fason niezależnie od okoliczności, równocześnie jednak sprawiała wrażenie zmęczonej, przygnębionej, rozdrażnionej i starej. Bardzo starej. Kiedy urodziła Munga, zbliżała się do trzydziestki, teraz zaś Mungo miał za kilka tygodni obchodzić dwudzieste pierwsze urodziny.

Byli w pokoju sami. Na grzecznościowe pytanie o samopoczucie matka najpierw w zamyśleniu pogładziła się po brzuchu, a potem powiedziała:

– Twojemu ojcu pękłoby serce, gdybym nie urodziła tego dziecka.

Nie była to odpowiedź na pytanie zadane przez Munga, lecz na to, które sama sobie zadawała.

– Dlaczego nie zdecydował się na adopcję?

– Bo tego nie było w jego planie – odparła matka. – Ani w umowie, którą ze sobą zawarł, zakładając sklep. Żeby jego prywatna kosmologia mogła w pełni funkcjonować, wszyscy synowie muszą być krwią z naszej krwi i ciałem z naszych ciał. Chyba nie powinnam ci tego mówić – ciągnęła konspiracyjnym szeptem – ale po cichu liczyłam na córkę. Niestety, badania wykazały, że to będzie kolejny chłopiec. Tak jakbym mogła dać wielkiemu Septimusowi Dayowi kogoś innego niż syna, którego potrzebuje... – Uśmiechnęła się melancholijnie. – Córka... To byłby mój mały prywatny bunt.

– To jest niebezpieczne, prawda? Lekarze przecież zalecali, żebyś... – Mungo nie potrafił rozmawiać z nią swobodnie o tych sprawach. – No wiesz...

– Żebym usunęła ciążę. Tak, to prawda. A twój ojciec, choć z dużymi oporami, przyznał im słuszność i zgodził się, żebym to zrobiła, ale gdybyś słyszał ból w jego głosie i widział wzrok, jakim na mnie spojrzał... – Poprawiła się na poduszkach. – Wiem, jak bardzo pragnie tego dziecka. Czy mogę zrobić coś innego niż mu je dać? Czy zdarzyło się, żeby ktoś odmówił mu czegokolwiek?

– Ale biorąc pod uwagę ryzyko... Kobieta w twoim wieku nie powinna...

– Nikt mnie do niczego nie zmusza, Mungo – powiedziała łagodnie matka. – Nikt poza mną samą.

Jeszcze lepiej pamięta Mungo noc, kiedy urodził się Sonny. Rzecz jasna, była to niedziela. Mieszkali w college'u. Kiedy portier przekazał mu wiadomość, że rozpoczął się poród, Mungo pobiegł do pokoju Chasa i popędzili obaj w deszczową noc sportowym kabrioletem, przemykając przez skrzyżowania przy czerwonym świetle i łamiąc wszystkie ograniczenia prędkości. Na autostradzie, którą pędzili z prędkością stu osiemdziesięciu kilometrów na godzinę, zatrzymała ich policja; wystarczyło jednak machnięcie Osmowymi oraz obietnica, że funkcjonariusze będą mieli założone konta w Days, żeby za chwilę ruszyli w dalszą drogę. Ma się rozumieć, o obietnicy zapomnieli natychmiast, jak tylko migające światła radiowozu zniknęły z wstecznego lusterka.

Po pokojach biegali zaniepokojeni lekarze i położne. Nietrudno było się domyślić, że to poród z komplikacjami. Doszło do silnego krwotoku. Matce groziło niebezpieczeństwo, któremu nie była w stanie zaradzić nawet najlepsza pomoc medyczna. Przeżyć mogło tylko jedno: matka albo dziecko. Hiroko Day, pod silnym działaniem środków przeciwbólowych, ale przytomna, powiedziała, że jest gotowa się poświęcić. Decyzja należała do ojca.

Przechadzał się nerwowo po gabinecie. Opaska na oko leżała na biurku. Mungo i Chas wielokrotnie widywali go bez niej, mimo to jednak jak zauroczeni wpatrywali się w pusty, przesłonięty zapadniętą powieką oczodół, przypominający usta kogoś, kto zamilkł i postanowił nie odezwać się już nigdy.

– Nie wiem, co robić – wyznał ojciec schrypniętym szeptem. – Lekarz mówi, że nawet jeśli ona to przeżyje, nie będzie mogła już mieć dzieci. To moja ostatnia szansa.

Założyciel pierwszego i (o ile w tej chwili miało to jakiekolwiek znaczenie) najlepszego gigamarketu na świecie cierpiał męki niezdecydowania, rozdarty między miłością do kobiety i nadziejami, jakie wiązał z dzieckiem, które miało zapewnić pomyślność jego przedsięwzięciu. Spojrzał z rozpaczą na dwóch najstarszych synów.

– Nie wiem, co robić – powtórzył.

Mungo do dzisiaj nie jest pewien, co bardziej przerażało ojca: niebezpieczeństwo zagrażające jego żonie czy fakt, iż po długim życiu wypełnionym błyskawicznymi, zawsze słusznymi decyzjami teraz sparaliżowała go niepewność.

– Zastanów się, co jest dla ciebie ważniejsze – powiedział najbardziej gniewnym tonem, na jaki się odważył. – Mama czy Days?

Na to pytanie Septimus Day nie potrafił udzielić odpowiedzi.

Wreszcie jednak decyzja została podjęta. Sytuacja osiągnęła punkt krytyczny, główny lekarz zadał ojcu pytanie, kogo wybiera, żonę czy dziecko.

Septimus Day z ciężkim sercem udzielił odpowiedzi.

Od tej pory stał się zupełnie innym człowiekiem. Tej nocy pogrążył się w mroku depresji. Wycofał się ze świata, odsunął się od kierowania sklepem, zaspokajał jedynie swoje najbardziej podstawowe potrzeby (jedzenie, kąpiel, spanie) i ograniczył kontakty z synami do wieczornych dydaktycznych monologów, w których rozprawiał o swoich obsesjach, zupełnie jakby chciał wytłumaczyć się z nich przed samym sobą, okrzykiem *Caveat emptor!* przypominając sobie o cenie, jaką zapłacił za realizację swego marzenia. Tym razem to on znalazł się w roli kupującego, który powinien był dwa razy zastanowić się przed sfinalizowaniem transakcji.

Stary człowiek stopniowo zrywał więzy łączące go z życiem. Był zbyt dumny, aby popełnić samobójstwo za pomocą którejś z brutalnych, nieestetycznych metod, czekał więc po prostu na dzień, kiedy jego ciało samo odmówi posłuszeństwa. Mógł to być zawał serca, mógł to być udar mózgu, skończyło się jednak na raku, który błyskawicznie przerzucił się z wątroby na inne organy. Mungo jest przekonany, iż ojciec przyspieszył nadejście śmierci siłą woli. Tej samej woli, dzięki której powołał do życia pierwszy na świecie gigamarket. Posłużył się nią również do tego, by usunąć się ze świata.

Żaden z braci nigdy nie obarczał Sonny'ego odpowiedzialnością za śmierć matki. W każdym razie nie wprost. Równie dobrze można by winić jelenia za śmierć kierowcy, który usiłował ominąć go na oblodzonej szosie i zabił się, uderzając samochodem w drzewo. Nie sposób jednak zaprzeczyć istnieniu ścisłego związku między narodzinami Sonny'ego i śmiercią ich rodziców, podobnie jak nie ulega wątpliwości, iż braciom zdarzało się niekiedy mniej lub bardziej bezpośrednio przypominać o tym najmłodszemu i czerpać z tego mściwą satysfakcję. Zawsze traktowali go z lekceważeniem, o czym najlepiej świadczy przydomek, jakim go obdarzyli – Owoc Spóźnionej Refleksji – w miarę zaś jak Sonny coraz bardziej pogrążał się w pijaństwie, tym gorzej radzili sobie z tłumieniem tych uczuć.

Mungo doskonale zdaje sobie z tego sprawę, ponieważ on także miał z tym problemy. Być może potrafił zapanować nad sobą nieco lepiej niż bracia, teraz jednak, kiedy patrzy na skuloną na kanapie, idiotycznie ubraną postać, niedawne słowa otuchy wydają się wyjątkowo puste. Tak naprawdę chciałby powiedzieć coś w tym rodzaju: „Zamordowałeś naszych rodziców, Sonny. Może tego nie chciałeś, zrobiłeś to jednak równie pewnie i nieodwracalnie, jakbyś przyłożył im lufę do skroni i nacisnął spust. Co prawda to ojciec zdecydował, że nasza matka ma umrzeć, żebyś ty przeżył, gdybyś jednak urodził się bez komplikacji, gdybyś w typowy dla siebie sposób od samego początku nie uparł się, żeby utrudnić wszystkim życie, ona by nie umarła, a ojciec nie znienawidziłby siebie na śmierć".

A jeżeli czuje to on, on, który tyle razy stawał po stronie Sonny'ego, który dopiero teraz stracił nadzieję, że uda mu się przekonać braci, by zechcieli traktować najmłodszego z rodzeństwa jako pełnoprawnego, poważnego partnera, to połączona z nienawiścią pogarda, jaką żywią do Sonny'ego pozostali, musi być zaiste trudna do wyobrażenia.

– Pamiętaj o tym, co ci powiedziałem. – Mungo opiera mocniej ręce na udach i wstaje. – I nigdzie się stąd nie ruszaj.

– Wątpię, żeby mógł się gdziekolwiek wybrać – mówi Chas.

Zostawiają go zwiniętego na kanapie w żałosny kłębek. Mungo pozostawia tu również ostatnią, niewielką dawkę współczucia, jakim był jeszcze gotów obdarzyć najmłodszego brata. Jakiekolwiek cierpienia czekają teraz Sonny'ego, będzie musiał stawić im czoło w pojedynkę.

XXXI

Septempartite: podzielony na siedem części

13.21

Z podbródkiem opartym na uchwycie wózka, który właśnie wypożyczył, Edgar wpatruje się tępo w wyświetlacz nad drzwiami windy.

Nie jest aż tak ślepo lojalny wobec panny Dalloway, by nie zdawać sobie sprawy, że przysługa, o którą go poprosiła, może go kosztować posadę. I to w najlepszym razie, bo jeśli będzie miał pecha, to nawet więcej. Chyba głupio tak ryzykować karierę w największym gigamarkecie świata. Nawet bardzo głupio. Ale dla Edgara, podobnie jak dla innych Moli Książkowych, panna Dalloway jest kimś więcej niż tylko kierowniczką działu. Jest osobą wtajemniczoną w sekrety słowa drukowanego, sybillą przemawiającą językiem cytatów, wojowniczą kapłanką oddaną bogom literatury. Służąc jej, służą duchom wszystkich ludzi, którzy kiedykolwiek przyłożyli pióro do papieru w nadziei na nieśmiertelność; jej pochwały są w gruncie rzeczy pochwałami wszystkich poetów, pisarzy i eseistów, których dusze są ukryte w ich dziełach.

Światełko zmienia się z pomarańczowego na żółte.

Edgar nie ma zamiaru wracać do tej pracy fizycznej – jako pompiarz na stacji benzynowej, pomywacz, komiwojażer – którą podejmował, oczekując na rozmowę kwalifikacyjną w Days, zdaje sobie jednak sprawę, że są rzeczy ważniejsze niż posada. Stawką w tej grze są tradycja i zasady. Za to warto się poświęcić. Ciekawe, czy tak samo będzie uważał jutro, kiedy ustawi się w kolejce po zasiłek.

Zapala się zielona lampka, rozlega się melodyjne „ping" i ten sam kobiecy głos, który zapowiada błyskawiczne wyprzedaże, informuje Edgara nieco łagodniejszym, nie tak władczym tonem, że dojechał na Piętro Zielone. Drzwi się rozsuwają, Edgar wyprowadza wózek z windy i kieruje się w stronę Sprzętu Oświetleniowego.

13.29

– Dzień dobry – mówi sprzedawca, zażywny jegomość z obfitym brzuchem, niebezpiecznie napierającym na pasek zielonego uniformu. – Czy to wszystko?

Edgar kładzie na ladę zwój izolowanego przewodu miedzianego.

– Tak, to wszystko – udaje mu się jakoś wycharczeć przez wyschnięte gardło.

Sprzedawca wczytuje kod kreskowy.

– Z rabatem dla pracowników, ma się rozumieć. – A więc zauważył identyfikator Edgara. – Pięć procent to nie w kij dmuchał.

– Jasne.

To stary żart krążący wśród personelu.

– Karta?

Edgar podaje mu Platynową, celowo – lecz, ma nadzieję, dyskretnie – zasłaniając palcem nazwisko pani Shukhov. Zgodnie z przypuszczeniami panny Dalloway sprzedawca nie przygląda się karcie, tylko przesuwa ją przez czytnik i natychmiast zwraca właścicielowi.

13.30

Informacja zakodowana na pasku magnetycznym karty mknie z prędkością błyskawicy do głównego komputera w Rozliczeniach, który w nieskończenie krótkim paroksyzmie elektronicznych synapsów sprawdza stan konta, weryfikuje ważność, przegląda rejestr transakcji. Ponieważ stwierdza poważną nieprawidłowość, wysyła z powrotem sygnał, który pojawia się na ekranie terminalu kasowego w postaci dwóch linijek tekstu:

KARTA ZGŁOSZONA JAKO ZGUBIONA/SKRADZIONA
OCHRONA TAKTYCZNA POWIADOMIONA

Istotnie, komputer Ochrony Taktycznej posiada już pełną informację zarówno o karcie, jak i o tym, gdzie i kiedy próbowano się nią posłużyć.

Minęły dwie sekundy od chwili, kiedy karta opuściła czytnik. Trzymająca ją ręka sprzedawcy wciąż jeszcze zbliża się do Edgara. Co prawda oczy mężczyzny zarejestrowały pojawienie się informacji na ekranie terminalu, jej znaczenie jednak nie dotarło jeszcze do jego mózgu. Tymczasem w funkcjonującym z hiperprędkościami świecie komputerów trzecia wiadomość pędzi światłowodem z Ochrony Taktycznej do sali, w której siedzą Oczy, i trafia do pierwszego wolnego terminalu. Karta opuściła już rękę sprzedawcy i tkwi mocno między kciukiem a palcem wskazującym Edgara, mózg sprzedawcy przetworzył już ciąg znaków widocznych na ekranie, a następnie zinterpretował je jako ciąg symboli odnoszących się zarówno do konkretnych, jak i abstrakcyjnych pojęć – krótko mówiąc, jako słowa.

Sekundę później to samo zjawisko zachodzi między oczami i mózgiem jednego z Oczu. Podświetlona na czerwono i migająca informacja od Ochrony Taktycznej zostaje odebrana jako polecenie, jednak reakcja człowieka w porównaniu z reakcją maszyn jest rozpaczliwie powolna.

Zgodnie ze standardową procedurą obowiązującą w takich przypadkach Oko powinien już zlokalizować strażnika przebywającego w pobliżu Sprzętu Oświetleniowego, wystukując właściwy kod na klawiaturze drugiego, mniejszego terminalu zainstalowanego w podłokietniku fotela i wyświetlając na jego ekranie plan właściwego fragmentu piętra z zaznaczonymi pozycjami przebywających tam strażników. Ich lokalizacja odbywa się dzięki miniaturowym, działającym bez przerwy nadajnikom w sfinksach. Zanim jednak wygenerowane przez mózg polecenie zdąży dotrzeć do palców Oka, na ekranie głównego terminalu pojawia się jeszcze jedna wiadomość, która całkowicie zmienia tryb postępowania.

UWAGA
NATYCHMIAST POWIADOMIĆ PRACOWNIKA:
HUBBLE, FRANCIS J.
1807-93N

Oko głośno wciąga powietrze przez zęby, przełącza terminal na tryb łączności bezpośredniej, wystukuje na klawiaturze numer Franka, po czym odsuwa się razem z fotelem od pulpitu, odchyla mikrofon i sięga do tyłu, do chłodzonego pojemnika z napojami wypełnionego puszkami jego ulubionego napoju gazowanego (logo Days, porcja stymulatorów równa lub nawet większa niż w średniej dawce amfetaminy).

– No proszę, nasz stary Bubble... – mamrocze, otwierając zroszoną puszkę. – Takie już to moje psie szczęście.

13.30

– Chwileczkę – mówi sprzedawca, kiedy Edgar wkłada przewód do wózka.

– O co chodzi? – pyta piskliwym głosem Edgar, udając zdziwienie.

– Chciałbym jeszcze raz zobaczyć tę kartę. Zdaje się, że zaszło nieporozumienie.

Edgar bez słowa zawraca wózek.

– Proszę zaczekać! – woła zaskoczony sprzedawca. – Przecież powiedziałem, że chyba zaszło nieporozumienie! Usiłuje chwycić Edgara za ramię, uniemożliwia mu to jednak opasły brzuch. Sprzedawca wychyla się najdalej, jak może, jednak pierwszy błąd dał Edgarowi szansę na ucieczkę. Zanim grubas zdążył wybiec zza lady, Edgar jest już daleko, przy końcu alejki z bezpiecznikami. Pędzi jak zając, pchając przed sobą wózek, w którym turla się i podskakuje rolka z kablem.

13.30

Pan Bloom rozkoszuje się porcją tiramisu; sądząc po jego westchnieniach, deser smakuje wybornie. Wierzch torcika zdobi cukrowo-czekoladowe logo Days. Pan Bloom z dziecięcą precyzją objadł je dookoła, tak że na talerzyku pozostał chwiejny cylinder słodkości zwieńczony dwoma półkolami, srebrzystym i jasnobrązowym. Jeśli chodzi o Franka, to zdążył dopiero wypić połowę filiżanki kawy z ekspresu.

Panujące przy stoliku milczenie zakłóca na chwilę kelner, który przyszedł po talerze i po to, żeby przyjąć zamówienie na deser. W tym czasie Frank rozważa i kolejno odrzuca dziesiątki tematów do ewentualnej rozmowy. Załatwiwszy – przynajmniej tymczasowo – nieprzyjemną kwestię swojego odejścia, nie chciałby zaprzepaścić okazji do pogadania z panem Bloomem jak człowiek z człowiekiem. Byłaby to dobra okazja, by zacząć się przyzwyczajać do normalnego życia. Niestety, wszystko wskazuje na to, że umiejętność nawiązywania konwersacji, przez większość ludzi traktowana jako coś zupełnie oczywistego, uległa w nim całkowitej atrofii. Frank zazdrości innym łatwości, z jaką rozmawiają ze swoimi sąsiadami przy stolikach.

Miał ochotę zabawić pana Blooma opowieścią o jakimś zdarzeniu z niedawnej przeszłości, chociaż jednak stara się jak może, nie jest w stanie wyłowić ze wspomnień ani jednego epizodu, który nawet przy największej dozie dobrej woli dałoby się uznać za zabawny. Jego życie jawi mu się jako długi, przeraźliwie nudny tunel zlepiony z identycznych dni i nocy, w którym sen i praca następują po sobie w niezmiennym od lat cyklu. Wędrówka takim tunelem musi być po prostu straszliwie monotonna.

Na tle tej przeraźliwej jednostajności korzystnie wyróżniają się wydarzenia dzisiejszego ranka, więc Frank zastanawia się, czy opowiedzieć swemu bezpośredniemu przełożonemu o przygodach z profesjonalnym złodziejem z Zapałek lub o spotkaniu z Clothildą Westheimer podczas błyskawicznej wyprzedaży w Lalkach, dochodzi jednak do wniosku, że nie jest to nic nowego ani interesującego, szczególnie dla pana Blooma, który przemierzał piętra Days dłużej niż Frank.

Jeśli chodzi o panią Shukhov, to Frank uznaje, iż roztropniej będzie przemilczeć jej nielegalny dwudniowy pobyt na terenie gigamarketu. Oczywiście powinien zameldować o tym przełożonemu, jednak dziwne uczucia, jakie obudziła w nim ta kobieta, a także jego niespodziewany spontaniczny gest w Podziemiach (co mu wtedy przyszło do głowy?) zupełnie zbiły go z tropu; pan Bloom wyczułby jego dezorientację w ciągu kilku sekund i mógłby zacząć sobie nie wiadomo co wyobrażać, a może nawet wyciągnąłby pochopne wnioski, niemające nic wspólnego z rzeczywistością. Powiedziałby, że Frank wykazuje wszystkie objawy zadurzenia, co oczywiście jest absurdem. Frank nawet nie wie, co to jest zadurzenie. Zadurzony Duch? Duchami zostają wyłącznie mężczyźni i kobiety o hermetycznie zamkniętych sercach. Duchy trzymają swoje uczucia pod przykryciem równie szczelnym jak to, które wisi nad Menażerią. Owszem, niekiedy spod zasłony na mgnienie wyłonią się jakieś uczucia – czasem frywolne jak błękitny motyl, czasem szlachetne i dostojne jak biała tygrysica – nic jednak nie może się stamtąd wydostać i nic nie może przedrzeć się do wewnątrz. To obszar zamknięty.

Poza tym Wydział Dochodzeniowy i tak sporządzi szczegółowy raport. Pan Bloom wcale nie musi dowiadywać się o tym z jego ust.

W końcu Frank dochodzi do wniosku, że najlepiej będzie zachować milczenie. W ten sposób szanse na to, że któryś z nich się śmiertelnie znudzi albo znajdzie się w kłopotliwej sytuacji, będą ograniczone do minimum. Milczą obaj, obaj więc akceptują ten stan rzeczy, Frank jednak nie oczekiwał, że po spotkaniu z panem Bloomem ogarnie go trudny do wytłumaczenia smutek. Spodziewał się raczej czegoś w rodzaju katharsis, rozjaśnienia duszy następującego zazwyczaj po szczerych wyznaniach, zyskał natomiast tylko niewesołe przeświadczenie, że chociaż pan Bloom pozornie zdołał otrząsnąć się z bycia Duchem, to w rzeczywistości nadal nim jest i będzie już zawsze. Dla pana Blooma istnieje i będzie istniała wyłącznie jego praca, a jedyny świat, jaki zna, to świat Days.

W związku z tym Frank odczuwa lekkie rozczarowanie, trochę dlatego, że oczekiwał więcej od swego przełożonego, trochę zaś dlatego, iż nie najlepiej wróży to również jego przyszłości.

– Panie Hubble?

Frank odstawia filiżankę.

– Tak, słucham?

– Panie Hubble, mamy informację o próbie posłużenia się zgubioną lub skradzioną kartą. Piętro Zielone, Sprzęt Oświetleniowy.

– Rzeczywiście, jestem akurat na Zielonym, ale mam przerwę. Dlaczego kontaktujecie się właśnie ze mną?

– Taki był zapis w komputerze. Żeby przy próbie posłużenia się tą kartą natychmiast pana zawiadomić.

– Kto jest właścicielem?

– C.A.... Jakieś rosyjskie nazwisko... Shuckoff?

– Shukhov. – Frank odchrząkuje mimo woli. – W porządku. Strażnik powiadomiony?

– Jeszcze nie.

– Proszę to zrobić dopiero na moje wyraźne polecenie.

– W porządku.

– Oko?

– Tak?

– Czy my już się dzisiaj kontaktowaliśmy?

– Owszem.

– W Zapałkach?

– Tak jest.

– Tego się właśnie obawiałem. Bez odbioru.

Stłumione chrząknięcie – w ten sposób Frank przyznaje sam przed sobą, że powinien był przewidzieć, iż chwila słabości w Wydziale Dochodzeniowym nie pozostanie bez konsekwencji – sprawia, iż pan Bloom odrywa spojrzenie od deseru, patrzy na niego i dostrzega jego poruszającą się grdykę. Czeka cierpliwie, aż Frank skończy rozmowę z Okiem, a następnie pyta:

– Obowiązki wzywają?

– Coś w tym rodzaju. – Frank podnosi się z krzesła, odkłada serwetkę na stolik. – Pozwoli pan?

– Oczywiście. Praca przede wszystkim.

– Chciałbym za siebie zapłacić.

Pan Bloom zbywa tę propozycję machnięciem ręki.

– Nie ma mowy. Po co człowiekowi Palladowa, jeśli nie może od czasu do czasu zafundować komuś małego poczęstunku?

– Jeśli jest pan pewien...

– Idź, Frank. Idź i zajmij się tym, co tak doskonale robisz. I nie zapomnij zastanowić się nad tym, co ci powiedziałem.

– Donaldzie...

Nagle Frankowi cisną się na usta niezliczone słowa. Teraz, kiedy nie ma już czasu, uświadamia sobie, jak wiele ma do powiedzenia panu Bloomowi, ale mówi tylko:

– Dziękuję.

Zaraz potem szybkim krokiem wychodzi z lokalu.

13.32

Edgar ogląda się za siebie dopiero wtedy, kiedy mija Sprzęt Rolniczy i znajduje się w połowie Wyposażenia Ogrodniczego. Ze zdziwieniem stwierdza, że sprzedawca ze Sprzętu Oświetleniowego wcale go nie ściga, jednak nie zwalnia kroku. Idzie szybko przed siebie, ogumowane kółka wózka obracają się niestrudzenie po sztucznej trawie; nie zmniejszając tempa, Edgar mija rosnące w donicach miniaturowe cyprysy, sztuczne fontanny, gazony i płotki. Rozlepione na ściankach działowych i suficie fototapety wzmacniają sielankowy nastrój, dodając elementy, których odtworzenie w zamkniętej przestrzeni byłoby niepraktyczne lub zgoła niemożliwe, takie jak żywopłotowe labirynty, stawy i oczka wodne, rozbrykane nimfy i satyry oraz intensywnie błękitne niebo z rozwleczonymi smugami białych obłoków i czarnymi punkcikami szybujących hen wysoko ptaków. Złudzenie jest niemal całkowite. Jeśli zmrużyć oczy, fizyczne granice sklepu zdają się zanikać, idylliczny krajobraz rozciąga się w nieskończoność. O sztuczności tego widoku przypominają jedynie przejścia wiodące do sąsiednich działów.

Lady i punkty informacyjne są ozdobione doryckimi kolumnami, sprzedawcy mają na sobie kostiumy jak z Miltonowskich bukolik: mężczyźni w strojach pasterzy z szerokimi kapeluszami, kobiety w prostych jedwabnych sukniach z wplecionymi we włosy girlandami kwiatów. Artykuły przeznaczone na sprzedaż są eksponowane w dużych, pozornie chaotycznie ułożonych stosach. Worki z nawozem, woreczki z nasionami, kartony z doniczkami, narzędzia i przybory, rękawice i nakolanniki, sekatory i nożyce do żywopłotów, kosze i płachty. Maszyny i urządzenia mechaniczne, takie jak kosiarki i piły, można znaleźć w sąsiednim Sprzęcie Rolniczym, podobnie jak niezbyt przyjazne naturze środki owado- i chwastobójcze. Wyposażenie Ogrodnicze jest przeznaczone dla zapaleńców uwielbiających grzebać w ziemi, z radosnym uporem urzeczywistniających arkadyjski mit o naturze okiełznanej pracą ludzkich rąk.

Wózek niezbyt dobrze radzi sobie na nierównym terenie i przejawia wyraźną tendencję do zbaczania w lewo. Edgar musi wytężyć wszystkie siły, żeby utrzymać szybkie tempo marszu. Z coraz większym trudem łapie powietrze, twarz ma zupełnie mokrą od potu. Z turkoczącym i skrzypiącym wózkiem pędzi przez idylliczną okolicę, odprowadzany oburzonymi i zdumionymi spojrzeniami sprzedawców i kupujących. Po raz pierwszy od początku tej misji zaczyna wierzyć, że zakończy się ona sukcesem.

13.35

Dotarłszy do Sprzętu Oświetleniowego, Frank od razu kieruje się do kasy, przy której posłużono się kartą pani Shukhov. Przedstawia się sprzedawcy, rozgląda znacząco dookoła i pyta, co się stało z oszustem.

– Widzi pan... To znaczy...

– Tylko proszę mi nie mówić, że pozwolił mu pan uciec.

– To było tylko parę metrów kabla. – Sprzedawca zdaje sobie sprawę, że tu chodzi co najmniej o wysokość jego emerytury. – Trudno podejrzewać kogoś, kto dokonuje zakupu na tak śmieszną kwotę. Poza tym próbowałem go zatrzymać, ale... – Klepie się znacząco po brzuchu. – Sam pan widzi, że, niestety, nie jestem zbudowany jak gepard.

– A więc nie zdziwiło pana ani trochę, że mężczyzna podaje panu kartę należącą do kobiety?

Sprzedawca bezradnie wzrusza ramionami.

– Miał identyfikator.

– Identyfikator można podrobić.

– Jak tylko się zorientowałem, że coś jest nie w porządku, próbowałem go zatrzymać. Już panu mówiłem. To tylko trochę izolowanego miedzianego drutu.

– Kradzież to kradzież – odpowiada Frank. – Może go pan przynajmniej opisać?

– Młody. Jakieś dwadzieścia dwa albo dwadzieścia trzy lata. Z wózkiem. Wysokie, wypukłe czoło. Zupełnie jakby czaszka rozrosła mu się do przodu, a włosy przesunęły się na tył głowy.

– W porządku. – Frank odwraca się i dyskretnie chrząka do mikrofonu. – `Oko? Tu Hubble. Szukamy dwudziestokilkuletniego mężczyzny z wózkiem. Cecha charakterystyczna: wypukłe czoło. Być może to pracownik Days, najprawdopodobniej jednak oszust z podrobionym identyfikatorem.`

– Rozumiem. Wiadomo mniej więcej, gdzie może być?

– Na zachód od Sprzętu Oświetleniowego. Zacznijcie przeczesywać teren.

– Już się robi. A może pognał do wyjścia?

– Nie przypuszczam. Wątpię, żeby ktoś zadał sobie trud podrobienia identyfikatora i posłużył się kradzioną kartą tylko po to, żeby kupić trochę drutu. – Frank marszczy brwi. – W tym jest coś dziwnego, ale niech mnie licho weźmie, jeśli wiem co.

XXXII

Heptan: węglowodór nasycony o wzorze C_7H_{16}, siódmy wśród metanowców

13.41

Ukryta przed wścibstwem Oczu za fortyfikacjami z książek panna Dalloway zatrzymuje się przy fragmencie umocnień zbudowanym między innymi z *Wichrów wojny*, *Wojny światów*, *Wojny i pokoju*, *Bastionu* oraz *Mein Kampf*. Egzemplarz po egzemplarzu demontuje tę literacką plombę niczym archeolog pracujący przy odsłanianiu starożytnego grobowca, aż wreszcie ukazuje się głęboka wnęka. Oskar stoi tuż obok, gotów w każdej chwili służyć pomocą.

Panna Dalloway zanurza we wgłębienie obie ręce i ostrożnie – och, jak ostrożnie! – wysuwa dziesięciolitrową metalową baryłkę po piwie. Baryłka jest bardzo ciężka, wysuwa ją więc po trochu, centymetr po centymetrze, krzywiąc się mimowolnie za każdym razem, kiedy chlupocze zawartość naczynia. Wreszcie baryłka wyłania się z wnęki w całej okazałości, panna Dalloway przyklęka, obejmuje ją, podnosi, delikatnie stawia na biurku obok otwartego *Kuchennego arsenału*, cofa się o krok i głośno wypuszcza powietrze z płuc. Oskar jest bardzo ciekaw, dlaczego zwyczajna baryłka po piwie zasługuje na taką atencję, postanawia jednak o nic nie pytać. Ma przeczucie, że odpowiedź mogłaby mu się nie spodobać.

Panna Dalloway wraca do skrytki i wyjmuje z niej szczelnie zamkniętą foliową torebkę śniadaniową zawierającą świecę rzymską, pudełko zapałek, lampę błyskową, dziewięciowoltową bateryjkę i rolkę szarej taśmy samoprzylepnej. Oskar rozpoznaje przedmioty, które Mole Książkowe kupowały wczoraj na polecenie szefowej. Ale gdzie się podziała bańka parafiny, którą on osobiście dostarczył? I nawóz, który Colin przytaszczył z Wyposażenia Ogrodniczego?

Panna Dalloway precyzyjnymi ruchami delikatnych rąk zdejmuje nakrętkę z baryłki. Z niewielkiego otworu natychmiast bucha kwaśna, nieprzyjemna woń. Oskar dostrzega wewnątrz gęstą, brązową ciecz przypominającą czekoladowy koktajl. Nie jest już w stanie dłużej opanować ciekawości.

– Panno Dalloway...?

– Nie teraz, Oskarze. Nie przeszkadzaj.

Groźna szefowa Książek rozgląda się po biurku, chwyta trzydziestocentymetrową linijkę z giętkiego plastiku, wsadza ją w otwór i miesza ostrożnie, co chwila zaglądając do baryłki. Jak tylko uznaje, że ciecz osiągnęła właściwą konsystencję, wyjmuje linijkę i wręcza ją Oskarowi. Ten zaś, trzymając linijkę dwoma palcami za suchy koniec, wyrzuca ją do kosza.

Następnie panna Dalloway wyjmuje wszystkie rzeczy z torebki i układa rzędem na biurku. Odrywa zębami kilka kawałków taśmy, przykleja je do krawędzi biurka, zaraz potem jednym z nich przytwierdza kilka zapałek do świecy rzymskiej w taki sposób, żeby ich łebki stykały się z przeznaczonym do podpalenia błękitnym papierem. Dwoma silnymi uderzeniami o blat rozbija lampę błyskową, mocuje ją do fajerwerku, kolejnymi zapałkami wypełnia niewielką wolną przestrzeń między odsłoniętym wnętrzem lampy i błękitnym papierem. Na koniec starannie łączy taśmą baterię ze ścianką baryłki i porównuje swoje dzieło z ilustracją w *Kuchennym arsenale*. Po wyrazie jej twarzy widać, że jest zadowolona z wyników swojej pracy.

– Teraz możesz pytać – zwraca się do Oskara.

– Właściwie to nie jest pytanie, tylko... – Odruchowo drapie się po gipsowym opatrunku. – Czy pani robi to, o czym myślę?

– Zależy, o czym myślisz, chłopcze.

– W baryłce są parafina i nawóz, prawda?

– Prawda. Nawóz azotanowy i parafina z niewielkim dodatkiem soli. To bardzo niebezpieczna mieszanina, dlatego tak ostrożnie się z nią obchodzę.

– No właśnie. – Oskar przez chwilę jest niemal pewien, że to jakiś żart, w porę jednak przypomina sobie, z kim ma do czynienia. Cokolwiek panna Dalloway robi, robi to na serio. – W takim razie to będzie... będzie...

– Zapalnik – potwierdza jego przypuszczenia kierowniczka Działu Książek. – Podobnie jak sama bomba skonstruowany z powszechnie dostępnych materiałów, które, o czym doskonale wiesz, kupiliście tutaj, w tym sklepie. Zabawne, prawda? Days samo dostarczyło mi narzędzi, dzięki którym będę mogła się na nim zemścić.

– Tak, bardzo zabawne – mówi Oskar bezbarwnym tonem. – Czyli budzik i drut, po które poszedł Edgar, będą potrzebne...

– Do skonstruowania urządzenia zegarowego, które zapoczątkuje eksplozję.

– Panno Dalloway... Chyba nie zamierza pani wysadzić w powietrze całego sklepu? – pyta Oskar ledwo słyszalnym, zachrypniętym szeptem.

– Och, skądże znowu – odpowiada panna Dalloway i śmieje się cicho. To zdarza się jej bardzo rzadko. – Nie bądź niemądry. Ten ładunek z pewnością nie zdołałby tego dokonać. Nie chcę wysadzać w powietrze całego sklepu, tylko jego fragment. Tylko jeden dział. Jeden jedyny.

– Komputery...

– Mój ty mały geniuszu – mówi pieszczotliwie panna Dalloway.

XXXIII

Siedmiu z Chicago: siedem osób oskarżonych o próbę wszczęcia zamieszek podczas krajowego konwentu Partii Demokratycznej w Chicago w roku 1968

14.00

– Uwaga, klienci: przez najbliższe pięć minut będzie obowiązywać dwudziestopięcioprocentowy rabat na wszystkie artykuły w Instrumentach Muzycznych Trzeciego Świata. Powtarzam...

Jeszcze zanim przebrzmiewa echo siedmiotonowego sygnału zwiastującego zapowiedź, Linda już wyciąga plan z torebki, rozkłada go, otwiera na indeksie, a kiedy z głośników padają słowa „Instrumenty Muzyczne Trzeciego Świata", błyskawicznie odszukuje literę I.

IGŁY I SZPILKI	Żółte
IKEBANY	Niebieskie
IKONY	Pomarańczowe
IMBRYKI, patrz NACZYNIA KUCHENNE	Pomarańczowe
IMITACJE, patrz KOPIE I REPRODUKCJE	Zielone
INFORMATYKA, patrz KOMPUTERY	Indygo
INKUNABUŁY, patrz KSIĄŻKI	Żółte

– Żółte! – Linda nawet nie stara się ukryć podniecenia. – A my jesteśmy właśnie na Żółtym, wyobrażasz sobie?

– Naprawdę? – ostrożnie odpowiada Gordon.

– ... Świata są usytuowane w południowo-wschodniej części Piętra Żółtego...

Linda pospiesznie rozkłada plan Piętra Żółtego. Świadomość, że najprawdopodobniej jest o krok przed innymi klientami, sprawia jej niesłychaną satysfakcję.

– A w dodatku właśnie w części południowo-wschodniej!

– Naprawdę? – powtarza Gordon z jeszcze większą rezerwą.

– Powtarzam: ta nadzwyczajna oferta obowiązuje jedynie przez najbliższe pięć minut...

– Tak, oczywiście. Spójrz tylko! – wskazuje palcem miejsce na planie. – Tu są Zegary, tu my, a Instrumenty Muzyczne Trzeciego Świata są tutaj, na Peryferiach, trzy działy stąd. Tylko trzy działy! – Orientuje mapę według stron świata, po czym wskazuje kierunek. – O, tam!

– Dziękuję państwu za uwagę.

– Zdążymy! – Linda szarpie męża za ramię. – Gordon, pospiesz się! To przecież wyprzedaż! Na pewno ci się spodoba!

Wokół nich inni klienci również wyciągają plany, studiują je uważnie, ruszają w kierunku wskazanym przez Lindę, przyspieszają kroku, biegną. Można odnieść wrażenie, że w Świecach i Świeczkach powiał wicher, który porwał ze sobą jedynie ludzi, nie działając w żaden sposób na niezliczone płomienie i płomyki. Gordon staje w rozkroku, wbija stopy w podłogę, postanawia trwać niewzruszenie jak one.

– Przecież nie potrafimy grać na żadnych instrumentach, a co dopiero mówić o tych z Trzeciego Świata!

– To bez znaczenia, Gordonie. Przecena o dwadzieścia pięć procent! Tylko to się liczy.

– Ale jeżeli niczego nie kupimy, zaoszczędzimy znacznie więcej.

– Gordon, proszę! – To „proszę” nie jest ani trochę miłe lub uprzejme. Gordon nieraz słyszał przekleństwa rzucane bardziej sympatycznym tonem. – Chcę, żebyś tam ze mną poszedł i zobaczył to na własne oczy.

– A ja nie chcę, żebyś tam szła.

Linda prostuje się jak ukłuta szpilką.

– Coś ty powiedział?

Gordon zadaje sobie identyczne pytanie. Co ja powiedziałem? Już jednak za późno udawać, że się przejęzyczył albo że Linda się przesłyszała.

– Nie chcę, żebyś tam szła i kupiła coś, czego nie potrzebujemy.

Linda parska złowrogim śmiechem.

– Bardzo zabawne. No dobrze, kiedy się spotykamy? Za dziesięć minut?

Odwraca się na pięcie, Gordon jednak, czując się jak pasażer we własnym ciele, wyciąga rękę, chwyta za pasek jej torebki i słyszy swój głos:

– Mówię serio.

Linda staje jak wryta, potem odwraca się powoli, najpierw patrzy na jego rękę, następnie na twarz. Jest zupełnie zdezorientowana.

– Posłuchaj, Lindo, tak nie można. Nie możesz kupować wszystkiego, co wpadnie ci w ręce, tylko dlatego, że kupują to inni.

W działach sąsiadujących z Instrumentami Muzycznymi Trzeciego Świata narasta pomruk i łoskot.

– Nie możesz tego robić, ponieważ nas na to nie stać. Jeżeli się nie powstrzymasz, zadłużymy się do końca życia.

Linda przeszywa go spojrzeniem na wylot, ale Gordon wie, że chwycił tygrysa za ogon i że nie może go wypuścić.

– Musimy spojrzeć na pewne sprawy z właściwej perspektywy. To nie jest miejsce dla nas. W ogóle nie powinniśmy tu przychodzić. Pamiętasz, co powiedział taksówkarz? Że mamy niewinne twarze. Że stali klienci Days wyglądają zupełnie inaczej. Że mają zawzięte, nieprzyjazne miny. My tacy nie jesteśmy i nie chcę, żebyśmy się tacy stali.

Górna warga Lindy unosi się i cofa, odsłaniając zęby. Nikt nie będzie jej mówił, co wolno jej robić, a czego nie.

– Jeśli mimo wszystko pójdziesz na tę wyprzedaż, to koniec. Zrezygnuję z konta. Wiesz, że mogę to zrobić. Żałuję, że w ogóle się o nie ubiegaliśmy. To był błąd. Możemy być szczęśliwi i bez niego. Robienie zakupów w Days nie jest jedynym ani nawet najważniejszym celem życia. Pomyśl tylko: nie musielibyśmy kupować tych wszystkich zupełnie niepotrzebnych rzeczy, żylibyśmy jak zwyczajni ludzie... Co na to powiesz, Lindo? Co o tym sądzisz?

Ta zupełnie nieprawdopodobna groźba Gordona nasuwa Lindzie myśl, że jej mąż oszalał.

– Zabierz rękę – mówi z lodowatą uprzejmością.

Gordon posłusznie cofa rękę. Linda robi kilka kroków, zatrzymuje się, spogląda na niego przez ramię.

– Nie zrezygnujesz z konta. Nie odważysz się.

– Odważę... – szepcze Gordon, ale jaki sens ma przekonywanie samego siebie, jeżeli doskonale zdajesz sobie sprawę, że kłamiesz?

14.01

Początkowo w Instrumentach Muzycznych Trzeciego Świata handlowano, zgodnie z nazwą, wyłącznie narzędziami Euterpe z uboższych rejonów globu, lecz po likwidacji Muzyki Folkowej dział ten przekształcił się w skład wszystkich mniej lub bardziej niezwykłych instrumentów rzadko albo wcale niewykorzystywanych w repertuarze klasycznym.

Ponieważ dział mieści się na jednym z niższych pięter, upust zaś jest większy niż zazwyczaj, wyprzedaż cieszy się wyjątkowo dużym zainteresowaniem. W ciągu pierwszej minuty zjawia się ponad setka spragnionych „okazji" klientów, w alejkach dochodzi do kłótni i przepychanek, tu i ówdzie słychać donośny brzęk lub łupnięcie – to senegalska *kora* spada ze stojaka, marokańskie gliniane grzechotki uderzają w chiński bęben lub ktoś niechcący trąca struny indyjskiego sitara – jednak ogólnie rzecz biorąc, emocje są jeszcze pod kontrolą, być może dzięki wrażeniu, jakie na klientach wywierają piękne, bogato zdobione, przypominające dzieła sztuki instrumenty.

Ale już pod koniec trzeciej minuty przy kasach panuje potworny ścisk, ponieważ zaś do działu wpadają zdyszani kolejni amatorzy korzystnych zakupów, z trudem utrzymywana powściągliwość tłumu pęka jak bańka mydlana, jej miejsce zastępuje jawna wrogość, ta zaś błyskawicznie ustępuje otwartej agresji. Bójki wybuchają niemal równocześnie w kilku punktach, tu i tam mają miejsce spontaniczne akty przemocy. Zwykle podczas błyskawicznych wyprzedaży zdecydowana większość klientów z daleka omija takie punkty zapalne, pozwalając antagonistom samodzielnie wyjaśnić nieporozumienie, tutaj jednak jest na to najzwyczajniej w świecie za ciasno. Nic dziwnego, że jeden czy drugi zadany w gniewie cios mija cel i trafia w kogoś niewinnego. Nic dziwnego, iż – całkiem dosłownie – boleśnie dotknięta osoba uważa za swój święty obowiązek zrewanżować się napastnikowi. Nic dziwnego, że w zamieszaniu nie potrafi go zlokalizować, znajduje więc sobie cel zastępczy, dochodząc do wniosku, że lepiej rozładować frustrację na kimś niewinnym niż wcale tego nie uczynić.

Agresja rozprzestrzenia się jak fale wywołane rzuconą do stawu garścią kamyków: uderzenie pociąga za sobą kontruderzenie, odwet powoduje odwet, łańcuchowe reakcje przemocy krzyżują się i splatają, aż wreszcie każdy walczy z każdym i wszyscy ze wszystkimi, niczym podczas westernowej bójki w saloonie; główna różnica polega na tym, że zamiast akompaniamentu rozstrojonego pianina (przerwanego w pół taktu, kiedy pianista także zostaje wciągnięty do bójki) walczącym towarzyszą egzotyczne dźwięki zrzucanych z półek, potrącanych, deptanych i miażdżonych bębnów, ksylofonów, kastanietów, fletów, piszczałek, dud, trombit, gongów oraz mnóstwa innych instrumentów dętych, strunowych i perkusyjnych. Co prawda żaden krytyk nie zachwyciłby się tą tworzoną „na żywo" ścieżką dźwiękową, ale i żaden kompozytor nie zdołałby stworzyć dzieła lepiej pasującego do scen rozgrywających się w ogarniętym amokiem tłumie.

Chociaż zgodnie ze standardową procedurą dział, w którym odbywa się błyskawiczna wyprzedaż, znajduje się pod wzmożoną obserwacją Oczu, w pobliżu zaś kręci się para Duchów i kilku strażników, płomień jednak rozprzestrzenia się tak szybko, że nie sposób temu w żaden sposób przeciwdziałać. Zanim kobieta-Duch zdążyła się zorientować, co się właściwie dzieje, jest już w samym środku zażartej bitwy. Kiedy ludzi ogarnia szaleństwo, kiedy panuje całkowita anonimowość, umiejętność wtapiania się w tło przestaje być użytecznym kamuflażem. Jakaś kobieta atakuje ją żydowską harfą jak mieczem; co prawda jedynym efektem pierwszego pchnięcia jest rozdarta kurtka Ducha, niemniej zaatakowana uznaje to za wystarczający pretekst, by sięgnąć po broń. W zamieszaniu napastniczka bierze pistolet za jakiś egzotyczny, całkowicie niegroźny instrument muzyczny i po prostu wytrąca jej go z ręki. Pistolet spada na podłogę, przypadkowe kopnięcie posyła go pod regał, kobieta zaś ponawia atak. Nawet nieuzbrojony Duch nie jest bezbronny, w tłoku i ścisku potrzebuje jednak wyjątkowo dużo czasu na obezwładnienie napastnika. Kiedy wreszcie kobieta-Duch powala tamtą na kolana, obficie krwawi z licznych zadrapań na twarzy i ramionach.

Tymczasem strażnicy czynią, co w ich mocy, żeby powstrzymać napływ nowych klientów do działu, pod naporem tłumu są jednak bez szans: na każdego klienta, którego zdołają zatrzymać, przypada co najmniej trzech, którym udaje się przedrzeć przez nieszczelny kordon. Erupcja przemocy nie odstrasza łowców okazji, wręcz przeciwnie. Skoro ludzie walczą, to znaczy, że mają o co walczyć, to zaś z kolei oznacza, że warto włączyć się do walki. W ten sposób chaotyczna atonalna fuga na ciosy, wrzaski, jęki i okrzyki rozbrzmiewa coraz głośniej, kontrapunktowana trzaskiem pękających pudeł rezonansowych, brzęknięciami zrywanych strun i zgrzytem gniecionej blachy.

Można interpretować tę sytuację jako symboliczne starcie rozmaitych kultur: iktara przeciwko bodhranowi, okaryna kontra ukulele, werble przeciwko tam-tamom. Można silić się na ironiczne zoologiczne porównania, obserwując, jak krowie dzwonki, bębny obciągnięte lwią skórą i rogi bawole służą ludziom do uwalniania drzemiących w nich zwierzęcych instynktów. Można wreszcie patrzeć na całe to zamieszanie z odrazą i zażenowaniem, z głębi serca żałując, że lutnie, tybetańskie dzwonki modlitewne i chińskie harfy są używane niezgodnie ze swym szlachetnym, wzniosłym przeznaczeniem.

W sali, gdzie pracują Oczy, ktoś krzyknął: „Biją się!” – jak zwykle w takich sytuacjach – i każdy, kto tylko może, obserwuje walkę. Tuż przed rozpoczęciem wyprzedaży kamery w Instrumentach Muzycznych Trzeciego Świata przełączono ze sterowania automatycznego na ręczne, w przeciwnym razie bowiem poruszające nimi silniczki z pewnością by się przegrzały. Sceny, które teraz można obserwować na monitorach w zaciemnionej sali – falujące morze walczących zaciekle klientów, miażdżone regały i stelaże, sprzedawcy szukający schronienia za ladami – są kwitowane głośnymi wiwatami, pohukiwaniami i oklaskami. Operatorzy zakładają się między sobą o to, czy dowództwo Ochrony Strategicznej wyda rozkaz otworzenia ognia i jakie będą szacunkowe koszty tego zamieszania.

Pojawienie się pana Blooma kładzie kres radosnemu, niemal karnawałowemu nastrojowi. Operatorzy natychmiast się uspokajają, niczym uczniowie na widok znanego z surowości nauczyciela, pospiesznie wracają na stanowiska, przyjmują pozy sugerujące wytężony wysiłek i skupienie. Niektórzy zaczynają nawet szeptać do mikrofonów, jakby przez cały czas utrzymywali łączność z funkcjonariuszami Ochrony na piętrach.

Pan Bloom zerka na pierwszy z brzegu monitor, a następnie rozgląda się po pomieszczeniu.

– Mam nadzieję, że posiłki już są w drodze?

Kilku operatorów natychmiast kontaktuje się ze strażnikami pełniącymi służbę na Piętrze Żółtym i sąsiednich.

Pan Bloom spogląda na coraz to inne monitory. Czarno-białe niewyraźne obrazki nieco przypominają sceny bijatyk ze starych filmów Bustera Keatona; różnica polega na tym, że ból, wściekłość, razy i nienawiść nie są udawane. Panu Bloomowi przemyka przez głowę myśl, czy Frank nie miał jednak racji, decydując się na rozstanie z Days.

14.03
Najprawdopodobniej Linda nigdy się nie dowie, że gdyby Gordon nie zatrzymał jej w Świecach i Świeczkach, znajdowałaby się teraz w samym środku walczącego tłumu. Dzięki kilkunastu sekundom spóźnienia dociera tam wtedy, kiedy walka trwa już na dobre. To nie niewinna, budząca przyjemny dreszczyk emocji przepychanka, która tak przypadła jej do gustu w Krawatach, tylko naga, odarta z cywilizacyjnego kamuflażu agresja. Wykrzywione nienawistnymi grymasami twarze mężczyzn i kobiet, okładanie się i dźganie cennymi instrumentami z bambusa, szlachetnych gatunków drewna, gliny i ceramiki, prawdziwa krew z licznych ran na zielonej wykładzinie, ranni wzywający pomocy, chwiejący się na nogach, trzymający się za twarze i brzuchy. Dwaj mężczyźni walczą – jak na miecze – na trzcinowe piszczałki, zadają ciosy i parują je jak szermierze. Jakaś kobieta próbuje wepchnąć do nosa innej kobiety cienki jak długopis flecik. Jakiś blady jak ściana mężczyzna osuwa się na podłogę, ugodzony w krocze ciężkimi grzechotkami ze skorupy żółwia. To nie zdrowe, sportowe współzawodnictwo, lecz najzwyklejsza wolna amerykanka połączona ze zbiorową histerią. Ten widok sprawia, iż jakaś jeszcze nie całkiem zniewolona przez Days cząstka duszy Lindy budzi się i gwałtownie protestuje. Ale Lindę prześladuje wciąż myśl, że gdzieś tam wśród walczącego tłumu być może czeka na nią okazja życia, niemal słyszy jej kuszący głos wzywający ją ponad szczękiem oręża. Waha się, nie prze do przodu tak jak otaczający ją ludzie. Pożądanie pcha ją do przodu, ostrożność każe zawrócić.

Nagle przebiegająca obok kobieta łapie Lindę za bluzkę i w odruchu samobójczej solidarności wciąga ją za sobą pomiędzy stoiska. Chyba jednak wewnętrzne opory Lindy nie są tak silne, jak się jej zdawało, daje się bowiem wlec kilka metrów, zanim przychodzi jej do głowy, że być może wolałaby jednak sama decydować o swoim losie. Wbija obcasy w podłogę, szwy puszczają, rękaw się urywa, obca kobieta niknie w walczącym tłumie. Najlepsza bluzka!

Linda jest za blisko, by ogarnąć wzrokiem całą scenę. Nie ma mowy o patrzeniu na awanturę z jakiejkolwiek perspektywy, widać tylko zakrzywione jak szpony palce, paznokcie wbijające się w ciało, zaciśnięte pięści, błyszczące szaleństwem oczy. Nagle w policzek uderza ją coś małego i wilgotnego, przykleja się do skóry. Linda bierze to do ręki, przygląda się. To ząb, zaśliniony i zakrwawiony, z fragmentem różowej tkanki.

Tego już za wiele. Z obrzydzeniem rzuca ząb na podłogę i zaczyna się wycofywać, powoli, krok za krokiem, by nie zwrócić na siebie uwagi. Zdążyła już zauważyć, że wcale nie trzeba kogoś zaatakować, żeby samemu stać się obiektem agresji. Walczący rzucają się na nowo przybyłych z taką zajadłością, jakby to od dawien dawna byli ich śmiertelni wrogowie, z którymi nareszcie będą mogli wyrównać zadawnione porachunki. Nadzwyczajna okazja wciąż mami ją syrenim śpiewem, jednak ten obłudnie słodki głos znacznie przycichł, częściowo zagłuszony graną na dewastowanych instrumentach muzyką bólu i nienawiści.

Nagle, jakby pękła niewidzialna membrana, która oddziela ją od tego szaleństwa, wezbrana fala pędzi w jej stronę. Jakiś mężczyzna atakuje ją cytrą, próbując wbić w jej czaszkę zakrwawiony róg instrumentu. Linda w ostatniej chwili wykonuje unik, chwyta napastnika za nadgarstek, odpycha jego rękę i skręca ją w bok, dzięki czemu ostra krawędź jedynie prześlizguje się po jej skroni. Czuje na policzku gorący oddech, mężczyzna wrzeszczy co sił w płucach, z jego ust płynie nieprzerwany potok obelg. Ponownie unosi cytrę, próbuje zadać kolejny cios, lecz Linda wciąż rozpaczliwie trzyma go za nadgarstki. Jest od niej większy i silniejszy, ale ona nie ma zamiaru się poddawać.

Powraca do niej obraz z dzieciństwa: rodzice w niemal identycznej pozie. Od ponad godziny leżała w łóżku, słuchając dobiegających z parteru odgłosów kłótni, aż wreszcie, nie mogąc zasnąć, wstała z łóżka, wyszła na palcach z pokoju i usiadła na schodach. Popatrzyła ostrożnie w dół przez pręty balustrady; ojciec szkarłatny na twarzy chodził w tę i z powrotem po pokoju i krzyczał, oskarżając matkę o niestworzone rzeczy: że nigdy go nie słucha, że nie rozumie jego potrzeb, że nie okazuje mu należnego szacunku jako mężowi i żywicielowi rodziny. Matka milczała; być może uznała, że tak absurdalne zarzuty nie zasługują na odpowiedź. Siedziała bez ruchu, podczas gdy jej mąż wściekał się coraz bardziej, aż wreszcie, nie mogąc już znieść jej wyniosłego milczenia, rzucił się na nią, jakby chciał ją udusić. Zareagowała błyskawicznie, widocznie spodziewała się czegoś takiego: złapała go za nadgarstki, zanim jego zakrzywione palce zdołały zacisnąć się na jej szyi, po czym, przytrzymując go ze wszystkich sił, zaczęła przemawiać łagodnym, kojącym tonem, tak jak się uspokaja rozwścieczonego psa.

Stali nieruchomo przez dłuższy czas, niczym rzeźba wyobrażająca zmagania rozsądku z zaślepieniem, aż w końcu, kiedy słowa matki Lindy zaczęły docierać do zamroczonego atakiem szału umysłu ojca, zaczął się powoli cofać, ona jednak uwolniła jego ręce dopiero wtedy, kiedy nabrała pewności, że naprawdę się uspokoił. Odwrócił się i podszedł do kominka. Linda oczekiwała, że ojciec zaraz przeprosi matkę, tak jak zawsze czynił przy podobnych okazjach, nie był bowiem człowiekiem całkowicie pozbawionym sumienia ani poczucia przyzwoitości. Co prawda przeprosiny nigdy nie brzmiały do końca przekonująco, niemniej jednak stanowiły swoiste przyznanie się do błędu. Tym razem jednak ojciec nie przeprosił matki. Jego gniew chwilowo osłabł, nie przestał jednak wrzeć i nadal szukał ujścia. I znalazł je.

Chwycił stojący na kominku zegar. Nietrudno było się domyślić, co się za chwilę stanie, jednakże ani matka, ani tym bardziej Linda nie mogły w żaden sposób temu zapobiec. Przez chwilę ważył zegar w ręce, jakby się nad czymś zastanawiał, potem zaś cisnął nim o ścianę. To mu jednak nie wystarczyło. Podszedł do leżącego na podłodze zegara i pochylił się nad nim z uwagą. Ze swego stanowiska obserwacyjnego na szczycie schodów Linda wyraźnie widziała przypominające błyskawicę pęknięcie w szybce na cyferblacie. Ojciec ponownie wziął zegar do ręki, rzucił nim raz jeszcze. W środku coś pękło z głośnym trzaskiem, jedna z ozdobnych nóżek odpadła. Ojciec zbliżył zegar do ucha, potrząsnął nim, uśmiechnął się szeroko, słysząc dobiegające ze środka grzechotanie, uniósł go wysoko nad głowę i z całej siły rąbnął nim o podłogę. Posypało się szkło, odpadła druga nóżka.

Zegar leżał na dywanie niczym zmasakrowane martwe zwierzę. Linda z najwyższym trudem powstrzymała się, żeby nie krzyknąć: „Zostaw go!". Czy nie widział, że zegar ma już dość (podobnie jak one)? Na pewno nie, ponieważ zaraz potem zaczął go wściekle kopać i deptać.

Zegar był solidny, ale przecież nie był niezniszczalny. W końcu obudowa pękła, ze środka wysypały się błyszczące metalowe części: śrubki, koła zębate, sprężyna.

Ojciec Lindy przez chwilę przyglądał się swemu dziełu, następnie zaś spojrzał na żonę z miną dziecka, które przewracając talerz, uniknęło konieczności jedzenia niesmacznej zupy.

– Któregoś dnia zrobię ci to samo, dziwko! – powiedział, po czym zasiadł na kanapie, położył nogi na stoliku i włączył telewizor.

Matka Lindy bez słowa, z godnością, zajęła się sprzątaniem z podłogi resztek zegara, Linda zaś, z trudem powstrzymując łzy, na bosaka wróciła do łóżka. Dopiero tam się rozryczała i płakała tak długo, aż wreszcie zasnęła.

Ojciec nigdy nie wprowadził swojej groźby w czyn, ba, przez cały okres trwania małżeństwa matka Lindy nie oberwała nawet jednego kuksańca, co zawdzięczała nie jego wstrzemięźliwości, a swojemu refleksowi. Jednak należało się liczyć z możliwością, iż któregoś dnia ogarnie go szaleństwo tak wielkie, że zawory bezpieczeństwa w postaci wyzwisk okażą się niewystarczające, że nie zdołają go wtedy uspokoić starannie dobrane słowa, to zaś oznaczało, że matka Lindy musiała przez cały czas zachowywać czujność i ostrożność. Linda naśladowała jej zachowanie, chociaż zawsze to matka ściągała na siebie cały gniew ojca. Był jak ponura gniewna planeta, wokół której krążyły dwa milczące księżyce; kiedy sobie wreszcie poszedł, przeniósł się do innego miasta i zamieszkał z młodszą od matki kobietą, poczuły się tak, jakby wyrwały się ze strefy silnego przyciągania. Od razu zrobiło im się lżej.

Trudno się zatem dziwić, że Linda nauczyła się lękać mężczyzn i że dorastała w przekonaniu, iż wszyscy są tacy jak jej ojciec, zdolni pod lada pretekstem – albo nawet bez niego – zaatakować jak kobra. Efektem takiego nastawienia było kilka pogmatwanych, sztucznych, nieskonsumowanych związków, które zaskarbiły jej w środowisku opinię modliszki. Dopiero poznawszy Gordona, zrozumiała, że jednak nie wszyscy mężczyźni są tacy jak ojciec, że trafiają się także łagodni, delikatni oraz – nie bójmy się tego określenia – pozbawieni własnego zdania.

Wspomnienie losu, jaki spotkał kominkowy zegar, dodaje Lindzie nadzwyczajnych sił. Wykrzywiona grymasem nienawiści twarz mężczyzny z cytrą upodabnia się w jej oczach do twarzy ojca. Ogarnia ją obrzydzenie i nienawiść, z ust wyrywa się jej schrypnięty krzyk, odpycha go, mężczyzna zatacza się do tyłu, wymachując rękami, cytra trafia innego klienta w kark, tamten odwraca się na pięcie i błyskawicznie temu z cytrą zadaje cios trzymaną w ręce bałałajką. Instrument trafia w twarz, jedna struna pęka, pozostałe wrzynają się w skórę na czole, policzkach, nosie. Leje się krew.

Linda rzuca się do ucieczki, jest jednak tak zdezorientowana, że nie może sobie przypomnieć, gdzie znajduje się najbliższe wyjście. Otacza ją tłum, ale ten tłum nie stoi w miejscu, lecz wyraźnie się przesuwa. Nadbiegają wciąż nowi amatorzy tanich zakupów, uparcie prą naprzód, jeśli więc ona skieruje się w przeciwną stronę, niczym łosoś płynący pod prąd rwącej rzeki, z pewnością dotrze tam, gdzie zamierza.

Teoretycznie trudno cokolwiek zarzucić temu planowi, tłum napiera jednak z taką siłą, że Linda nie jest w stanie mu się przeciwstawić. Walczy jak lwica, wciska się w każdą lukę, wykorzystuje każdą szansę na zdobycie choć odrobiny terenu, kilkakrotnie jednak niewiele brakuje, żeby runęła na podłogę; utrzymuje równowagę wyłącznie dzięki ściskowi, może też w każdej chwili chwycić się czyjegoś ramienia. Zdaje sobie sprawę, że jeśli raz się przewróci, nie zdoła już się podnieść.

W pewnej chwili do jej uszu dociera jak przez watę nadawana przez głośniki informacja o zakończeniu wyprzedaży.

Lindzie świta wątła nadzieja, że podobnie jak w Krawatach po tym komunikacie ludzie się uspokoją, poza nią nikt jednak go nie usłyszał, jeśli zaś nawet usłyszał, to nie zwrócił na to najmniejszej uwagi. Bitwa toczy się dalej, dołączają do niej kolejni klienci, Linda z najwyższym trudem stawia czoło naporowi stłoczonych ciał. Zaciska zęby i walczy ze wszystkich sił. Przyświeca jej już tylko jeden cel: ujść stąd z życiem. Reszta jest mało ważna.

Wygląda na to, że zadanie przerasta jej siły. Kolejne fale miłośników wyprzedaży uderzają w nią z potwornym impetem, któremu Linda już nie jest w stanie się przeciwstawić. Czuje się tak, jakby wyskoczyła za burtę tonącego transatlantyku i starała się odpłynąć od wraku, walcząc z wciągającymi ją w głębię wirami. Stara się, jak może, lecz mimo to nie rusza się z miejsca. Zapasy energii szybko się kurczą. Pojawia się myśl, żeby zrezygnować z oporu i dać się ponieść wzburzonemu oceanowi szaleństwa. Nie skorzystała z okazji, czegokolwiek ta okazja miała dotyczyć, a ktoś, kto nie wykorzystuje okazji, nie zasługuje na przychylność losu.

Postanawia zaniechać walki i pozwolić rzece ciał ponieść się tam, dokąd ta zechce ją zawlec. Nagle kieruje myśli ku Gordonowi, który przez całe życie biernie znosił swój los, który nigdy nie starał się w żaden sposób wpływać na bieg wydarzeń, który zawsze dostosowywał się, dopasowywał i ulegał. Po raz pierwszy, odkąd są razem, Linda myśli, że go rozumie. Do tej pory wybór drogi, na której napotyka się najmniejszy opór, traktowała zawsze jako objaw słabości, jej siła zaś wyrastała z gotowości stawiania czoła wszelkim przeciwnościom. Niekiedy jednak przyznanie się do porażki także stanowi dowód siły. Opór za wszelką cenę, owszem, bywa godny podziwu, nie zawsze jednak świadczy o rozsądku.

Myśli o mężu i oto tuż przed nią, jakby przywołany siłą jej wyobraźni, pojawia się Gordon we własnej osobie. Wyciąga do niej rękę. Woła:

– Trzymaj się, Lindo!

Chwyta go za rękę, on zaś przyciąga ją do siebie i razem tworzą małą wyspę, którą ze wszystkich stron oblewa wzburzona rzeka ludzkich ciał. Objęci mocno, mąż i żona trwają pośród chaosu.

XXXIV

Męstwo: jedna z siedmiu cnót teologicznych

14.05

Panna Dalloway spogląda na zegarek. Według jej obliczeń Edgar powinien już kupić kabel i znajdować się teraz w drodze po budzik – oczywiście pod warunkiem że nie wpadł w żadne tarapaty.

Zdając sobie sprawę, że chwilowo nie ma najmniejszego wpływu na przebieg wydarzeń, czuje się dość nieswojo, ale na szczęście Edgar to bystry, lojalny i sumienny chłopiec. Nie mogła wybrać lepiej. Niestety, w niczym nie zmienia to faktu, że nawet on może zawieść; byłaby niemądra, nie biorąc pod uwagę takiej ewentualności.

Tymczasem Oskar stoi kilka kroków od niekompletnej bomby i myśli intensywnie.

– Nie chciałbym być wścibski, proszę pani, ale skoro planowała to pani od tak dawna, to dlaczego czekała pani do ostatniej chwili z kupieniem i zamontowaniem zapalnika?

– Już ci mówiłam, Oskarze. Chcę, żeby kierownictwo sklepu wiedziało, co zamierzam, żeby ci na górze zobaczyli na własne oczy, jak mszczę się za niezasłużoną krzywdę, która nas spotkała.

– Ma pani na myśli braci?

– Braci, Ochronę, Oczy... Chcę, żeby wszyscy patrzyli, kiedy to się stanie.

– Zależy pani, żeby wiedzieli, że nie jest pani zwyczajną terrorystką?

– Właśnie, mój drogi.

Tak jest, właśnie o to chodzi. Nie jest jakąś tam zwyczajną terrorystką. Oczywiście podobnie jak większość terrorystów walczy o sprawę, w którą święcie wierzy, dzisiejsze działanie podjęła jednak wcale nie dlatego, że bólem i strachem chce zmusić ludzi, by uwierzyli w jej ideały. Dzisiaj chodzi jej o to, żeby właścicielom Days dać nauczkę, której nigdy nie zapomną. Pokaże braciom Day, że nie mogą traktować pracowników tak, jakby to były mrówki, że nie mogą bezkarnie przeganiać ich z miejsca na miejsce i deptać, kiedy przyjdzie im na to ochota. Prowadzenie pierwszego i (w czasach ich ojca) najlepszego gigamarketu na świecie to wielka odpowiedzialność, nie zaś, jak im się chyba zdaje, partia szachów rozgrywana żywymi pionkami.

Właśnie wiara w słuszność tej sprawy i chęć zemsty na Komputerach za trwające od półtora roku prześladowania uzbrajają pannę Dalloway w pancerz nieugiętej determinacji.

Edgar da sobie radę.

Musi.

14.07

Edgar wyprowadza wózek z windy na Piętrze Żółtym, ale niemal natychmiast widzi zbliżającego się ku niemu szybkim krokiem strażnika. Ogarnia go panika, staje jak wryty, przerażony rozmiarami umundurowanego mężczyzny. Strażnik należy do tych ludzkich istot, które zdają się być stworzone wyłącznie w celu zadawania fizycznego bólu innym ludziom. Pięści ma jak bochny, osadzone blisko siebie oczy spozierają na świat bez odrobiny współczucia.

Edgar postanawia być łagodny jak baranek. Nic go nie obchodzi perspektywa utraty pracy. W tej chwili ma głowę zaprzątniętą tylko jednym: w jaki sposób przetrwać kilka najbliższych chwil. Nie, wcale nie jest tchórzem; po prostu nie znosi bólu, i tyle.

Stoi nieruchomo jak słup soli, strażnik zbliża się...

...i mija go, nawet nie rzuciwszy na niego okiem.

W tej samej chwili do uszu Edgara dociera odległe głuche dudnienie. Bez trudu rozpoznaje ten odgłos. Jest siedem po drugiej, gdzieś właśnie skończyła się błyskawiczna wyprzedaż, taki hałas świadczy jednak o tym, że przerodziła się w zamieszki.

Pojawia się drugi strażnik. Idzie jeszcze szybszym krokiem niż pierwszy, Edgar zaś obserwuje go ze znacznie mniejszym niepokojem, po czym jakby nigdy nic rusza w kierunku Zegarów. Na jego zazwyczaj melancholijnej twarzy gości lekki uśmieszek; Edgar zdaje sobie sprawę, że dopóki trwa spowodowane wyprzedażą zamieszanie, Ochrona ma na głowie ważniejsze sprawy niż ściganie Mola Książkowego posługującego się skradzioną kartą.

14.08

Operator ze świstem wypuszcza powietrze z ust, triumfalnie uderza otwartą dłonią w podłokietnik fotela, a następnie mówi do mikrofonu:

– Panie Hubble?

– Jestem.

– Mam go.

– Gdzie?

– Na Żółtym. Mężczyzna z wózkiem, cholernie wypukłe czoło. To na pewno on. Oddala się na zachód od windy K.

– Dobra robota, Oko. Nie zgub go. Bez odbioru.

– W porządku, mój przemądrzały przyjacielu – mruczy Oko, wyświetlając na ekranie plan Piętra Żółtego w pobliżu windy K. Czerwone kropki oznaczają usytuowanie kamer; każda kropka opatrzona jest numerem, otacza ją okrąg odpowiadający zasięgowi kamery. – Jak już raz go namierzyłem, to na pewno go nie stracę.

Operator wie już, która kamera powinna przejąć obserwację. Kilka stuknięć w klawisze, parę ruchów joystickiem i na ekranie monitora ponownie pojawia się śledzony mężczyzna.

Boże, jak on lubi swoją pracę! Nieważne, że kariera Oka trwa średnio dziesięć lat, licząc od szkolenia aż do całkowitego wypalenia. Nieważne, że Oczy często umierają na raka i choroby serca. To wszystko czeka go dopiero w przyszłości, teraz zaś jest teraz. Gorączka pościgu. Błyskawiczne decyzje. Palce biegające po klawiaturze. Coś jak gra komputerowa, tyle że z udziałem żywych ludzi. Uczestniczysz w akcji i równocześnie obserwujesz ją z bezpiecznego oddalenia. Aż chce się żyć.

– Jestem w tym niezły – mówi do siebie. – Jestem w tym cholernie dobry. Jestem najlepszy.

– Miło mi to słyszeć – rozlega się głos za jego plecami.

Operator ogląda się gwałtownie. Tuż za nim, z ręką na oparciu fotela, stoi pan Bloom.

– Ja... t-t-to znaczy... nie... nie wiedziałem... – jąka się Oko.

– Czy dobrze mi się zdaje, że przed chwilą rozmawiałeś z panem Hubble'em?

– Tak jest, proszę pana. Śledzimy osobnika posługującego się skradzioną kartą. Pan Hubble jest zdania, że to zawodowiec podszywający się pod pracownika Days.

– Mogę popatrzeć?

– Oczywiście, proszę pana. Ale co z zamieszkami?

– Zamknęliśmy wejścia do działu. Wkrótce sytuacja sama się uspokoi. – Pan Bloom przysuwa sobie krzesło. – Przepraszam, ale nie wiem, jak się nazywasz?

– Hunt, proszę pana.

– Doskonale, Hunt – mówi pan Bloom. – A więc, co teraz porabia pan Hubble?

14.09

Frank zjeżdża ruchomymi schodami z Piętra Zielonego na Żółte. Drogę blokuje mu klient objuczony kilkoma wypchanymi torbami. Frank dwukrotnie mówił „przepraszam", lecz został zignorowany. Chociaż zirytowany opóźnieniem, nie może się jednak zdobyć na to, żeby klepnąć tamtego w ramię, bębni więc tylko palcami w gumową ruchomą poręcz i przeszywa plecy zawalidrogi nienawistnym spojrzeniem.

— Panie Hubble?

— Tak?

— Podejrzany dotarł do Śmiesznych Rzeczy. Wygląda na to, że zmierza na południe do Gier Planszowych.

— W porządku. Pójdę najpierw przez Wędkarstwo, potem przez Sprzęt Fotograficzny i przechwycę go w Zegarach.

— To była dobra wiadomość. Zła jest taka, że mamy problemy w Instrumentach Muzycznych Trzeciego Świata, więc musieliśmy tam posłać większość strażników.

— Damy sobie radę – mówi Frank.

Kończą się ruchome schody, obładowany zakupami klient schodzi na podest, Frank zaś prześlizguje się obok niego i szybkim krokiem kieruje się w stronę Zegarów.

XXXV

Siedem błogosławieństw żydowskiej ceremonii zaślubin: tradycyjna recytacja siedmiu błogosławieństw dla młodej pary, odwołujących się do historii i nadziei narodu izraelskiego

14.09

Trivettowie wyczuwają, że napór ciał staje się nieco mniejszy, i ruszają w kierunku wyjścia. Brną naprzód powoli, nadal się obejmując. Żadne z nich nie chce zerwać tego uścisku. Jeszcze nie.

Zostawiwszy walczących za plecami, docierają wreszcie do przejścia łączącego Instrumenty Muzyczne Trzeciego Świata z Wyrobami Rękodzielniczymi, by stwierdzić, że drogę zagradza im bariera ze stojących ramię przy ramieniu potężnie zbudowanych mężczyzn w zielonych mundurach.

– A wy dokąd? – pyta jeden ze strażników.

– Chcemy wyjść – odpowiada Gordon, strażnik jednak kręci głową.

– Nic z tego.

– Dlaczego?

Gordon musiał kilka razy powtórzyć pytanie, zanim wreszcie doczekał się odpowiedzi. Strażnik wyjaśnia mu, że dopóki sytuacja się nie uspokoi, nikt nie może opuścić działu.

– Sam pan rozumie, musimy wszystkich spisać.

– Spisać?

– Wszyscy uczestnicy awantury solidarnie płacą za zniszczenia – tłumaczy mu strażnik takim tonem, jakby przemawiał do niedorozwiniętego dziecka. – Każdy klient wyraża na to zgodę, kiedy podpisuje umowę założenia konta.

– Chwileczkę, czy ja pana już gdzieś nie widziałem? – pyta inny strażnik, stojący dwa metry dalej.

Gordon w pierwszej chwili nie może sobie skojarzyć jego twarzy, zaraz jednak przypomina ją sobie i czuje, jak jego serce zamienia się w bryłę lodu.

– Wątpię – mamrocze niezbyt przekonująco.

– Ależ tak! W Lustrach.

– Naprawdę nie wydaje mi się...

– Przecież to pana napadły te dwa burlingtony!

Gordon zerka z ukosa na Lindę. Na szczęście jest zajęta oglądaniem rozdartego rękawa i nie zwraca uwagi na rozmowę.

– Spisz ich i wypuść – zwraca się znajomy Gordona do swego kolegi. – Ten biedak ma dzisiaj paskudny dzień.

Gordon prosi Lindę o kartę i podaje ją strażnikowi, który przepuszcza ją przez swego sfinksa. Kordon rozstępuje się przed nimi. Kilka kroków dalej Trivettowie zagłębiają się w tłum spóźnialskich, którzy obrzucają ich zazdrosnymi spojrzeniami. Znowu wspinają się na palce, próbując coś dojrzeć nad głowami strażników. Trzymając się za ręce, mijają maski, totemy i gliniane figurki, opuszczają Peryferie i wracają do Świec i Świeczek, tam, gdzie Linda kazała czekać Gordonowi. Żadne inne miejsce jakoś nie przychodzi im do głowy.

Gordon postanawia wykorzystać nastrój Lindy i opowiedzieć jej szczerze o swoim spotkaniu z burlingtonami, ona jednak ucisza go machnięciem ręki.

– W porządku – mówi. – Opowiesz mi kiedy indziej.

– Wiesz, trochę cię okłamałem...

– To nie ma znaczenia. Wolałabym, żebyś wytłumaczył mi coś innego.

– A co?

– Nie bój się. Po prostu chcę wiedzieć, jakim cudem znalazłeś się na tej wyprzedaży.

– Aha... No wiesz... Zmieniłem zdanie.

– Dlaczego?

– No... Chyba nie chciałem, żebyśmy byli osobno.

– Osobno?

– Po tym, co przeżyłaś podczas poprzedniej wyprzedaży. Poczułem się trochę tak, jakbyś poznała jakąś tajemnicę, o której ja nie mam pojęcia. Pomyślałem więc, że chociaż rzucę okiem, ale kiedy tam przyszedłem, wszyscy już się bili, i zobaczyłem ciebie, jak próbujesz się stamtąd wydostać, i...

Milknie, wzrusza ramionami.

– I pobiegłeś mnie ratować.

– I pobiegłem cię ratować. Twój rycerz w okularach.

Linda cofa się o krok, mierzy go uważnym spojrzeniem. Gordon przestępuje niepewnie z nogi na nogę.

– Jak się czujesz?

– Jestem poobijana, podrapana i wściekła, bo podarli mi najlepszą bluzkę, ale i szczęśliwa.

– Szczęśliwa?

– Nigdy tego nie zrozumiesz.

Mówi to jednak w taki sposób, iż Gordonowi wydaje się, że jednak rozumie.

– Aha...

Uśmiecha się lekko. Przez jakiś czas idą w milczeniu, po czym Gordon zdobywa się na odwagę i ponawia propozycję, żeby wrócili do domu. Ku jego zaskoczeniu Linda od razu się zgadza, następnie zaś wprawia go w jeszcze większe zdumienie:

– A jak już tam dotrzemy, zastanowimy się, czy utrzymywać konto, czy z niego zrezygnować.

Pewnie ktoś uderzył ją w głowę, myśli Gordon. To rezultat wstrząśnienia mózgu. Najdalej za godzinę nie będzie pamiętała tego, co teraz mówi.

Linda jakby czytała w jego myślach.

– Każdemu zdarza się zmienić zdanie.

– Tak, ale...

– Czy wyglądałam tam jak ktoś, kto się dobrze bawi?

– No nie, ale...

– A więc widzisz.

– Ale...

– Gordon, większość ludzi przez całe życie nie spędza w Days nawet jednego dnia. Nam się to udało. I wystarczy.

– Skoro tak mówisz...

– Chcę jeszcze zajrzeć tylko do jednego działu, a potem możemy wracać. Obiecałam sobie, że kupię dzisiaj dwie rzeczy. Jedna z nich to krawat dla ciebie, druga to zegar, który pokazywałam ci w katalogu. Pamiętasz?

Owszem, pamięta.

– Taki sam jak ten, który miała twoja matka?

– Jeśli chcesz, możesz to nazwać sentymentalizmem. Przynajmniej będziemy mieli pamiątkę z Days.

Uśmiecha się do niego. Mimo potarganych włosów, rozdartej bluzki, opuchniętego otarcia na skroni, wokół którego rozkwita ogromny fioletowy siniak, a może właśnie dzięki temu, dzięki tym wszystkim szczelinom w nieprzeniknionym do tej pory pancerzu, Gordon jest nią bez reszty oczarowany.

– W porządku.

– Mój ty rycerzu w okularach...

Linda wspina się na palce i daje mu lekkiego, ale serdecznego buziaka w policzek. Gordon czuje go jeszcze długo po tym, jak wyruszyli w drogę do Zegarów.

XXXVI

Seven Dials (Siedem Zegarów): nazwa skweru u zbiegu siedmiu ulic w dzielnicy Holborn w Londynie, stoi tam dorycka kolumna z sześcioma zegarami słonecznymi – siódmym jest ona sama, bo przecież również rzuca cień

14.17

W Zegarach tysiące czasomierzy dzieli czas na niezliczone cząstki. W Zegarach czas nie mija dyskretnie sekunda po sekundzie, lecz przepływa wezbranym wodogrzmotem zwielokrotnionego tykania delikatnych damskich zegareczków i wielkich stojących zegarów, budzików i zegarów ściennych, zegarów kuchennych i kominkowych. W Zegarach każdy mijający kwadrans jest żegnany przez nieskoordynowany chór dzwonków, kurantów, kukułek i elektronicznych popiskiwań, po każdej półgodzinie rozlega się chór jeszcze głośniejszy, po godzinie – jeszcze głośniejszy, hałas zaś, jaki rozlega się w południe i o północy, trudno z czymkolwiek porównać.

Oprócz sprzedawców w dziale tym na pełnych etatach pracuje trzech ludzi, których jedynym obowiązkiem jest nieustanne nakręcanie sprężyn, wymiana baterii oraz czuwanie nad tym, by wszystkie prezentowane czasomierze wskazywały tę samą godzinę. Rzecz jasna, jest to bardzo trudne zadanie, prawie niemożliwe do wykonania. Mierzone początkowo w ułamkach sekund różnice nawarstwiają się i kumulują, nie wiadomo, gdzie kończy się jedna minuta, a zaczyna następna, aż wreszcie czas wraca do swej pierwotnej, niezdefiniowanej, nieukształtowanej postaci, w której Zawsze niczym się nie różni od Nigdy.

Ktoś, kto pragnie nabyć urządzenie służące śledzeniu lub wykrywaniu upływu czasu, powinien udać się właśnie do tego działu; musi być jednak przygotowany na to, że jego osobista percepcja czasu ulegnie zachwianiu i deformacji. Musi być przygotowany na to, że – może bardzo długo, a może bardzo krótko – będzie śledził upływający czas z tysiąca różnych miejsc.

14.17

Znalezienie upatrzonego zegara przychodzi Lindzie znacznie łatwiej, niż się spodziewała, zupełnie jakby wiódł ją ku niemu instynkt. Jest piękny. Mosiężna obudowa lśni jak złoto, cherubinki u podstawy dmą w trąby z wyrazem autentycznego wysiłku na małych metalowych twarzyczkach. Widać każde nawet najdrobniejsze piórko w ich miniaturowych skrzydełkach. Identycznie wyglądał zegar matki. Przeszłość wróciła. Wspomnienie stało się rzeczywistością.

Macha na Gordona, żeby podszedł i go obejrzał.

14.17

Gordon podchodzi i ogląda zegar.

– No i co? – pyta żona. – Co o tym myślisz?

Ma ochotę powiedzieć, że cherubinki leżą w nienaturalnych pozach, że wyglądają tak, jakby tarcza zegara miała je za chwilę zgnieść na placek. Ma ochotę powiedzieć, że wątpi, by zegar pasował do ich domu, nie robi tego jednak, ponieważ wie, ile ten przedmiot dla niej znaczy.

– Jeśli tobie się podoba, to mnie też – mówi.

Linda ostrożnie zdejmuje zegar z półki.

14.17

– Budzik, budzik... – mamrocze Edgar, wędrując alejką poświęconą przyłóżkowym chronometrom i rozglądając się w poszukiwaniu ostatniego przedmiotu z listy życzeń panny Dalloway. Końcowy cel jego misji jest już w zasięgu wzroku, szanse na zakończenie jej sukcesem – ogromne. Chciałby jak najprędzej w glorii chwały powrócić do Książek i odebrać gratulacje od przełożonej. To jedyna nagroda, jakiej oczekuje. Jak tylko kupi to co trzeba, skieruje się na północ, przejdzie przez dwa działy i będzie już na miejscu.

Nareszcie. Całkiem zwyczajny nakręcany budzik z metalowymi dzwonkami i smukłymi rzymskimi cyframi na białej tarczy. Powinien być w sam raz.

Edgar wkłada budzik do wózka, po czym rusza w kierunku kasy u wylotu alejki. Za plecami słyszy ciche kroki.

14.17

– Ochrona Taktyczna. Proszę się zatrzymać i odwrócić.

Podejrzany waha się, co może oznaczać, że jest to ktoś przyzwyczajony do wykonywania poleceń. Zaraz potem zrywa się jednak do biegu, to zaś z kolei prawie na pewno znaczy, że jest zdeterminowany, a może nawet zdesperowany.

– Powiedziałem: proszę się zatrzymać!

Tamten jednak się nie zatrzymuje, we Franku zaś dochodzą do głosu wpajane podczas szkolenia i utrwalone w ciągu wielu lat pracy odruchy.

Prawą ręką wydobywa pistolet z kabury, lewą natomiast wyciąga z kieszeni kartę i przesuwa ją przez szczelinę w rękojeści. Zapala się zielona dioda, pistolet przestaje być nieszkodliwym kawałkiem metalu, staje się natomiast śmiercionośnym, gotowym do użycia narzędziem. Frank wie, że we wnętrzu uchwytu, zaledwie milimetry od jego ręki, czają się stłoczone w magazynku pociski. To tak, jakby ściskał w garści prężącą się do skoku śmierć. Jest teraz panem losu uciekającego człowieka: jednym ruchem palca może tę żywą, myślącą i czującą istotę zamienić w kawał krwawiącego mięsa. To przerażające i zarazem podniecające uczucie. Podniecające dlatego, że tak przerażające, przerażające zaś dlatego, że podniecające.

Odbezpiecza broń, prostuje ramię. Ramię, ręka i pistolet powinny zespolić się w całość. Tak go uczono. Pistolet ma być jakby przedłużeniem jego ciała. Frank pamięta o tym nawet teraz, po wielu latach noszenia tego ciężaru w kaburze. Rzadko po niego sięgał, teraz czyni to po raz pierwszy od bardzo dawna, nie ma jednak wyboru, jeśli chce zachować Irydową i dalej prowadzić takie życie jak do tej pory. To cena, jaką musi za to zapłacić. To jego obowiązek.

Lewa ręka podtrzymuje prawą, ściskającą broń. Nogi w lekkim rozkroku. Mierzyć tak, żeby zranić: w bark albo nogi. A teraz ostatnie ostrzeżenie:

– Stój, bo będę strzelał!

Uciekinier skręca za róg.

A niech to!

14.18

Cholera! Cholera! Cholera!

W mózgu Edgara jest miejsce tylko na to jedno słowo.

Broń. Detektyw. Detektyw sklepowy z bronią.

Cholera! Cholera! Cholera!

14.18

Linda wręcza zegar Gordonowi, sama zaś grzebie w torebce w poszukiwaniu karty. Rozlega się czyjś krzyk, sekundę lub dwie później w alejce pojawia się człowiek z wózkiem i pędzi na oślep w ich kierunku. Wózek mija ich dosłownie o milimetry.

– Mógłby pan trochę uważać! – parska Linda z oburzeniem w imieniu swoim i męża.

14.18

Gordon otwiera usta, by rzucić jakąś kąśliwą uwagę o ludziach, którym za bardzo się spieszy, kątem oka dostrzega jednak jeszcze jednego biegnącego w ich stronę mężczyznę. Ma w ręce pistolet. Gordonowi głos więźnie w gardle.

14.18

Frank jest przekonany, że człowiek w okularach, z opatrunkiem na ręce, ustąpi mu z drogi. Biegnie zbyt szybko, żeby go ominąć. Tamten jednak stoi jak wryty. Dochodzi do zderzenia. Palec Franka przypadkowo naciska na spust. Rozlega się ogłuszający huk wystrzału.

14.18

W lewe ucho Gordona wbija się rozżarzony drut, lewą połowę twarzy zasypują mu piekące iskry.

Trafił mnie w głowę, taka jest jego pierwsza myśl. Druga stanowi jej jedyne logiczne rozwinięcie: nie żyję.

14.18

Na odgłos wystrzału wszyscy, którzy są w pobliżu, kulą się, kryją za regałami, szukają schronienia. Wszyscy z wyjątkiem Edgara, który jest zanadto pochłonięty ucieczką, żeby cokolwiek słyszeć. Właśnie dlatego, kiedy w jego plecy tuż nad kością ogonową i nieco w bok od kręgosłupa uderza jakby potężna pięść, w pierwszej chwili w ogóle nie zdaje sobie sprawy, co się stało.

14.18

Linda ma wrażenie, że wszystko dzieje się w zwolnionym tempie: jej mąż bezwładnie osuwa się na podłogę, okulary spadają mu z nosa, zegar wysuwa się z rąk i nieruchomieje na wykładzinie tarczą do dołu.

Gordon żyje, jest tego pewna. Pistolet nie był wycelowany w jego głowę. Stracił przytomność, i tyle. Nic mu nie jest.

Mężczyzna z pistoletem pochyla się nad Gordonem i przykłada mu broń do skroni. W tej samej chwili palce Lindy natrafiają w torebce na niewielki cylindryczny przedmiot: Linda działa natychmiast, bez zastanowienia podnosi kciukiem przykrywkę i wyszarpuje z torebki miotacz gazu pieprzowego.

14.18

Co za kretyn! Stał jak jakiś cholerny słup soli!

Nie wypuszczając pistoletu z ręki, Frank pochyla się i sprawdza puls na szyi mężczyzny. Nic mu nie będzie, poza szumem w uchu i pieczeniem twarzy tam, gdzie w naskórek wbiły się rozżarzone drobinki prochu. Cholerny głupek, powinien był się odsunąć.

Frank zamierza wznowić pościg, kątem oka dostrzega jednak jakieś poruszenie i przypomina sobie, że obok mężczyzny stała jeszcze kobieta. Odwraca głowę w jej stronę i widzi, że kobieta rzuca się na niego z twarzą wykrzywioną grymasem nienawiści. Trzyma coś w ręce. Dezodorant? Flakonik z perfumami?

Jego twarz otula biała mgiełka, w oczy i nos wlewa się płynny ogień.

Frank odskakuje do tyłu, próbuje zetrzeć z twarzy piekące świństwo, osiąga jednak tylko tyle, że wciera je jeszcze mocniej. Z oczu płyną mu palące łzy, z nosa cieknie śluz. Zanosi się kaszlem, zatacza się na regał z zegarami. Jeden z nich zsuwa się z półki, uderza go w plecy, z łoskotem spada na podłogę.

Co ona mu zrobiła? Powieki puchną w zastraszającym tempie, z oczu zostały tylko wąskie, wypełnione bólem szparki, pole widzenia zawęża się błyskawicznie. Co było w tym pojemniku?

14.18

– Co było w tym pojemniku? – pyta pan Bloom. – I kim jest ta kobieta?

– Nie mam pojęcia, proszę pana – odpowiada Hunt. – To jakaś klientka.

– Szybko, zrób zbliżenie.

– Ale podejrzany...

– Daj spokój podejrzanemu. Zrób jej zbliżenie, prędko!

Operator posłusznie porusza joystickiem i ekran wypełnia powiększona twarz kobiety. Zdaje się, że zamierza powtórnie zaatakować Franka.

– Powiedz mu, żeby się odsunął!

14.19

W wypełnionej oślepiającą, bolesną pustką głowie Franka z siłą grzmotu wybucha głos operatora:

– Uwaga, panie Hubble! Znowu ona!

– Ochrona Taktyczna! – wykrzykuje Frank. – Jestem z Ochrony Taktycznej!

14.19

Słowa „Ochrona Taktyczna" niewiele znaczą dla Lindy, tym bardziej że padają z ust człowieka, który – jest o tym przekonana – chciał zabić jej męża. Mimo to Linda waha się, nieruchomieje z palcem na przycisku miotacza. Powinna prysnąć mu ponownie w oczy, nie rzucił przecież broni, ale właśnie ta broń nie daje jej spokoju.

Pistolet.

Kto w Days może mieć przy sobie pistolet?

O Boże...

Dobry Boże, co ona zrobiła najlepszego?

Linda powoli opuszcza rękę. Zdaje sobie sprawę, że powinna coś powiedzieć, co jednak można powiedzieć funkcjonariuszowi ochrony, któremu przed chwilą opryskało się twarz gazem pieprzowym? „Przepraszam" wydaje się w tej sytuacji niezbyt wystarczające.

Duch kicha raz za razem, a jak tylko atak mija, Linda podaje mu jedwabną chusteczkę. W porę uświadamia sobie, że mężczyzna jej nie widzi, wpycha mu ją więc do ręki. Duch waha się przez chwilę, w końcu jednak przyjmuje pomoc i wyciera nos.

– Już lepiej?

– Czy to był jakiś kwas? – pyta schrypniętym głosem, przesuwając dłonią po twarzy, która przypomina twarz zapłakanego dziecka: czerwona, opuchnięta, z oczami jak szparki, z których nieprzerwanie płyną łzy.

– Nie, tylko gaz pieprzowy.

– Dzięki Bogu choć za to.

Z ust rozciągniętego na podłodze Gordona wydobywa się jęk.

– To mój mąż – mówi Linda, zupełnie niepotrzebnie wskazując na Gordona. – Myślałam, że chce go pan zabić i dlatego... no, wie pan... – Chrząka z zażenowaniem. – Może lepiej sprawdzę, jak on się czuje.

– Dobry pomysł.

Linda dochodzi do wniosku, że jakieś przeprosiny jednak mu się od niej należą.

– Proszę pana...

Jednak Duch nie słucha.

– Proszę się stąd nie ruszać. Zaraz ktoś tu przyjdzie, żeby panią zatrzymać za utrudnianie wykonywania obowiązków służbowych funkcjonariuszowi Ochrony.

Linda ze stoickim spokojem kwituje tę informację skinieniem głowy, po czym klęka przy mężu.

14.20

Frank odpluwa flegmę w chusteczkę. Chrząknięcie, którym aktywuje mikrofon, kosztuje go mnóstwo wysiłku i bólu.

– `Oko?`

– `Jak się pan czuje, panie Hubble?`

– `Jak ktoś, komu z bliska pryśnięto w twarz gazem pieprzowym` – odpowiada Frank, ocierając oczy suchym skrajem chusteczki.

– `Weszła do sklepu z miotaczem gazu?`

– `Wątpię, żeby znalazła go tu na podłodze.`

– `Proszę się nie martwić, już wysyłamy drugiego Ducha. Chyba że, ma się rozumieć, chce ją pan osobiście przyskrzynić.`

– `Bardziej zależy mi na innej zwierzynie. Gdzie podejrzany?`

— Obawiam się, że go zgubiłem. Pan Bloom koniecznie chciał wiedzieć, czy nic się panu nie stało.

— Pan Bloom?

— Tak, jest tutaj. Chce pan z nim porozmawiać?

— Może później, jak schwytam podejrzanego.

— Proszę go nam zostawić. Damy sobie radę.

— Nie pozwolę mu tak po prostu zniknąć. W którą stronę uciekał?

— Na północ. Zaraz poślę tam kogoś innego.

— Nie trzeba - mówi stanowczo Frank, chowając broń do kabury. - Sam go złapię. Za bardzo zalazł mi za skórę. Chciałbym mu się zrewanżować.

— Ale pan przecież prawie nic nie widzi!

— Znam ten sklep jak własną kieszeń. Mógłbym poruszać się po nim z zawiązanymi oczami, ale tego nie zrobię. Ty będziesz moimi oczami, Oko.

14.20

Linda podnosi z podłogi okulary, bez których Gordon wygląda tak niewinnie i bezradnie, i delikatnie wkłada mu je na nos. Następnie ogląda zegar. Szybka pękła na dwie części, wskazówki znieruchomiały na godzinie drugiej osiemnaście. Linda wzdycha ciężko, nad zegarem i nad sobą.

Najwspanialszy dzień jej życia.

Może i byłby taki, gdyby... Gdyby co? Gdyby Gordon w porę usunął się Duchowi z drogi? Nie może przecież go za to winić. Gdyby nie kupiła miotacza gazu od taksówkarza? Możliwe, ale przecież i tak pospieszyłaby mężowi na ratunek. Naprawdę była przekonana, że ten człowiek chce strzelić Gordonowi w głowę. Każda żona na jej miejscu postąpiłaby tak samo.

To właśnie powie temu, kto przyjdzie ją aresztować, chociaż w głębi duszy wątpi, żeby jej to cokolwiek pomogło. Fakty przedstawiają się w ten sposób, że zaatakowała funkcjonariusza Days, za co z pewnością zostanie im odebrane konto. Ani ona, ani Gordon już nigdy nie będą mogli przekroczyć progu megasklepu, a jednak Linda dziwnie mało się tym przejmuje. Wcale ją nie obchodzi, jak wyjaśni Margie, Pat i Belli, dlaczego nie jeździ już na zakupy do Days (może wymyśli jakieś kłamstwo, a może nie). Nie obchodzi ją, że być może będą musieli przeprowadzić się na inną ulicę, do innej dzielnicy, może nawet do innego miasta, żeby uciec przed szyderczymi spojrzeniami i złośliwymi komentarzami znajomych i sąsiadów. To wszystko jest bez znaczenia. W tej chwili liczy się dla niej tylko ten leżący na podłodze mężczyzna o jasnych włosach i dziecinnej twarzy, który przybył z pomocą właśnie wtedy, kiedy jej potrzebowała, który pojawił się w najwłaściwszej chwili i który teraz z kolei potrzebuje jej pomocy.

Gordon znowu jęczy, porusza się, otwiera oczy, mruga raptownie, koncentruje spojrzenie na jej twarzy i uśmiecha się dzielnie.

– Więc jednak żyję? – szepcze.

– Tak – odpowiada Linda. – Ale jak tylko wrócimy do domu, na pewno cię zabiję.

Dopiero po jakimś czasie dociera do niego, że żona żartuje.

XXXVII

Chrystus na krzyżu: podczas ukrzyżowania Chrystus przemawiał siedem razy

14.24

Nic go nie boli.

I tak jest naprawdę. Chociaż w jego brzuchu zieje rana wylotowa średnicy piłki tenisowej, Edgar czuje tylko okropny, nienaturalny chłód, lodowato zimny i jednocześnie w jakiś przedziwny sposób paląco gorący. Oddycha z trudem, ale, cud nad cudami, nie czuje żadnego bólu.

Nic go nie boli. Pchając wózek przez Materiały Piśmienne, a potem przez Gazety i Czasopisma, czuje tylko, jak ów gorący chłód sięga coraz wyżej, i stara się nie myśleć o tym, jakie zniszczenia poczynił pocisk w jego wnętrzu i ile spośród jego organów nie nadaje się już do użytku. Stara się również ignorować ciemną plamę, która rozlewa się stopniowo po spodniach, przede wszystkim zaś usiłuje nie zwracać uwagi na samą ranę, choć to akurat przychodzi mu z największym trudem. To jest on. To jego poszarpane ciało. Żółtawe, połyskujące wybrzuszenie, które wyłania się z rany, to jeden z jego narządów wewnętrznych, a ich przecież nigdy nie powinien oglądać.

Mgliście zdaje sobie sprawę z tego, że ludzie rozstępują się przed nim najpierw z wyrazem zdumienia, a potem przerażenia na twarzach. Jak z bardzo daleka docierają do niego stłumione okrzyki i westchnienia. Wszystko to jednak się nie liczy. Najważniejsze, że nic go nie boli.

Nagle, bez żadnego ostrzeżenia, ból atakuje Edgara, aż się zatacza, zamroczony tym piorunującym ciosem. Czuje się tak, jakby ktoś zanurzył w jego wnętrznościach rękę i zacisnął na nich palce. Potyka się, niewiele brakuje, żeby się przewrócił, utrzymuje się jednak jakoś na nogach dzięki oparciu, jakie daje mu wózek. Jeszcze tylko jeden dział. Jeszcze tylko jeden dział i będzie w Książkach. To zaledwie kilkaset metrów. Da radę.

Nic mnie nie boli. Te cztery słowa stają się czarodziejskim zaklęciem powtarzanym w myślach w kółko przez zaciśnięte zęby. Nic mnie nie boli. Nic mnie nie boli. Chociaż to nieprawda, chociaż boli, i to okropnie, chociaż kolejne fale bólu przeszywają go niczym podmuch lodowatego wiatru i nie widać ich końca, to zaklęcie jednak działa, ponieważ ból nie dociera tam, gdzie dokonałby największych spustoszeń: do mózgu, który kieruje ciałem. Dopóki mózg twierdzi, że nic nie boli, ciało się nie podda.

Wreszcie dostrzega ją hen, daleko z przodu, w przejściu wiodącym do Książek. Czeka na niego ze skrzyżowanymi na piersiach ramionami. Spogląda w lewo, w prawo. Towarzyszą jej Kurt i Oskar. Wiedziała, skąd nadejdzie. Oczywiście. Przecież jest panną Dalloway.

Oskar dostrzega go pierwszy i wskazuje pozostałym.

nic nie boli nic nie boli nic nie boli

Szczęka Oskara opada, podwójny podbródek staje się poczwórny, Oskar mówi coś do panny Dalloway, a ona podnosi kościste ręce do ust.

nicnieboli

Edgar już nie oddycha. Rozpaczliwie chwyta powietrze, jego ciałem wstrząsa jakby potężna czkawka, lecz płuca nie chcą się napełnić. Ostatnie dziesięć metrów pokonuje w próżni, w ciszy, w nieważkości, dzięki nogom poruszającym się automatycznie w nieudolnej imitacji biegu.

Kolejna fala w końcu dociera do mózgu, niosąc ze sobą całe cierpienie, jakie istnieje na świecie. Ośrodkiem tego cierpienia jest rozżarzone do białości palenisko w jego brzuchu.

Udało mi się, chce powiedzieć, lecz ból jest zbyt wielki. Ręce zsuwają się z uchwytu wózka. Nogi bezradnie mielą powietrze. Pokryta zieloną wykładziną podłoga wyrasta przed nim jak ściana. Gazety i Czasopisma obracają się wokół niego, zupełnie jakby stał się nieruchomym środkiem wirującego wszechświata. Leży na podłodze, patrzy w górę na jarzeniówki. Panna Dalloway jest przy nim. Bierze go za rękę, jej twarz pojawia się nad nim, otoczona jaśniejącą poświatą. Nigdy nie widział piękniejszej istoty. Ta zazwyczaj surowa twarz jest teraz tak cudownie łagodna, że Edgar nie ma wątpliwości, iż dokonała się przemiana i panna Dalloway została świętą. Albo raczej aniołem. Tak wyglądają anioły widziane przez dusze wtrąconych do piekła.

Słyszy, jak zamykają się wszystkie książki, jakie przeczytał.

I już naprawdę nic go nie boli.

14.25

Panna Dalloway delikatnie kładzie na podłodze bezwładną rękę Edgara, po czym kciukiem i palcem wskazującym zamyka mu powieki. Tymi samymi palcami dotyka jego ust, jakby chciała nie dopuścić w ten sposób, żeby – chociaż martwy – cokolwiek jej zarzucił. Następnie powoli kręci głową, wstaje i prostuje się, ale jest o kilka bolesnych centymetrów niższa niż jeszcze całkiem niedawno.

– Kto to zrobił? – wybucha Kurt. – Technoidzi? Proszę powiedzieć tylko słowo, a dobierzemy się im do skóry! Zapłacą za to!

– Nie martw się, chłopcze, godzina zemsty jest już blisko – odpowiada panna Dalloway tonem kontrolowanym jak promień laserowego światła. – A teraz zwołajcie szybko pozostałych, podzielcie się na cztery zespoły i obsadźcie wszystkie wejścia. Nikomu pod żadnym pozorem nie wolno wejść do działu, rozumiecie? Nikomu!

– Tak jest. Ale co...

– Róbcie, co mówię!

Kurt odwraca się i natychmiast znika we wnętrzu działu.

– Co tu się dzieje, panno Dalloway? – pyta Oskar, z przerażeniem i niedowierzaniem patrząc na nieruchome ciało Edgara.

– To koniec, Oskarze. Gorzki koniec.

Panna Dalloway podchodzi do stojącego nieopodal wózka, pospiesznie dokonuje przeglądu zawartości. Miedziany przewód i budzik, tak jak powinno być. Dobrze się spisałeś, wierny sługo.

Szloch wzbiera w jej piersi, ona jednak tłumi go, kładzie ręce na uchwycie wózka i każe Oskarowi iść za sobą.

14.25

Frank przedziera się przez Materiały Piśmienne z rękami wyciągniętymi do przodu na wysokości piersi. Wygląda jak pijany mim albo pijak udający mima.

W jego załzawionych, boleśnie piekących oczach wnętrze działu przeistacza się w kalejdoskop zdeformowanych kształtów i rozmazanych barw. Trudno mu ocenić, co jest blisko, a co daleko, odróżnić miękkie od twardego i ludzi od przedmiotów. Oko pomaga mu, jak może, nieustającym komentarzem, chwaląc go i zachęcając.

— Po lewej kilka gablot, świetnie, parę metrów z przodu klient, dobrze, teraz skręt o dziewięćdziesiąt stopni w prawo, doskonale, panie Hubble, naprawdę doskonale...

Mimo to pościg za podejrzanym przeistacza się w morderczą szarpaninę wypełnioną ciągłymi zmianami kierunku, zderzeniami, potknięciami i kolizjami. W pewnej chwili operator porównuje Franka do żywej kuli w największym fliperze świata i Frank nie może mieć mu za złe tego skojarzenia, ponieważ tak właśnie się czuje.

A jednak ani myśli, by się poddać, wciąż prze naprzód, a każdy nabity siniak, każde otarcie i każde bolesne uderzenie przybliżają go do celu.

14.28

Pracując szybko, lecz precyzyjnie, panna Dalloway kończy konstruować bombę. Odcina cztery kawałki przewodu, zębami zdziera izolację z końcówek, jednym kawałkiem łączy stopkę lampy błyskowej z czaszą dzwonka, drugim zaś z młoteczkiem. Ostrożnie wsuwa detonator do otworu w baryłce, a kiedy świecę rzymską dzieli niespełna centymetr od powierzchni gęstej cieczy, nakłada na gwint nakrętkę i mocno ją przykręca.

Budzik jest nakręcony i wskazuje właściwą godzinę. Panna Dalloway stwierdza z zadowoleniem, że pracownicy Zegarów nadal poważnie traktują swoje obowiązki. Jest już prawie wpół do trzeciej. Powinien jej wystarczyć kwadrans. Ustawia wskazówkę budzenia na ostatniej z trzech kropek między cyframi II i III, po czym przytwierdza budzik taśmą klejącą do beczułki w taki sposób, żeby nikt nie miał dostępu do pokręteł na jego tylnej ściance. Budzik tyka miarowo.

Dwa pozostałe kawałki drutu wykorzystuje do połączenia baterii z dzwonkiem i młoteczkiem.

Bomba jest gotowa. Budzik odmierza ostatnie minuty życia panny Dalloway.

- Oskar...

Niemal podrywa się na baczność.

- Tak, proszę pani?

Pragnienie jest tak silne, że nie może mu się oprzeć. Obejmuje go mocno, Oskar zaś, w pierwszej chwili nieco zaskoczony, rewanżuje jej się równie silnym i serdecznym uściskiem, przytula się do niej, obejmuje ją w wąskiej talii. Panna Dalloway przyciska jego pulchną twarz do swej wystającej kości obojczykowej. Oskar głęboko wdycha świeży zapach jej swetra.

- Och, Oskarze... Ciebie zawsze najbardziej lubiłam. Wiesz o tym, prawda?

Ciałem Oskara wstrząsa dreszcz rozkoszy.

- Zawsze też miałam nadzieję, że właśnie ty przejmiesz ode mnie ster, kiedy przyjdzie mi pożegnać się z działem.

Oskar ma wrażenie, iż za chwilę zemdleje ze szczęścia.

- Zrobisz to dla mnie, chłopcze? Zaopiekujesz się moim działem? Dopilnujesz, żeby braciom nie przyszło do głowy go zamknąć? Będziesz bronił go do ostatniego tchnienia?

- Oczywiście, proszę pani! - zapewnia ją żarliwie. - Oczywiście!

- Wiedziałam, że mogę na ciebie liczyć.

Oskar próbuje podnieść głowę, żeby o coś zapytać, ona jednak jeszcze mocniej przytula go do piersi i głaszcze po włosach. Gdyby spojrzał jej w oczy, mógłby odgadnąć jej prawdziwe zamiary. Mógłby próbować jej przeszkodzić, mógłby starać się ją powstrzymać.

- Wysłałam braciom list, w którym informuję ich, że nie masz nic wspólnego z moimi poczynaniami, oraz polecam cię jako mego następcę. Nie wiem, czy ci filistrzy w ogóle przywiązują wagę do czyichkolwiek rad, ale nikt nie zabroni nam mieć nadziei.

– Zrobię co w mojej mocy, panno Dalloway. Nie przyniosę pani wstydu. Na szczęście będę mógł korzystać z pani rad i doświadczenia. Często będę do pani dzwonił. Sam nie wiedziałbym nawet, od czego zacząć.

Panna Dalloway zaciska powieki. Żadnych łez. Dała sobie słowo. Żadnych łez.

– Wszystko będzie dobrze, chłopcze – mówi. – Wszystko będzie dobrze.

14.31

– W porządku, panie Hubble, jest pan już prawie na miejscu. Jeszcze jakieś dwadzieścia metrów. Powinien pan już to widzieć.

Przez wąskie szparki między opuchniętymi powiekami Frank z trudem dostrzega jasny prostokąt przejścia łączącego Gazety i Czasopisma z Książkami, dalej zaś rzędy wysokich regałów. W przejściu zgromadził się mały tłumek: bulwiaste kształty na pajęczych odnóżach, zamazane, niewyraźne sylwetki. Stoją wokół czegoś, co wygląda jak sterta szmat, kiedy jednak Frank podchodzi bliżej, sterta szmat zamienia się w nieruchome ciało, z jeszcze bliższej odległości zaś rozpoznaje – bardziej po ubraniu niż po twarzy – ściganego przez siebie podejrzanego. W brzuchu młodego człowieka zieje ogromna dziura, jakby jądro czarnej komety, której ogon znaczy krwią przód jego koszuli i spodni. Frank bez trudu rozpoznaje ranę postrzałową.

– To on, prawda? – pyta Oko. – Ten, którego pan gonił?

– Zgadza się.

– A więc musiał go pan...

– Tak.

Frank przypuszcza, że było to nieuniknione, chociaż w głębi duszy miał nadzieję, że dzięki zasadzie sięgania po broń wyłącznie w ostateczności uda mu się tego uniknąć. Ironia losu polega na tym, że jeszcze kilka godzin i udałoby mu się zakończyć trwającą trzydzieści trzy lata karierę zawodową z czystym kontem. Tak się jednak nie stało i szkoda tracić czas na jałowe żale i rozważania „co by było, gdyby". Tym bardziej że strzał padł w wyniku zderzenia z gapowatym klientem w Zegarach, trudno więc winić Franka za śmierć podejrzanego. Przykro mu, że ten młody człowiek nie żyje. Przykro mu, że ludzie muszą niekiedy ginąć nagłą śmiercią. Nic na to nie poradzi. Może powinien odczuwać coś więcej niż tylko umiarkowany żal, i może później będzie to odczuwał, na razie jednak jest zadowolony, że pościg dobiegł końca.

– Panie Hubble, pan Bloom prosi, żeby panu przekazać: „Dobra robota".

– Proszę mu powiedzieć, że nie zmieniłem zdania.

– Na jaki temat?

– On będzie wiedział.

Operator powtarza panu Bloomowi słowa Franka.

– Pan Bloom mówi, że do końca dnia jest jeszcze dwie i pół godziny.

Frank spodziewał się takiej odpowiedzi.

– No cóż, zobaczymy. – Wyciera twarz chusteczką, którą dała mu tamta kobieta w Zegarach. Bolesne pieczenie pomału słabnie, ustępując miejsca równie dokuczliwemu, ale jednak mniej przykremu swędzeniu. Niewyraźne kontury i rozmazane barwy zaczynają się stopniowo wyostrzać. – Sprawdzę jego dokumenty, a ty, Oko, poszukaj wózka.

Frank przeciska się przez tłumek gapiów, przyklęka, wydobywa sfinksa i przesuwa oko czytnika nad kodem kreskowym na identyfikatorze zmarłego. Na ekranie sfinksa pojawia się napis:

SZUKAM W BAZIE

Chwilę potem ekranik wypełnia zdjęcie młodego mężczyzny o niezwykle wypukłym czole, gęstych ciemnych włosach i głęboko osadzonych smutnych oczach – zupełnie jakby wiedziały od dawna, jaki kres spotka ich posiadacza. Chociaż Frank wciąż ma problemy z widzeniem, nie ulega dla niego wątpliwości, że to ta sama twarz, którą widzi przed sobą na ziemi. Naciska właściwy klawisz, sfinks zaś podaje mu nazwisko pracownika (Edgar Davenport, tak jak na identyfikatorze), numer służbowy, rodzaj i stan konta (Srebrne, całkiem przyzwoite) oraz nazwę działu, w którym jest, a raczej był zatrudniony.

Frank ze zmarszczonymi brwiami wpatruje się w ekran, potem zaś, wciąż z marsem na czole, zerka w przejście wiodące do Książek.

— Oko? Wiesz coś może o tym, że jeden z braci miał zejść dziś rano na dół, żeby rozstrzygnąć konflikt między Książkami i Komputerami?

— Nie mam pojęcia. Zapytam pana Blooma.

Frank nie musi długo czekać na wynik rozmowy.

— Pan Bloom mówi, że spór został rozstrzygnięty. Jeden ze strażników oddelegowanych do ochrony pana Sonny'ego opowiadał, że pan Sonny podjął decyzję na korzyść Komputerów. Pan Bloom chce wiedzieć, dlaczego pan pyta.

— Podejrzany był Molem Książkowym.

— Myśli pan, że te sprawy są jakoś powiązane?

– Nie jestem pewien – odpowiada Frank i wyłącza sfinksa.

Doskonale zna wojowniczą naturę Rebeki Dalloway i nie ma najmniejszych wątpliwości, że to głównie z jej winy konflikt między dwoma działami ciągnie się tak długo i coraz bardziej się zaostrza. Trudno więc uznać za zbieg okoliczności, iż tego samego dnia, kiedy spór wreszcie zostaje rozwiązany (i to nie na korzyść Książek), jeden z Moli wyrusza na zakupy z cudzą kartą w kieszeni. Trudno również uwierzyć, że Mól Książkowy odważyłby się na coś takiego bez wiedzy i zgody swojej przełożonej. Przecież żaden z nich nie odważy się nawet kichnąć, nie zapytawszy jej wcześniej o zdanie.

– Rozejrzyj się, proszę, po Książkach. Założę się, że wózek jest właśnie tam.

14.35

Hunt wyświetla na ekranach monitorów obrazy z kamer zainstalowanych w Dziale Książek: pustawe alejki, niezliczone półki, stoły uginające się pod stosami woluminów, lady. Pan Bloom przygląda się uważnie. Na pierwszy rzut oka wszystko wydaje się być w porządku, ale przecież...

– Nikogo nie ma za ladami ani przy kasach. Gdzie oni wszyscy się podziali?

– Tutaj. Proszę spojrzeć. – Hunt wskazuje na ekran, na którym widać jedno z wejść do działu. Kręci się przy nim dość liczna grupka Moli. – I tutaj. – Drugie wejście i druga grupa, wszyscy z opasłymi tomami w rękach.

– Co oni tam robią?

– Nie mam pojęcia. Zupełnie jakby na kogoś czekali.

Zjawia się klient. Mole otaczają go kręgiem, następuje ożywiona wymiana zdań, po czym klient odwraca się i odchodzi, wyraźnie zdziwiony i lekko poirytowany.

– Nie wpuszczają nikogo do działu! – Pan Bloom przesuwa ręką po głowie, jakby zapomniał, że poza kępką włosów z przodu nie ma tam niczego. – Dlaczego to robią, do diabła?

– Tam coś się dzieje, proszę pana – mówi Hunt, wskazując ekran; widać na nim biurko panny Dalloway i ciągnącą się półkolem na nim wysoką barykadę z książek.

Zza papierowych szańców wyłania się jakaś postać. Jest wysoka i koścista, obaj mężczyźni bez trudu rozpoznają pannę Dalloway. Kierowniczka pcha przed sobą wózek, w którym leży jakiś duży cylindryczny przedmiot.

– Co to takiego? – dziwi się pan Bloom. – Zrób zbliżenie.

Palce Hunta biegają po klawiaturze. Obraz rozlewa się, traci kontury, znowu się wyostrza. Delikatnymi ruchami joysticka operator utrzymuje wózek w centrum ekranu.

– Coś w rodzaju baryłki? – zastanawia się głośno.

– Być może, ale co jest na samym wierzchu?

– Wygląda jak budzik.

– A to, co z niego wystaje, to druty?

– Albo sznurki.

– Spójrz, jak są powyginane. Druty albo kable.

Hunt patrzy na pana Blooma, pan Bloom patrzy na Hunta. Zdają sobie sprawę, że obaj mają jednakowo zdumione i pełne niedowierzania miny.

– To niemożliwe... – mówi Hunt bezbarwnym tonem. – To niemożliwe.

– Strażnicy! Poślij tam strażników, prędko!

– Zostali skierowani do tej rozróby na Peryferiach!

– W takim razie wezwij posiłki z Pomarańczowego i Zielonego. Szybko! I powiedz panu Hubble'owi, żeby trzymał się z daleka od Książek.

14.36

– Panie Hubble! – Operator jest wyraźnie podekscytowany. – Panie Hubble, proszę posłuchać! Ona zbudowała bombę!

– Co takiego? Kto zbudował bombę?

– No ta, jak jej tam... kierowniczka Książek. To nie żart. Pan Bloom mówi, żeby pan trzymał się od tego z daleka.

– Jesteście pewni, że to bomba?

– W każdym razie wygląda właśnie tak, jak powinna wyglądać bomba.

– A gdzie jest teraz ta kobieta?

– Idzie prosto na wschód.

Oczywiście, myśli Frank. Komputery.

– Panie Hubble, strażnicy są już w drodze.

– Nie zdążą na czas.

Frank rusza w kierunku przejścia wiodącego do Działu Książek.

14.36

– Nie chciał słuchać, proszę pana – mówi Hunt. – Idzie tam.

– Zabroń mu. Powiedz, że ja mu tego zabraniam.

– Ale on ma rację, proszę pana. Strażnicy dotrą tam najwcześniej za pięć minut. Tylko on może ją powstrzymać.

Pan Bloom wie, że to prawda. Wzdycha z rezygnacją, uderza ręką w kolano.

– A niech tam...

– Jeszcze jedno, proszę pana: może powinniśmy zawiadomić braci?

– Masz rację. Powinniśmy. Wyślij notatkę o najwyższym priorytecie. – Przenosi wzrok na ekran i mruczy pod nosem: – Frank, ty cholerny idioto, uważaj na siebie...

14.37

Pierwsza książka przelatuje koło lewego ucha Franka, trzepocząc kartkami jak przerażona kaczka skrzydłami. Druga chyba też, trzecia natomiast trafia go w klatkę piersiową na wysokości wewnętrznej kieszeni marynarki. Frank słyszy stłumiony chrzęst i domyśla się, że z obudowy sfinksa, który przyjął na siebie większą część energii uderzenia, zostały tylko plastikowe drzazgi. Sięga do kabury po pistolet. Zielona dioda wciąż się świeci, broń jest gotowa do użycia.

– Ochrona Taktyczna. Nie chcę nikomu robić krzywdy, ale jeśli będę zmuszony, na pewno się nie zawaham.

Odpowiada mu cisza, potem słychać czyjś głos:

– Chłopaki, skoro powiedziała, żeby nikogo nie wpuszczać, to nikogo nie wpuszczamy!

Zaraz potem znowu lecą na niego książki.

Osłaniając twarz, Frank powoli, lecz uparcie podąża naprzód. Napastnicy kryją się za regałami, błyskawicznie przemykają alejkami. Nie ma okazji do precyzyjnego strzału. Z półek sypie się na niego istna lawina książek: powieści i pamiętniki, zbiory esejów i opowiadań, biografie i autobiografie, poradniki i prace naukowe. Na rękę spada mu encyklopedia dla dzieci, w brzuch w krótkich odstępach czasu uderzają trzy opasłe tomy trylogii fantasy, w udo, dosłownie o centymetry od znacznie bardziej wrażliwego miejsca, trafia wielusetstronicowa saga rodzinna, cienkie tomiki poezji nadlatują ze świstem jak strzały.

— `Panie Hubble! Za panem!`

Frank odwraca się gwałtownie i widzi jakąś postać, która rzuca się na niego, ściskając oburącz tom encyklopedii od L do M. Odruchowo, nie celując, naciska spust. Pocisk wytrąca Molowi książkę z rąk, encyklopedia koziołkuje w powietrzu, rozsiewając wokół strzępki papieru, z głuchym łoskotem spada na podłogę. Zdumiony Mól Książkowy z niedowierzaniem gapi się na swoje puste dłonie. Frank nie widzi jeszcze dość dobrze, nie ryzykuje więc strzału, tylko pochyla głowę i rusza do ataku. Jego bark uderza z dużą siłą w podbródek przeciwnika, ten wali się na ziemię.

– Z lewej, panie Hubble! Teraz z lewej!

Ostrzeżenie nadchodzi ułamek sekundy za późno. W chwili kiedy Frank obraca się na pięcie, *Dzieła wszystkie* Williama Shakespeare'a lądują na jego ramieniu, natychmiast drętwieje mu cała ręka, a nawet palec. Strzela, świadomie celując za wysoko. Mól kryje się pospiesznie za regałem.

Nie wiadomo skąd, nadlatuje ciężki słownik i wali go w tył głowy. Frank przygryza sobie język, czuje smak krwi. Tego już za wiele. Następny napastnik dostanie kulę, nieważne gdzie. Jeśli tylko w ten sposób można się ich pozbyć, to trudno.

Nie widzi, że regał za jego plecami chwieje się coraz bardziej, aż wreszcie przechyla się i dostojnie, majestatycznie, jakby w zwolnionym tempie, przewraca się, grzebiąc go pod kilkuset kilogramami drewna i przerobionej celulozy. Towarzyszy temu odgłos lawiny, szybko jednak cichnie. Jedna lub dwie książki zsuwają się ze szczytu nowo powstałego stosu, po czym nastaje spokój.

XXXVIII

Proces siedmiu biskupów: król Jakub II postawił przed sądem siedmiu biskupów anglikańskich, którzy wystąpili przeciwko deklaracji tolerancji religijnej

14.39

Perch opuszcza swój spiżarniany gabinet, przechodzi przez gwarną kuchnię, zmierza korytarzem w kierunku Biura. Dzięki instynktowi wyćwiczonemu podczas wielu dziesięcioleci służby zjawia się dokładnie wtedy, kiedy jest potrzebny. W chwili gdy wkracza do Biura przez dwuskrzydłowe drzwi, z talerzy właśnie znikają resztki lunchu, brzęczą odkładane sztućce, dźwięczą spodeczki, na które wracają opróżnione filiżanki.

Posiłek upłynął w pogodnej, zrelaksowanej atmosferze, którą wciąż jeszcze da się wyczuć w uśmiechach, rozbawionych głosach i szerokich beztroskich gestach. Co prawda do eskalopków z ziemniakami *au gratin* bracia opróżnili parę butelek wina, potem zaś raczyli się musem szampańskim, serami i ciasteczkami, takiego nastroju nie osiąga się jednak tylko dzięki winu. Perch podejrzewa, że prawdziwą przyczyną jest nieobecność pana Sonny'ego. Zawsze kiedy go nie ma, napięcie w Biurze wyczuwalnie spada.

Kiedy Perch zbliża się do stołu, następuje kolejny wybuch ogólnej wesołości, stary kamerdyner jednak nie jest ani tak zarozumiały, ani na tyle naiwny, by choć przez chwilę przypuszczać, że to on jest jego powodem.

– Mam nadzieję, że posiłek był znośny? – pyta, zabierając się do sprzątania naczyń.

Na pierwszy ogień idą talerze i sztućce Munga.

– Więcej niż znośny – odpowiada Chas.

– Czy zostało jeszcze trochę tego musu szampańskiego? – pyta Wensley.

Bracia reagują pohukiwaniem i świńskim pochrząkiwaniem.

– Mam niski poziom cukru we krwi! – protestuje Wensley.

– Niestety, panie Wensley, biorąc trzy dokładki, zużył pan do końca cały zapas – odpowiada Perch z udawaną surowością obliczoną na wywołanie salwy śmiechu pozostałych braci. Udaje mu się osiągnąć zamierzony skutek.

– Wiesz co, Perch – mówi Fred – właśnie się nad czymś zastanawialiśmy. Może ty nam coś doradzisz.

– Uczynię to z najwyższą przyjemnością, jeśli tylko będę mógł – odpowiada Perch, dokładając pusty talerz Thurstona do piramidy, którą z wprawą utrzymuje na rozczapierzonych palcach lewej ręki.

– Czy myślisz, że to prawda, co mówią o władzy absolutnej?

– Że korumpuje absolutnie?

– Właśnie.

– Doprawdy nie jestem w stanie sobie wyobrazić, co mogłoby wywołać dyskusję na taki akurat temat wśród synów Septimusa Daya.

– Powiedzmy, że to ryzyko związane z wykonywanym przez nas zajęciem. – Fred stawia swój talerz na szczycie piramidy. – A więc? Masz jakąś opinię w tej sprawie?

– Nie wydaje mi się, proszę pana, żeby ktokolwiek oczekiwał ode mnie posiadania opinii, a tym bardziej publicznego ich wygłaszania.

Tę wypowiedź bracia przyjmują gwizdami oraz okrzykami „Daj spokój!” i „Bzdury!”.

– Doskonale – mówi Perch, zatrzymując się między Fredem i Sato. – Wyrażę swój pogląd na tę sprawę tylko dlatego, że tego ode mnie zażądano. Władza, panowie, jest nadużywana wówczas, gdy wymyka się spod kontroli, jak to się dzieje chociażby w przypadku dyktatorów prześladujących ludzi, którzy wyrażają o nich niepochlebne opinie, oraz eliminujących tych, którzy mogliby ich obalić. Czy jednak oznacza to, iż władza *per se* jest korupcjogenna? Dyktator już wcześniej musiał przejawiać odpowiednie skłonności, władza jedynie umożliwiła mu ich rozwinięcie. Władza człowieka nad człowiekiem bierze się bezpośrednio stąd, że ludzie chcą, by nimi rządzono i kierowano. W ogóle by nie istniała, gdyby nie było na nią zapotrzebowania, musimy zatem przyjąć, że jest istotna i potrzebna, i że odgrywa pozytywną rolę dopóty, dopóki rządzący są kontrolowani przez rządzonych. Oto przykład z mego bogatego doświadczenia: wy, panowie, dysponujecie władzą absolutną nad klientami i pracownikami tego sklepu. Oznacza to nieliche odpowiedzialność, jeśli wziąć pod uwagę rolę, jaką w gospodarce kraju odgrywa ten gigamarket, oraz jego znaczenie dla całego narodu. Jeśli jednak wasze decyzje mają przynieść wam korzyści, muszą je przynosić również tym, nad których zostaliście wyniesieni. Mówiąc brutalnie: niemądre decyzje spowodują spadek zysku, w waszym najlepiej pojętym interesie leży więc, żeby decyzje te były jak najmądrzejsze. Czyli takie, jakie są, ma się rozumieć. W waszym przypadku władza absolutna nikogo nie skorumpowała, wręcz przeciwnie: skłania was do skutecznego i szlachetnego postępowania zarówno w czynach, jak i myślach. Krótko mówiąc: władza absolutna to coś absolutnie sensownego i pożytecznego.

Kłania się lekko na znak, że skończył.

– Brawo! – wykrzykuje Fred. – Doskonale!

Oklaski i entuzjastyczne okrzyki urywają się w chwili, kiedy Perch, sprzątnąwszy talerz Sato, z powagą na twarzy dociera do fotela Sonny'ego, przed którym stoi nieruszone zimne jedzenie.

– Czy mam rozumieć, że pan Sonny już się nie zjawi?

Udaje, że nie dostrzega porozumiewawczego spojrzenia, jakie wymieniają Mungo i Chas. Pozostali bracia naprawdę go nie widzą, być może pochłonięci rozpamiętywaniem wnikliwych i dość pochlebnych słów Percha.

– To możliwe – mówi Mungo. – Kiedy rozstawaliśmy się z nim na dole, zastanawiał się całkiem poważnie, czy nie zastąpić lunchu czymś solidniejszym.

– Przypuszczalnie miał na myśli kostki lodu – szydzi Fred.

– Mógłbym kazać podgrzać jego porcję i zanieść mu do apartamentu.

Mungo i Chas ponownie zerkają na siebie ukradkiem. Także ta wymiana spojrzeń nie umyka uwagi Percha, który zaczyna podejrzewać, że ktoś próbuje tu przed kimś coś ukryć.

– Widocznie coś mu nagle wypadło – mówi Chas.

– Jeśli zechce, na pewno przyjdzie – dodaje Mungo.

– Oczywiście, proszę pana.

Zaraz po tym, jak za Perchem zamykają się drzwi, z terminalu przed Thurstonem dobiega głośny długi sygnał.

– Wiadomość o najwyższym priorytecie – wyjaśnia Thurston na użytek braci, zdejmuje okulary, chucha, wyciera je rękawem marynarki, zakłada z powrotem i uderza w kilka klawiszy.

– Od kogo? – pyta Sato.

– Od jednego z Oczu.

Bracia obserwują go w milczeniu, z zaciekawieniem. Chas ściąga na siebie spojrzenie Munga.

– Sonny? – pyta bezgłośnie.

Mungo ledwo dostrzegalnie kręci głową. Wątpi, żeby wiadomość dotyczyła niefortunnej wyprawy Sonny'ego.

– Cholera...

Thurston zaciska długie szczupłe palce na krawędziach klawiatury.

– Czy to „dobra" cholera, czy „niedobra"? – pyta Fred. – Czasem trudno rozpoznać po intonacji.

Thurston milczy, wpatruje się w monitor. Jego oczy poruszają się szybko z lewa na prawo, odczytując ponownie treść wiadomości.

– A więc „niedobra" – stwierdza spokojnie Fred. – Cholera!

XXXIX

Dzierżawa: w Wielkiej Brytanii umowy o dzierżawę przez stulecia zawierano na siedem lat lub na wielokrotność tego okresu. U źródeł tej tradycji leżała wiara w następujące w regularnych odstępach czasu „lata przesileniowe", czyli takie, w których wszelkim formom życia groziło szczególne niebezpieczeństwo

14.41

Panna Dalloway zatrzymuje wózek przed głównym stanowiskiem sprzedaży w Komputerach: to wielki kwadrat czarnego plastiku wsparty na dziesiątkach niezliczonych pajęczych nóżek, imitacja mikroprocesora.

– Proszę bardzo, kogo tutaj mamy! – wita ją pan Armitage. Jeżeli nawet jest zaskoczony jej widokiem, to w żaden sposób tego nie okazuje. – Przyszła pani z przeprosinami? A może zaproponować rozejm?

– Przychodzę z mieczem, nie z gałązką oliwną.

– A czy to aby nie baryłka piwa? – Pan Armitage przechyla się przez ladę i zagląda do wózka. – Chce pani, żebyśmy toastem przypieczętowali naszą zgodę?

Słowo „piwo" stawia na baczność wszystkich Technoidów przysłuchujących się rozmowie. Gromadzą się wokół wózka, z zadowolenia zacierają ręce, aż z mankietów ich poliestrowych koszul niemal sypią się iskry.

– To nie piwo – mówi panna Dalloway, po czym z niejakim trudem gramoli się do wózka i przykuca w nim z beczułką między kolanami. – Oto kres waszej drogi. Najlepsza przyjaciółka ubogich. Lekarstwo na wszystkie choroby. Pocieszycielka w nieszczęściu.

– Że co, proszę?

Pan Armitage nie jest do końca pewien dlaczego, ale zaczyna się poważnie niepokoić.

– To śmierć, proszę pana. Najlepszy lekarz pod słońcem. Pomost łączący nas z naszym Stwórcą. Koniec wszystkiego.

Panna Dalloway opiekuńczym gestem obejmuje baryłkę – ptasia matka chroniąca śmiercionośne jajo.

14.41

– `Panie Hubble! Panie Hubble! Panie Hubble, słyszy mnie pan?` – Hunt odwraca się do pana Blooma, odsuwa mikrofon. – Nic z tego, proszę pana. Albo ma uszkodzony sprzęt, albo stracił przytomność, albo...

– Żadne inne wytłumaczenie nie wchodzi w grę – przerywa mu pan Bloom. – Gdzie strażnicy?

Hunt zerka na monitor w podłokietniku.

– W drodze. Pierwsi powinni dotrzeć na miejsce za jakieś dwie minuty. Nie masz nic lepszego do roboty, palancie? – warczy do sąsiedniego operatora, który wyciąga szyję, próbując zajrzeć mu przez ramię. Ten pospiesznie wraca do swoich obowiązków, ale napięcie panujące przy stanowisku Hunta udziela się wszystkim w pomieszczeniu. Tam na górze najwyraźniej dzieje się coś ważnego, operatorzy starają się więc mieć baczne oko na kolegę i szefa Ochrony Taktycznej.

– Odezwij się, Frank! – mamrocze pan Bloom przez zaciśnięte zęby. – Odezwij się! Powiedz, że nic ci nie jest.

14.42

Stos książek porusza się. Pojawia się ręka.

Frank odpycha się łokciem od zwalonego regału, wypełza z wąskiej szczeliny, staje na czworakach, niepewnie podnosi się na nogi, próbuje sobie przypomnieć, jak działają. Kręci głową w lewo, potem w prawo, by zlikwidować odrętwienie karku, ostrożnie dotyka brody, którą uderzył w podłogę. To właśnie pozbawiło go przytomności. Chrząka, by aktywować połączenie z Okiem, nie słyszy jednak charakterystycznego kliknięcia. Próbuje jeszcze raz, z podobnym skutkiem. Wygląda na to, że skomplikowaną aparaturę diabli wzięli.

Rozgląda się dookoła, widzi Mole Książkowe na obu końcach alejki. Chyba nie spodziewali się ujrzeć go ponownie, szybko jednak otrząsają się z zaskoczenia i chwytają stojącą rzędami na półkach amunicję. Frank niespiesznie sięga po broń, ale jego ręka trafia na pustą kaburę. Oczywiście. Wyjął przecież pistolet, zanim Mole przewróciły na niego regał. Broń leży gdzieś pod stertą książek, nie ma czasu, żeby jej szukać. W miejscu, w którym jeszcze niedawno stał regał, powstała luka wiodąca do sąsiedniej alejki. Mole Książkowe zbliżają się z dwóch stron, złowieszczo uderzając o dłonie opasłymi tomami. Frank daje ogromnego susa, przeskakuje nad zwalonym regałem, biegnie co sił w nogach w kierunku przejścia prowadzącego do Komputerów. Za plecami słyszy odgłosy pogoni.

Co prawda przy wyjściu z działu stoi kilku Moli, wszyscy jednak z natężeniem wypatrują czegoś w sąsiednim dziale. Dostrzegają go w ostatniej chwili, kiedy jest już za późno. Roztrąca ich bez trudu, wbiega na teren Komputerów, co sił w nogach gna w stronę usytuowanego pośrodku działu centralnego punktu sprzedaży. Tak jak się spodziewał, stoi tam wózek, w nim zaś siedzi skulona postać, w której, mimo że wciąż źle widzi, bez trudu rozpoznaje Rebekę Dalloway.

Panna Dalloway zdaje się przemawiać do Rolanda Armitage'a i zgromadzonych dookoła Technoidów. Sądząc po ich zrelaksowanych postawach, nikt nie zdaje sobie sprawy, co zawiera baryłka po piwie. Nagle kobieta kończy przemowę i obejmuje beczułkę, jej słuchacze zaś cofają się raptownie.

14.43

– Niech słuchają ci, którym nie odebrało słuchu – mówi podniosłym tonem panna Dalloway. – Jam jest śmierć, niszczycielka światów. Jam jest wasz największy nieprzyjaciel, pogromca tyranów. Spójrzcie na mnie i pogrążcie się w rozpaczy!

Być może zamierzała powiedzieć coś więcej, lecz właśnie w tej chwili Frank roztrąca dwóch cofających się nieporadnie Technoidów, dopada wózka i pcha go przed siebie.

– Nieeee! – skrzeczy panna Dalloway.

Frank prawie jej nie słyszy. Dociera do niego niemal wyłącznie łomot pulsu w uszach. Nie myśli. Gdyby myślał, z pewnością nie robiłby tego, co robi. Pędząc z wózkiem w kierunku atrium, wcale nie ma głowy wypełnionej wzniosłymi myślami o bohaterstwie i poświęceniu, tylko po prostu chce jak najszybciej oddalić bombę od ludzi. To dla niego obiektywna konieczność, a nie akt samobójczej odwagi.

Wrzeszcząc wściekle, panna Dalloway próbuje go dosięgnąć zakrzywionymi jak szpony palcami. Frank cofa głowę, jej paznokcie zahaczają go jednak o szyję, a jeden trafia na zwisający z ucha cieniutki przewód. Mocne szarpnięcie i słuchawka wyskakuje mu z ucha, panna Dalloway przewraca się w wózku do tyłu, ściskając w dłoni plątaninę przewodów i kosztownej elektronicznej aparatury.

Kółka wózka terkoczą głośno, co oznacza, że jadą nie po wykładzinie, lecz po terakocie i marmurze. Frank omija wielką donicę z palmą, w ostatniej chwili unika zderzenia z grupką zdumionych klientów. Panna Dalloway wyrzuca bezużyteczną zdobycz, wstaje i sięga do uchwytów wózka. Ma czerwoną, wykrzywioną twarz i wyszczerzone zęby. Wbija paznokcie w ręce Franka, żłobi w jego skórze głębokie bruzdy, a kiedy to nic nie daje, usiłuje rozgiąć mu palce, te jednak zdają się być przyklejone do uchwytu.

Docierają do krawędzi tarasu. Frank skręca gwałtownie, wózek uderza bokiem w barierkę. Panna Dalloway traci równowagę, Frank zaś próbuje wykorzystać sposobność i sięga do wózka, by chwycić bombę i cisnąć ją w dół do Menażerii. Wtedy właśnie dostrzega przymocowany do baryłki budzik z przewodami. Stara się je zerwać, panna Dalloway jednak w ostatniej chwili chwyta oburącz beczułkę i, cofając się, po raz wtóry traci równowagę, ląduje na poręczy balustrady, nie może się utrzymać, na jej twarzy pojawia się niemal komiczny wyraz strachu: jedną ręką tuli beczułkę do piersi, drugą wymachuje rozpaczliwie, usiłując chwycić się czegoś rozczapierzonymi palcami. Akurat wtedy, kiedy przechyla się nieodwracalnie i ostatecznie, jej palce trafiają na coś i zaciskają się z ogromną siłą. To klapa marynarki Franka.

Potężne szarpnięcie odrywa stopy Franka od posadzki, głową naprzód ciska go w przepaść.

W dole rozwiera się soczyście zielona paszcza Menażerii. Frank czuje potworny ból w łokciu i barku i potrzebuje kilku chwil, by zrozumieć, dlaczego ani on, ani panna Dalloway nie spadają. Zdążył złapać się barierki. Uratował go małpi odruch. Sytuacja jednak jest daleka od opanowania, ponieważ panna Dalloway wciąż trzyma się go rozpaczliwie, i wciąż ma bombę.

Trzeszczą szwy. Frank stara się kopnięciem wytrącić beczułkę z objęć kobiety albo przynajmniej zerwać przewody. Nie ma pojęcia, ile czasu pozostało do wybuchu.

Klapa marynarki Franka zaczyna się wysuwać z zaciśniętych dłoni panny Dalloway. Przez ułamek sekundy patrzy jej w oczy. Frank dostrzega w ich stalowej głębi autentyczne przekonanie o tym, że wszyscy ją zdradzili, najbardziej zaś Days i życie. Kobieta spada.

Wciąż przyciskając beczułkę do piersi, uderza w siatkę nad Menażerią, a ta pęka jak jedwab, by ją przepuścić.

Chwilę później uderza w plątaninę rur, które gną się i łamią, uwalniając gejzery tętniącej w nich ciepłej wody.

Na koniec uderza w baldachim z gałęzi i liści, ten zaś rozstępuje się przed nią, wsysa ją do wnętrza, zasłania.

Frank wisi bez ruchu przez kilka sekund, patrzy w dół na rozszarpane przykrycie Menażerii, oczekując podświadomie, że zwierzęta i rośliny wyprysną przez otwór niczym zawartość przedziurawionego pojemnika ze sprężoną pod dużym ciśnieniem zawartością. Wreszcie przypomina sobie, gdzie jest, i co się za chwilę stanie, wyciąga drugą rękę, by chwycić się barierki i podciągnąć.

Za późno. Daleko w dole rozlega się stłumiony, lecz błyskawicznie narastający pomruk, ułamek sekundy później jego ciało unosi się na poduszce powietrza. Przez chwilę przestają go dotyczyć prawa grawitacji. Wzlatuje ku ogromnej czarno-białej kopule i wydaje mu się, że będzie tak leciał już zawsze, całą wieczność, jak zbawiona dusza ścigająca swoje niebiańskie bezczasowe przeznaczenie.

A potem zaczyna spadać w wypełnioną żarem i płomieniami otchłań.

XL

Apokalipsa św. Jana: w tej księdze Nowego Testamentu aż roi się od siódemek: siedem kościołów Azji, siedem złotych świeczników, siedem gwiazd, siedem trąb, siedmiu aniołów przed boskim tronem (jeden z nich trzyma zwój opatrzony siedmioma pieczęciami), siedem złotych czar, siedmiogłowy potwór oraz Baranek z siedmioma rogami i siedmiorgiem oczu

14.45

Z głębi trzewi, z głębi fundamentów, z głębi jestestwa Days wydobywa się jęk.

Basowy pomruk eksplozji rozbiega się po całym sklepie, fala uderzeniowa dociera do wszystkich pięter i najdalszych zakamarków, nie wyłączając najbardziej oddalonych od atrium Peryferii. Osiągnąwszy zewnętrzne mury, wypycha obłoczki pyłu przez szczeliny między czerwonymi cegłami, wprawia w drżenie tafle ogromnych szyb wystawowych, niepokojąc gapiów i żywe manekiny. Manekiny przez chwilę patrzą prosto w oczy swojej publiczności, być może po raz pierwszy w historii gigamarketu dając dowód, że wiedzą o jej istnieniu i dzielą jej lęk. Przez jedną króciutką chwilę oglądający i oglądani są sobie równi.

Na wszystkich piętrach drżą gabloty i regały, towary brzęczą na półkach, niekiedy spadają bez ostrzeżenia, wywołując okrzyki zdumienia i strachu.

W pomieszczeniu, w którym pracują Oczy, przez monitory przebiegają fale zakłóceń, z sufitu sypie się biały pył. Zakłócenia pojawiają się także na ekranach w Biurze, podskakuje ogromny stół, przechyla się o kilka stopni portret Septimusa Daya.

Zwielokrotnione echa eksplozji przetaczają się alejkami, przejściami i szybami wind, wypełniają wszystkie puste przestrzenie gigamarketu niczym gazy rozprzestrzeniające się we wnętrznościach niezbyt zdrowego lewiatana. Słyszy je nawet Gordon, mimo dzwonienia w lewym uchu. On i Linda spoglądają na siebie, potem patrzą na strażniczkę, która ma zaprowadzić ich do Wydziału Dochodzeniowego. Kobieta jest równie zdziwiona jak oni i nie potrafi dać żadnego wyjaśnienia.

Drzemiącego na przepastnej kanapie Sonny'ego budzi coś, co wydaje mu się odgłosem grzmotu. Wzdycha poirytowany, siada z trudem i kieruje przekrwione spojrzenie na pogodne, bezchmurne niebo za oknem.

Anomalia powoli zanika.

14.46

Thurston i Mungo stoją twarzą w twarz, pochyleni nad stołem, opierają się o blat zbielałymi knykciami, czubki ich nosów dzieli odległość najwyżej centymetra. Najpotężniej zbudowany syn Septimusa Daya góruje nad najmniejszym i najszczuplejszym, Thurston jednak nie przejawia najmniejszych oznak lęku. Napiął wszystkie mięśnie, na karku wystąpiły mu grube żyły, oddycha gwałtownie, poruszając nozdrzami. Mungo patrzy na niego z góry z marsem na czole, niczym bóstwo rozgniewane przez niepokornego wyznawcę.

– Proszę bardzo, oskarżaj mnie, jeśli chcesz – mówi do młodszego brata – ale ja naprawdę nie mam pojęcia, co on zrobił tam na dole.

– To, co zrobił, albo czego nie zrobił na dole, nie ma najmniejszego znaczenia – odpowiada Thurston. Każde jego słowo jest jak pocisk odbijający się od stalowej płyty w ścianie bunkra. – Chodzi o to, że to *ty* zmusiłeś nas, żebyśmy go tam posłali!

– W jakim świetle stawiasz siebie i swoich braci? Każdy z nas jest wystarczająco inteligentny, żeby samodzielnie podejmować decyzje. Nikogo do niczego nie zmuszałem. Poza tym nie ma żadnego dowodu, że Sonny ma cokolwiek wspólnego z tym. – Wskazuje na monitory z obrazami z Menażerii z dwóch ujęć.

Spomiędzy drzew wydobywa się smuga dymu, przenika przez poszarpaną sieć i leniwie unosi się ku sklepieniu atrium.

– A nie wydaje ci się, że to odrobinę zbyt duży zbieg okoliczności? Sonny idzie rozstrzygnąć spór między Książkami i Komputerami, a zaraz potem kierowniczka Książek próbuje wysadzić w powietrze Komputery, i prawie jej się to udaje. Może jestem nadmiernie podejrzliwy, ale według mnie te dwa wydarzenia są ze sobą ściśle związane. Chyba że ty znajdziesz lepsze wytłumaczenie?

– Owszem. Jestem pewien – a i ty doszedłbyś do tego wniosku, gdybyś trochę pomyślał – że ta kobieta planowała ten akt terroryzmu już od dawna i tylko czekała na okazję, żeby wprowadzić swój zamiar w życie.

– Na okazję, której dostarczył jej Sonny.

– Tego jeszcze nie wiemy.

– Nie muszę tego wiedzieć, wystarczy, że czuję. Czuję to w kościach. We krwi też. Tylko Sonny byłby w stanie coś tak monstrualnie spieprzyć.

– Zgadzam się, ale wszystkie wątpliwości...

– Pieprzę wątpliwości! – wykrzykuje Thurston, oprys-kując Munga kropelkami śliny.

Mungo ociera twarz wierzchem dłoni. Z pewnością byłby wściekły na Thurstona, gdyby nie to, że Thurston ma rację. Co gorsza, Thurston o tym wie, wie też, że Mungo o tym wie. Żaden z nich jednak nie zamierza pierwszy pójść na ustępstwa.

– Dajcie spokój – odzywa się Wensley. – Spójrzcie na to od innej strony. Według wstępnego raportu, który otrzymaliśmy od Oczu, uszkodzona została jedynie Menażeria, a straty w ludziach ograniczyły się do dwóch osób z personelu. Jesteśmy bezpieczni, żyjemy...

– Jak zwykle, Wensley, umyka ci to, co najważniejsze – przerywa mu Thurston zjadliwym tonem, nie odrywając wzroku od Munga. – Nie obchodzi mnie Menażeria i nie obchodzą mnie pracownicy. Te problemy można załatwić za pomocą pieniędzy, ale żadne pieniądze nie uczynią normalnego człowieka z imbecyla!

– Mam nadzieję, że nie mnie masz na myśli?

Otwierają się drzwi i do Biura wchodzi Sonny z rękami w kieszeniach. Swobodnym krokiem zmierza do stołu, po drodze obdarza braci bladym, lecz ciepłym uśmiechem. Po raz pierwszy od nie wiadomo jak dawna nie odnosi wrażenia, że wkracza na wrogi teren. Teraz jest jednym z nich. Jest im równy.

Dlatego właśnie nie rozumie spojrzeń, jakimi go witają. Owszem, przywykł do różnych odcieni lekceważenia, a nawet pogardy, po raz pierwszy jednak spotyka się z otwartą wrogością, szczególnie ze strony Thurstona.

– Sonny – mówi Mungo.

– Tak?

– Nie spodziewałem się zobaczyć cię tutaj.

– Ale oto jestem! – oznajmia Sonny pogodnym tonem.

Wydarzenia, które rozegrały się między jego powrotem z części handlowej sklepu a zaśnięciem na kanapie, zdążyły już niemal całkowicie zatrzeć się w jego pamięci. Przypomina sobie mętnie, że Mungo okropnie na niego krzyczał, on zaś w końcu wybuchnął płaczem, jednak przyczyny tych wydarzeń skryły się za mgłą alkoholowej amnezji. Ostrzeżenie, żeby do końca dnia nie pokazywał się już w Biurze, całkowicie znikło w mrokach niepamięci.

– Słyszeliście ten hałas? Jakby grzmot albo coś w tym rodzaju...

Bracia kiwają głowami.

– Wiecie, co to było?

– Cóż za oryginalny strój masz na sobie – mówi Thurston.

– To? – Sonny zerka na swój cokolwiek wymięty garnitur. – Ładny, prawda? – Klepie złociste logo Days na kieszonce. – Chciałem wywrzeć odpowiednie wrażenie na tych na dole.

– Boże... – wyrywa się Fredowi z ust.

– A jak się udał arbitraż? – ciągnie Thurston. – Przyznam szczerze, że trochę się zdziwiłem, kiedy nie zjawiłeś się od razu tutaj, żeby złożyć raport.

– Wszystko w porządku.

– Powiedziałeś kierownikom działów to, co miałeś im powiedzieć?

– Tak. To znaczy chyba tak. W pewnym sensie. Nie. To znaczy tak.

– A więc nie jesteś pewien?

Okulary Thurstona połyskują słabo w przyćmionym świetle. Ciemna połowa kopuły zasłania już prawie wszystkie okna Biura.

– No wiecie, sporo się tam działo. Oboje okropnie dużo mówili, więc w końcu... – Przecież to doskonały pomysł! Dlaczego ma się wstydzić? – W końcu rzuciłem kartą, żeby podjąć decyzję. Wiecie, tak jak w pubie podczas studiów, kiedy nie było wiadomo, kto ma postawić następną kolejkę.

Sześć osób równocześnie wciąga głośno powietrze.

– Rzuciłeś kartą... – powtarza Thurston lodowatym tonem.

Sonny czuje się teraz jak podejrzany podczas przesłuchania. Wbija wzrok w niewidoczny punkt na przeciwległej ścianie.

– Chciałem dać obojgu równe szanse.

– Domyślam się, że wygrały Komputery?

– Chyba na tym wam zależało, prawda?

– Mój Boże – wzdycha Wensley – co mu strzeliło do głowy?

– Zapytaj raczej, co wypił – odpowiada ponurym tonem Fred.

– Nie rozumiem! – Pewność siebie Sonny'ego, bardzo jeszcze świeżej daty, zaczyna chwiać się i drżeć, tak samo jak jego głos. – Czy coś jest nie w porządku? Rzeczywiście, nie wypełniłem dokładnie waszych poleceń, ale przecież posłaliście mnie na dół, żebym rozstrzygnął spór, no i go rozstrzygnąłem.

– A gdyby karta upadła inaczej? – pyta Thurston.

– Ale nie upadła!

– Ale gdyby?

Sonny zerka w kierunku Munga, wiedząc, że może oczekiwać od niego wsparcia, ale Mungo zniknął. Sonny rozgląda się niespokojnie dookoła i dostrzega brata przy potężnym przełączniku. Mungo zdjął z pręta ceramiczny uchwyt, trzyma go w prawej ręce i rytmicznie uderza nim w lewą dłoń, jakby to była policyjna pałka. Sonny'ego nagle ogarnia lęk.

To niemożliwe. Mungo tego nie zrobi. Nie rodzonemu bratu. Sonny powtarza to sobie w myślach jak zaklęcie, lecz w pogłębiającym się półmroku trudno dostrzec oczy Munga, nie sposób odgadnąć, co zamierza.

– Sonny, nie wymagaliśmy od ciebie niczego skomplikowanego – mówi Mungo cicho, niemal z żalem. – Miałeś tylko nie wychylać nosa ze swojego mieszkania.

Sonny rozpaczliwie kręci głową, chce poprosić brata, żeby odłożył uchwyt, nie jest jednak w stanie wykrztusić ani słowa.

– Tak będzie lepiej dla nas wszystkich – ciągnie Mungo. – Nie jestem w stanie dłużej cię chronić. Nie jestem w stanie dłużej ci pomagać, skoro nie chcesz sam sobie pomóc.

Z oczu Sonny'ego tryskają łzy jasne i błyszczące w sztucznym zmierzchu, nie próbuje jednak się bronić, nawet się nie zasłania, kiedy Mungo zbliża się z ceramicznym uchwytem, wywijając nim jak kijem baseballowym.

Cios trafia Sonny'ego w czaszkę. Uderzeniu towarzyszy odgłos jakby pękającego drewna. Sonny zatacza się do tyłu, krew płynie mu z nosa, chwieje się na nogach, robi dwa kroki do przodu, rozpaczliwie chwyta się stołu.

Mungo uderza powtórnie, tym razem w szczękę.

Sonny pada na blat stołu, jęczy głośno, trzyma się za dolną część twarzy. Jego szeroko otwarte, puste oczy wpatrują się w Munga, który ciężko dyszy i nie odwraca spojrzenia.

Podchodzi Chas z wyciągniętą ręką. Mungo waha się, a następnie pokornie oddaje uchwyt, myśląc, że już po wszystkim. Myli się jednak. W Biurze dochodzą do głosu mroczne siły, skrywane do tej pory skrzętnie pod fasadą pozornej ogłady, uświęconych tradycją obyczajów i tłumionej od wielu lat paranoi. Mroczne i dzikie. Groźne.

– Niech ktoś go przytrzyma – mówi Chas.

Fred i Sato stają po bokach Sonny'ego i z ponurą sprawnością lekarzy z czasów sprzed wynalezienia środków znieczulających chwytają go za nadgarstki, przyciskają kolanami przedramiona. Sonny rozpaczliwie kręci głową w lewo i prawo, szuka na twarzach braci choćby najsłabszych oznak współczucia lub litości, nie znajduje ich jednak. Doszli do wniosku, iż nadeszła pora zapłaty za lata upokorzeń, rozterek i wstydu. Sonny protestuje, ale nikt go nie słucha. Chas podnosi wysoko uchwyt i z całej siły opuszcza go na jego klatkę piersiową.

Uderzenie jest potężne, żebra jednak wytrzymują, lecz już pod następnym ciosem jedno pęka niczym uschnięty bambus. Sonny szarpie się, wyje przeraźliwie z bólu zbyt straszliwego, żeby wyrazić go w słowach.

Chas przekazuje narzędzie Wensleyowi. Ten trzema szybkimi uderzeniami gruchocze Sonny'emu szczękę, miażdży nos i uszkadza kilka narządów wewnętrznych w jamie brzusznej. Potem przychodzi kolej na Thurstona.

Kiedy Thurston kończy, czubek ceramicznego uchwytu pokryty jest krwią, strzępami skóry, włosami, odpryskami kości i zębów.

Następny w kolejce jest Fred. Potem Sato. Sonny'ego nie trzeba już przytrzymywać. Uchwyt wznosi się i opada, wznosi i opada, po każdym ciosie staje się coraz bardziej czerwony.

Bracia dokonują masakry spokojnie i precyzyjnie, narzędzie przechodzi z rąk do rąk wciąż według tej samej kolejności, nikt nie próbuje zatrzymać go dłużej, niż wynika to z ustalonego na wstępie harmonogramu. Niedługo ciało z ciała i krew z krwi zamieni się w krew i ciało.

Wilgotne, soczyste, niekiedy chrupiące lub bulgoczące odgłosy uderzeń wznoszą się ku wysokiemu sklepieniu Biura, a w jedynym oku starca z portretu na ścianie wreszcie można dostrzec coś więcej niż tylko wyniosłą pogardę.

XLI

7,0: wartość pH roztworu obojętnego, czyli ani kwaśnego, ani zasadowego – na przykład czystej wody

14.51

Płynne dźwięki: bulgotanie odległych głosów, szmer płynącej wody.

Płynne ciepło: dokuczliwy upał, powolny ruch wilgotnego rozgrzanego powietrza.

Lodowaty chłód na plecach i tylnej części nóg.

Miękkość w zaciśniętych pięściach – gąbczasta, włóknista i chłodna.

Krople wody kapiące bezustannie na twarz.

Słaba woń dymu.

A potem oczy otwierają się i dochodzą jeszcze wrażenia wzrokowe. Spód palmowych liści. Przebogata gama zielonych cieni. Dokładnie nad nim poszarpany tunel wśród gałęzi, poprzecinany smugami żółtawego światła, przybrany lianami i olśniewająco błyszczącymi girlandami niezliczonych kropli. Droga upadku. Siatka, rury nawadniające, a wreszcie gęsta roślinność zamortyzowały siłę uderzenia.

Ból atakuje z tylu miejsc, że trudno by je było zliczyć. Właściwie całe jego ciało to jeden wielki ośrodek bólu. Chciałby wstać, nie tyle jednak nie może, co obawia się, iż nie jest w stanie tego dokonać. Na gliniastym podłożu Menażerii jest mu nawet całkiem wygodnie. Ma wrażenie, że ktoś przyspawał go do tego miejsca. Mógłby leżeć tu cały dzień, częściowo zakopany w glebie, ukryty wśród poszycia.

Mógłby, ale tego nie zrobi. Tu nie jest bezpiecznie. Tu mogą być tygrysy i Bóg wie jakie jeszcze dzikie bestie, czekające na odbiór przez właścicieli.

Frank gromadzi w sobie odwagę. Śmiało. Na pewno się uda.

Próbuje unieść prawe ramię. Nic z tego.

Boże. Jest sparaliżowany. Boże, tylko nie to!

Chwilę potem, z donośnym mlaśnięciem, ramię odrywa się od grząskiego gruntu.

Frank zbliża rękę do twarzy, obraca w prawo i w lewo, kolejno zgina i prostuje palce. Dłoń i rękaw są pokryte mchem, mokrą ziemią i gnijącymi liśćmi.

Ostrożnie unosi głowę.

Najniższą kondygnację miniaturowej dżungli tworzą trawy, paprocie i bambusy. Wyżej wznoszą się porośnięte epifitami pnie, jeszcze wyżej rozpościera się baldachim listowia.

Znowu dociera do niego zapach spalenizny, w pobliżu jednak nie widzi niczego, co mogłoby stanowić jego źródło. Wszystko jest zielone, bujne i żywe. Widocznie spadł dość daleko od miejsca, w którym nastąpiła eksplozja.

Dźwignięcie się na nogi kosztuje go mnóstwo wysiłku. Podłoże nie chce go uwolnić, wczepiło się w niego niewidzialnymi przyssawkami, a kiedy wreszcie udaje mu się wyprostować, wciąż jeszcze ciągnie go ku sobie ciężarem mokrej ziemi i przesiąkniętego wodą ubrania.

Dokonuje oględzin swego ciała. Uległo podziałowi na dwie części: brudną i czystą. Od przodu wygląda całkiem nieźle, od tyłu natomiast – lepiej nie mówić. W miejscu, gdzie wylądował, w ziemi pozostał wyraźny odcisk jego tułowia. Gdyby nalać tam gipsu, powstałby dokładny odlew tylnej połowy mężczyzny z szeroko rozrzuconymi nogami i rękami.

Kończyny działają, chociaż niektóre mocno protestują przed próbami wprawienia ich w ruch. Po kilku szybkich mrugnięciach wzrok wyostrza się i prawie wraca do normy. Frank rozgląda się dookoła. Którędy do wyjścia?

Gdyby znajdował się na którymś z pięter handlowych, bez trudu ustaliłby kierunek, lecz Menażeria to dla niego *terra incognita*. (Tu mogą być tygrysy). Nigdy jeszcze tu nie był. Ślady, które zostawi teraz w wilgotnej glebie, będą jego pierwszymi śladami w Menażerii.

Trzeba pomyśleć.

Do Menażerii prowadzą z Podziemi dwie bramy: jedna z północy, druga z południa. Wystarczy dotrzeć do ściany i posuwać się wzdłuż niej, by dotrzeć do którejś z nich. Rzecz jasna, mógłby zostać tutaj i czekać, aż odnajdzie go ekipa pracowników Menażerii. Nie wątpi, że już go szukają. Z pewnością zawiadomił ich pan Bloom. Jednak, biorąc pod uwagę, że powierzchnia Menażerii wynosi niemal dwa kilometry kwadratowe, poszukiwania mogą nieco potrwać. Bezpieczniej byłoby zaczekać, szybciej będzie poszukać wyjścia na własną rękę.

Musi od nowa nauczyć się chodzić, chociaż właśnie na chodzeniu upłynęła mu większa część dorosłego życia. Przeszkadzają mu pnącza i płożące się krzewy, śliski mech i nierówny teren. Każdy krok musi być starannie zaplanowany.

Woń spalenizny staje się coraz silniejsza, między drzewami pojawia się smuga siwego dymu. Skądś z przodu dobiega trzask płomieni. Z góry spływa wrzawa zdumionych, przerażonych i zdezorientowanych głosów klientów oraz zawodzenie sygnałów alarmowych. Nie słychać tylko śpiewu ptaków i głosów zwierząt. Eksplozja przeraziła mieszkańców Menażerii, zmuszając ich do milczenia.

Dym szybko gęstnieje, coraz więcej drzew ma pnie osmalone z jednej strony, na ziemi pojawia się popiół, powiewy ciepłego powietrza przynoszą nie tylko dym, lecz również płaty sadzy. Frank brnie naprzód przez dymiące zgliszcza – zielone są tylko liście wysoko w górze, nietknięte pożogą. Tu i tam wśród zwęglonych gałęzi pełzają ogniste języki, od czasu do czasu płomienie buchają wyżej, zaraz jednak gasną z sykiem. Wszystko dookoła jest zbyt wilgotne, zbyt mokre, żeby ogień mógł rozpalić się na dobre. Frank potyka się o nieruchome, częściowo zwęglone ciało jakiegoś niewielkiego ssaka. Woń upieczonego mięsa sprawia, że ślina napływa mu do ust.

Dym jest już tak gęsty, że utrudnia oddychanie, Frank postanawia więc zawrócić, ale jeszcze rzuca okiem na epicentrum wybuchu. Drzewa przypominają osmalone słupy, lecz nadal stoją. W ich głębokich pęknięciach wciąż się żarzy, z porośli zostały jedynie skurczone czarne kikuty. Zniszczenia nie są jednak zbyt duże. Menażeria okazała się wystarczająco rozległa, by wchłonąć rozszalałą energię eksplozji, szybko też poradziła sobie z ogniem.

Frank wycofuje się z upiornego dymiącego punktu zero i zanurza się w szmaragdową głębinę nienaruszonej dżungli. Nie zdaje sobie sprawy, że ktoś go zauważył i idzie jego tropem.

14.54

Trudno nazwać to marszem, to raczej jakieś połączenie zataczania się z chwiejnym podbieganiem, mało efektywne, za to niezmiernie wyczerpujące. Mimo to wciąż uparcie posuwa się naprzód. Powłóczy jedną nogą, jedno ramię zwisa bezwładnie u boku. Jej ciało częściowo okrywa skorupa ze stopionego ubrania, resztki nadpalonych włosów przywarły do jej czaszki jak hełm, skóra wisi w strzępach, niektóre z nich odrywają się i odpadają, kiedy o coś nimi zahaczy, z ciała sterczą ostre odłamki baryłki po piwie, tu i ówdzie widać połyskujące kości. Oko – tylko jedno oko, prawe, to, które ocalało po eksplozji – błyszczy dziko. Jest poraniona ponad wszelkie wyobrażenie. Powinna już nie żyć. A jednak żyje.

Zataczając się i potykając, panna Dalloway uparcie podąża za człowiekiem, który unicestwił jej plany. W pewnej chwili schyla się, wyciąga na wpół zwęglony szpon, swoją jedyną sprawną rękę, i podnosi kamień.

Zdaje sobie sprawę, że umiera. Miażdżąc mu czaszkę, dokona przynajmniej aktu częściowej zemsty i zadośćuczynienia.

14.55

Frank rozluźnia krawat. Jedwab marszczy się w wilgotnym powietrzu. Rozpina kołnierzyk, to samo czyni z następnym guzikiem. A co tam. Jak szaleć, to szaleć. W sercu miniaturowej dżungli nie ma sensu udawać eleganckiego klienta.

Stara się nie myśleć o tych wszystkich wielkich dzikich stworzeniach, które przemykają bezszelestnie przez cienistą gęstwinę i obserwują go, skryte przed jego wzrokiem, wyobraźnia jednak bez przerwy podsuwa mu widok świecących w półmroku ślepi wpatrzonych w niego z chłodną zwierzęcą inteligencją. W żaden sposób nie uda mu się wtopić w tło. Nawet okryty do połowy błotem rzuca się w oczy jak kanarek w stadzie wróbli.

Gdyby miał broń, byłoby zupełnie inaczej. Nie wie, czy zdążyłby jej użyć zaatakowany przez drapieżnika, z pewnością jednak czułby się znacznie pewniej. Mimo wszystko ma spore szanse na to, żeby cało dotrzeć do którejś z bram. Nie pozostaje mu nic innego, jak mieć nadzieję, że zwierzęta bardziej boją się jego niż on ich.

Za jego plecami rozlega się nieludzki wrzask i Frank staje jak wryty.

14.56

Na jakimś głęboko ukrytym poziomie podświadomości panna Dalloway zdaje sobie sprawę z tego, że nie zdoła podkraść się ukradkiem do ofiary. Może liczyć wyłącznie na szybkość i element zaskoczenia.

Sięga po ostatnie zapasy energii, po czym rusza do ataku. Siła jej uporu i determinacji jest tak wielka, że uszkodzona noga zaczyna funkcjonować prawidłowo, ręka zaś okazuje się wystarczająco silna, by wysoko unieść kamień. Co prawda powietrze stawia jej tak zaciekły opór, jakby nagle stało się gęściejsze od wody, ona jednak nie daje się zatrzymać, przyspiesza, biegnie.

Nawet gdyby od huku eksplozji nie popękały jej bębenki w uszach, z pewnością nie rozpoznałaby swojego głosu w przeraźliwym schrypniętym wrzasku, który wydobywa się z jej popękanych ust.

14.56

Człekokształtna małpa? A może niedźwiedź na tylnych łapach?

Nic innego nie przychodzi Frankowi do głowy na widok obszarpanej, przypominającej stracha na wróble postaci, pędzącej ku niemu przez gęste poszycie z przeraźliwym wyciem i dzikim błyskiem w jedynym oku. Ani przez chwilę nie podejrzewa, że ta okropna wrzeszcząca postać może być człowiekiem.

Napastnik z potworną siłą opuszcza trzymany w ręce kamień. Frank nie ma czasu ani na to, żeby się uchylić, ani żeby się zasłonić.

W ostatnim ułamku sekundy coś spada na podobnego do małpy stwora, zwala go z nóg, wytrąca kamień. Frank dostrzega potężne mięśnie i pionowe czarne pasy na jasnym tle.

Tygrysica.

Ofiara leży na wznak, niemrawo próbuje odepchnąć drapieżnika, kiedy ten stawia przednie łapy na jej piersi, pochyla łeb i zaciska kły na jej szyi. Próbuje stawiać opór jeszcze nawet wtedy, kiedy ma już rozszarpane gardło. Okropnie charkocząc, walczy jak maszyna, która co prawda została już wyłączona, niemniej jednak funkcjonuje jeszcze samą siłą rozpędu, coraz wolniej, coraz bardziej chaotycznie, w miarę jak tygrysica odrywa z niej kolejne kawałki ciała.

Dopiero kiedy zagadkowa istota nieruchomieje, Frank dostrzega na jej piersi częściowo roztopiony prostokątny kawałek błyszczącego plastiku, rozpoznaje w nim identyfikator (a raczej jego resztki) i uświadamia sobie, czym (a raczej kim) jest (a raczej było) to stworzenie.

Odwraca się pospiesznie, o ile jednak może odwrócić oczy od tygrysicy pożerającej zwłoki panny Dalloway, o tyle nie jest w stanie odgrodzić się od odgłosów rozszarpywania i połykania jej ciała. Te odgłosy będą go prześladować po kres jego dni.

Wreszcie cichną. Nasyciwszy głód, tygrysica porzuca zmasakrowaną zdobycz.

Frank słyszy delikatne stąpnięcia miękkich łap, zamyka oczy, nie rusza się, próbuje wtopić się w tło – bezskutecznie, ponieważ drzewa, liany i chaszcze to nie to samo co sklepowe regały i gabloty. Choć bardzo się stara, nie potrafi się stać niedostrzegalnym dla zmysłów tygrysicy. Tutaj, w tym otoczeniu, to on jest podejrzanym, ona zaś Duchem.

Zwierzę podchodzi do niego, podnosi zbroczony krwią pysk, węszy, przesuwa nosem po jego prawej ręce, po przedramieniu, do łokcia i z powrotem, po nogawce spodni, po kroczu. Wciąga i wypuszcza powietrze z wyraźnie słyszalnym sykiem. Roztacza wokół siebie silną dziką woń.

Każda komórka mózgu Franka, każdy jego mięsień woła, żeby uciekać, on jednak opiera się temu wezwaniu i stoi bez ruchu.

Tygrysica spogląda mu w twarz błękitnymi oczami, z jej gardła wydobywa się głęboki delikatny pomruk. Dźwięk jest tak cichy, że później Frank nie będzie pewien, czy tylko go sobie wyobraził, czy usłyszał naprawdę, zapamięta go jednak do końca życia, podobnie jak odgłos rozdzierania na strzępy ciała panny Dalloway. I wciąż od nowa będzie się zastanawiał, co ten odgłos miał oznaczać, czy rzeczywiście był tym, za co wziął go w tamtej chwili – pieszczotliwym pożegnaniem.

Miękka sierść muska koniuszki palców jego prawej ręki. Frank ostrożnie uchyla powieki i widzi, jak tygrysica biegnie miękko z opuszczonym ogonem, przeskakuje przez zmasakrowane zwłoki byłej kierowniczki Działu Książek i niknie między drzewami Menażerii. Po chwili półprzezroczysty tygrysi kształt roztapia się w gęstwinie dżungli.

15.12

Jakiś czas później Frank siedzi na kamieniu nad przepływającym przez polankę strumieniem. Całkiem możliwe, że to ta sama polanka, na której rano widział tygrysicę.

Nad nim piętrzą się tarasy na kolejnych piętrach gigamarketu, wysoko w górze gigantyczna kopuła nad atrium. Zza barierek wychylają się liczne twarze, patrzą w dół, na niego. Syreny i dzwonki alarmowe ucichły. Gdzie indziej z pewnością zarządzono by całkowitą ewakuację sklepu, ale nie w Days. Po co tracić kilka bezcennych godzin handlu?

Przez dżunglę przedziera się w jego kierunku oddział pracowników Menażerii. Frank słyszy, jak pokrzykują na siebie. Odziani w ochronne kombinezony wzmocnione drucianą plecionką, uzbrojeni w strzelby z pociskami usypiającymi, odprowadzą go w bezpieczne miejsce.

Strumyk płynie tu szerokimi zakosami, czysta woda przelewa się z szumem nad mniejszymi i większymi kamieniami, tu i ówdzie na jej powierzchni tworzą się wesołe bąbelki. Z otworów w rurach nawilżających wytryskuje ciepła mgiełka, opada miliardami kropelek na głowę Franka, moczy mu włosy, które coraz bardziej przylegają do czaszki. Natura dała znak batutą i ptaki i owady podjęły przerwany koncert.

Frank ściska w ręce uszkodzonego sfinksa, wpatruje się z wytężeniem w pęknięty ekranik. Z wytężeniem, a także z zachwytem i lekkim zdziwieniem.

Zaraz po niego przyjdą.

Zaraz go tu nie będzie.

XLII

Gorączka siedmiodniowa: ostra choroba zakaźna wywoływana przez kleszcze i wszy; typowe są dla niej ostre ataki przedzielane okresami remisji trwającymi około siedmiu dni. Znana także jako dur powrotny

16.30

Przesłuchanie nie było nawet takie straszne. Mały ponury Szkot był surowy, lecz uprzejmy. W przeciwieństwie do większości osób, które w swojej pracy codziennie stykają się z przejawami ludzkiej niedoskonałości, nie stracił do końca szacunku dla bliźnich. Chwilami zachowywał się niemal grzecznie. Linda była mu za to wdzięczna, ponieważ dzięki temu udało jej się zachować resztki godności.

W ciasnej komórce, mając naprzeciwko Trivettów, po prawej ręce zaś strażnika, śledczy wysłuchał przedstawionej przez Lindę wersji incydentu z Duchem w Zegarach. Choć wielokrotnie podkreślała, iż nie miała złych intencji, musiała jednak przyznać, że wbrew przepisom przemyciła miotacz gazu na teren sklepu oraz że zaatakowała jednego z pracowników. Fakt, iż wówczas nie miała pojęcia, że ten człowiek jest pracownikiem Days, nie miał najmniejszego znaczenia. Nie pomogło jej również, że całe zdarzenie zarejestrowała jedna z kamer. Kamery nie kłamią. Morrison (tak nazywał się śledczy) pokazał jej czarno-biały filmik, trochę niewyraźny, nie na tyle jednak, żeby można było mieć jakiekolwiek wątpliwości, kogo i co przedstawia.

Odwróciwszy monitor z powrotem w swoją stronę, Morrison oznajmił Lindzie, iż w świetle zgromadzonych dowodów jest zmuszony zlikwidować ich konto i na zawsze zabronić im wstępu na teren gigamarketu. Obojgu. Lindzie ze względu na jej naganne czyny, Gordonowi zaś dlatego, że jest współwłaścicielem konta, a tym samym współodpowiada za wszystkie jej występki.

Chociaż tego właśnie się spodziewała, słowa śledczego zabrzmiały w uszach Lindy niczym żałobne bicie dzwonu. Gordon wciąż był prawie głuchy na lewe ucho, musiał więc prosić o kilkakrotne powtórzenie decyzji. Kiedy wreszcie wszystko do niego dotarło, nie wyglądał na szczególnie zrozpaczonego.

Morrison poprosił Lindę o kartę, wsunął ją do czytnika, kilkoma naciśnięciami klawiszy przelał zawartość konta na rachunek sklepu w celu uregulowania należności za dokonane zakupy. Poinformował ją, że po oszacowaniu wysokości zniszczeń w Instrumentach Muzycznych Trzeciego Świata będą musieli pokryć przypadającą na nich część - może nie bardzo wysoką, ale też nie całkiem błahą. Najgorsza była chwila, kiedy Morrison wręczył Lindzie kartę oraz bezpieczne nożyczki z zaokrąglonymi końcami.

– Wolimy, żeby nasi klienci robili to własnoręcznie – powiedział.

Prawie się popłakała, przecinając Srebrną na pół. Prawie.

Potem nie pozostało im nic innego, jak wyjść z przeszklonej komórki, usiąść na ławce pod ścianą i czekać na odprowadzenie do wyjścia. Siedzą tam już od godziny w towarzystwie milczącego, ponurego strażnika. Linda dopiero teraz czuje się naprawdę upokorzona, wśród przestępców i zidiociałych oportunistów, choć oczywiście nie uważa, żeby ona albo Gordon należeli do którejś z tych kategorii. Jej zdaniem tworzą trzecią, całkowicie odrębną grupę: bezradnych pechowców.

Wreszcie wywołują Trivettów, strażnik prowadzi ich wąskim korytarzem do betonowych schodów, którymi dochodzą do potężnych stalowych drzwi zaopatrzonych w zamki i rygle. Po ich otwarciu widzą następne schody.

– Na górę – mówi lakonicznie strażnik i stalowe drzwi zatrzaskują się za nimi z hukiem.

Schody prowadzą na Days Plaza. Kiedy Linda i Gordon wychodzą na zewnątrz, wita ich porywisty wiatr i spojrzenia kilkudziesięciu oglądaczy. Linda aż się kuli, oczekując gwizdów i szyderczych okrzyków, oglądacze jednak najwyraźniej nie uważają, żeby widok dwojga wydalonych ze sklepu klientów był szczególnie zabawny albo przynajmniej ciekawszy od tego, co się dzieje na ich ulubionej wystawie. Tylko jeden mężczyzna uśmiecha się do nich i mówi:

– Witajcie w klubie.

Linda rumieni się aż po cebulki włosów, odwraca się na pięcie i odchodzi szybkim krokiem, ciągnąc za sobą Gordona.

Na półkolistym podjeździe przed najbliższym wejściem stoją taksówki, czekając na porę zamknięcia sklepu. Linda podchodzi do pierwszej w kolejce i sprawdza, czy to aby nie ta sama, którą tu przyjechali. Tego upokorzenia już by chyba nie zniosła... Chociaż, jeśli się nad tym zastanowić, to chyba chętnie zamieniłaby z kierowcą kilka słów na temat tego miotacza gazu, do którego kupna podstępnie ją namówił.

Taksówkarz niechętnie zgadza się przyjąć gotówkę.

– Co, wyczerpało się limicik?

Linda ignoruje pytanie, podaje mu adres, a następnie zasuwa dźwiękoszczelną przegrodę za przednimi fotelami.

– A więc już po wszystkim – stwierdza głośno Gordon, kiedy samochód odjeżdża sprzed pierwszego na świecie i ponad wszelką wątpliwość, zdecydowanie, stanowczo NIE najlepszego gigamarketu.

Linda kiwa głową.

– Było całkiem miło. Przynajmniej przez chwilę.

Odczuwa ogromną pokusę, żeby się obejrzeć, żeby posłać pożegnalne spojrzenie, ale wie, że nie może tego zrobić. Że jej nie wolno.

– Słucham?

– Powiedziałam, że... Zresztą, nieważne. Jak tam twoje ucho?

– Słucham?

– Pytałam...

– Wiem, wiem. Żartowałem.

Szturcha go figlarnie w żebra.

– To była dla nas dobra nauczka, prawda? – Gordon ostrożnie kładzie jej rękę na ramieniu, a kiedy Linda nie zrzuca jej wzruszeniem ramion, jak wielokrotnie czyniła to przedtem, zaczyna delikatnie masować jej bark i nasadę karku. – Nigdy więcej, co?

– Nigdy więcej – potwierdza Linda. – Chociaż – dodaje natychmiast – jest jeszcze EuroMart...

Ręka Gordona nieruchomieje.

– Lindo...

Nie dopuszcza go do głosu, mówi szybko, żeby zasiać ziarno tak wcześnie, jak to tylko możliwe:

– Spłacimy Days i od razu zaczniemy odkładać, żeby móc złożyć wniosek o założenie konta. Pomyśl tylko, moglibyśmy latać na jednodniowe wycieczki do Brukseli. Linie lotnicze dają specjalne zniżki. Mieszkalibyśmy w jakimś niedrogim hotelu i...

– Lindo...

Uśmiecha się ze smutkiem.

– To tylko marzenie, Gordonie. Tylko marzenie.

– I niech nim pozostanie.

Na nowo rozpoczyna masaż.

Linda obmyśla szczegóły planu. Tak, to się może udać. Będzie potrzebowała sporo czasu, w końcu jednak z pewnością go przekona. Jest cierpliwa i uparta, prędzej czy później zdoła namówić Gordona. Być może zajmie to pięć lat, być może nawet więcej, ale jakie to ma znaczenie? Liczy się cel. Warto zaczekać.

Ale tym razem nie zadowoli się Srebrną. Kiedy złożą wniosek o otwarcie konta w EuroMarcie, Linda Trivett zamierza ubiegać się co najmniej o Złotą.

XLIII

Waga: siódmy znak zodiaku wyobrażany przez dwie szale

17.00

Pierwszy komunikat przypominający o tym, że zbliża się czas zamykania sklepu, podano kwadrans przed siedemnastą, następny dziesięć minut później. Dokładnie o siedemnastej rozlega się po raz trzeci. Ostatni klienci kierują się do wyjść. Zjeżdżają windami do siedmiopoziomowego podziemnego parkingu lub objuczeni zakupami czekają cierpliwie w kolejkach do drzwi prowadzących na zewnątrz, w świat pomalowany szafranem przez zachodzące słońce. Maruderów, usiłujących w ostatniej chwili dokonać jeszcze jakichś zakupów, sprzedawcy wypraszają z działów, strażnicy zaś eskortują ich na parter lub parking.

Kierownicy działów podsumowują dzienny utarg i przesyłają raporty do Biura Zarządu. W działach z artykułami spożywczymi zabezpiecza się żywność specjalną folią lub chowa się ją do lodówek.

Ciężkie atłasowe kotary przesuwają się nad wystawowymi szybami, kończąc tym odgrywane w czasie rzeczywistym tasiemcowe seriale. Syci wrażeń, a równocześnie głodni kolejnych doznań oglądacze wzdychają z rozczarowaniem, po czym zbierają swój dobytek. Ci, którzy mają domy, wyruszają w drogę powrotną, ci zaś, którzy mieszkają pod murem gigamarketu, szykują się do spędzenia tu kolejnej nocy.

Pracownicy sklepu zakładają wierzchnie okrycia, wsiadają do samochodów, idą na przystanki autobusowe i stacje metra. Kończący się dzień byłby taki sam jak wiele innych, gdyby nie popołudniowa eksplozja oraz wywołana przez nią fala podniecenia, które jeszcze nie zdążyło wygasnąć. Zatrudnieni w gigamarkecie, podobnie jak klienci, wymieniają uwagi na ten temat, opowiadają, gdzie byli i co robili w chwili wybuchu. Rzecz jasna krąży mnóstwo plotek. Według tych najbardziej wiarygodnych odpowiedzialność za eksplozję ponoszą terroryści, inne dotyczą Działu Książek. Ktoś zna kogoś, kto zna kogoś w Komputerach, kto widział, jak funkcjonariusze Ochrony aresztowali wszystkich Moli Książkowych, ale ta historia jest zupełnie nieprawdopodobna i brzmi tak, jak wiele innych podobnych bzdur, wymyślanych wcześniej przez Technoidów. Prawie nikt nie daje także wiary pogłoskom, iż wybuch spowodowała kierowniczka Książek, i że zmarła w wyniku odniesionych obrażeń. Pracownik Days, usiłujący wysadzić sklep w powietrze? Bzdura!

Wszystkie te plotki, mniej i bardziej wiarygodne, są przekazywane nocnym strażnikom oraz sprzątaczkom i sprzątaczom, którzy właśnie idą do pracy. Alchemiczne działanie czasu sprawiło, że konsternacja i niepokój, dominujące bezpośrednio po wybuchu, przeistoczyły się w wesołość i podniecenie. Z perspektywy kilku godzin można przyznać, że to bardzo zabawne być tam, gdzie dokonano terrorystycznego zamachu. Zatrudnionym na nocną zmianę nie pozostawia się cienia wątpliwości, że ominęło ich coś naprawdę niezwykłego i fascynującego.

Ekipa techniczna - w ramach nadgodzin - naprawia siatkę nad Menażerią. Motyle i ptaki wciąż uciekają przez rozdarcia powstałe na skutek upadku dwojga ludzi i choć prace te nie potrwają długo, to personel Menażerii jeszcze przez ponad tydzień będzie się uganiał po piętrach za zbiegłym żywym towarem.

W opustoszałym sklepie powoli gasną światła.

17.22

Frank zamyka szafkę i bierze do ręki torbę z powalanymi błotem garniturem i butami. Ma na sobie dokładną replikę służbowego stroju, łącznie z półbutami na gumowych podeszwach i jedwabnym krawatem. Ze świeżo umytymi i uczesanymi włosami wygląda niemal jak nowy, jak prosto spod sztancy.

Rozgląda się po szatni; nie oczekuje ukłucia żalu w sercu i rzeczywiście żadnego żalu nie czuje. Ale przecież wcale nie ma pewności, czy rzeczywiście po raz ostatni stoi w tym pomieszczeniu i patrzy na rzędy identycznych metalowych drzwiczek z zamkami i kratkami wentylacyjnymi. Odwraca się i wychodzi na korytarz, gdzie czeka na niego pan Bloom.

– Wszystko w porządku? - pyta pan Bloom. - Chodzi mi o ubranie. Pasuje?

– Bez zarzutu. Dziękuję. Oczywiście proszę ściągnąć należność z mojego konta.

– Ani myślę.

– Ja jednak nalegam.

– Frank, po tym wszystkim, przez co dzisiaj przeszedłeś...

– Donaldzie, proszę - w głosie Franka pobrzmiewa nuta urazy. - Nie chcę być niczyim dłużnikiem.

– Zawsze będziesz dłużnikiem Days – mówi pan Bloom, osładzając swoje słowa uśmiechem.

– Myślę, że akurat ten dług na pewno już spłaciłem – odpowiada Frank, nieświadomie przesuwając palcami po głębokich równoległych zadrapaniach najpierw na jednej, a potem na drugiej ręce, pozostawionych przez paznokcie panny Dalloway.

Idą ramię w ramię do windy dla personelu. Frank nieco utyka, pan Bloom musi więc zwolnić kroku. Kilka razy otwiera usta, jakby chciał coś powiedzieć lub o coś zapytać, jednak nie czyni tego. W końcu Frank ułatwia mu zadanie.

– Nie, nie podjąłem jeszcze ostatecznej decyzji. Wciąż się zastanawiam.

– No cóż, to przynajmniej zmiana na lepsze. Podczas lunchu sprawiałeś wrażenie zdecydowanego.

– Proszę, nie doszukuj się w moich słowach znaczenia, którego tam nie ma. Po prostu od tamtej pory wydarzyło się coś... coś, co... Trudno mi wytłumaczyć.

Docierają do windy.

– Nie wiem, czy to ma jakieś znaczenie – mówi pan Bloom, naciskając guzik ze strzałką skierowaną ku górze – ale zwróciłem się do braci z prośbą, żeby pozwolili ci przejść na pełną emeryturę, bez żadnych kar i potrąceń. Miałem nawet nadzieję, że od razu dostanę odpowiedź, ale oni chyba mają teraz na głowie inne sprawy. Chociażby ubezpieczenie. Myślę jednak, że po tym, czego dziś dokonałeś, na pewno nie odmówią. Tak w tej chwili wyglądają sprawy. Możesz zostać albo, jeśli bracia wyrażą zgodę, możesz odejść na emeryturę z całkowicie anulowanym zadłużeniem i bez żadnych zobowiązań.

Przyjeżdża winda.

– A więc, jak będzie?

Frank wchodzi do windy, odwraca się, stawia na podłodze torbę z brudnymi rzeczami i patrzy na jedynego człowieka na świecie, którego być może mógłby nazwać przyjacielem.

– Nie wiem, Donaldzie. Naprawdę nie wiem.

Drzwi się zamykają.

17.31

Frank opuszcza budynek. Ciemniejące powietrze ma słodki zapach, co jest dość dziwne, zważywszy, że wiatr wieje od tej strony, gdzie zgromadziło się kilkuset niedomytych oglądaczy. Być może ta słodycz jest wcale nie w jego nosie, lecz w głowie: może powietrze ma taki zapach, bo Frank wreszcie znalazł się na zewnątrz, poza Days. To powietrze, którym teraz oddycha, należy do całej reszty planety, a ten dziwny zapach to słodycz wolności i nieograniczonych możliwości.

Przy schodach czekają reporterzy, przeprowadzają wywiady z wychodzącymi ze sklepu pracownikami. Na podjeździe stoi już kilka wozów transmisyjnych, kolejne właśnie zajeżdżają. Rozbłyskują reflektory, teleobiektywy kamer rozglądają się dookoła, mikrofony węszą natrętnie. Eksplozja w Days trafiła na stół sekcyjny dziennikarstwa telewizyjnego.

Frank życzy strażnikom dobrej nocy i rusza po stopniach w dół. Na dole stoi kobieta, którą on bierze za reporterkę i mija, nawet nie rzuciwszy na nią okiem.

– Czy celowo mnie pan ignoruje, panie Hubble? – słyszy znajomy głos.

Frank staje jak wryty. Odwraca się. Pani Shukhov nieśmiało robi dwa kroki w jego kierunku.

– Strażniczka powiedziała mi, że ściśle przestrzega pan ustalonych zwyczajów. Zawsze wchodzi pan i wychodzi północno-zachodnim wejściem.

– Narobiła mi pani dzisiaj mnóstwo kłopotów – mówi Frank trudnym do zinterpretowania tonem. Czy to gniew? A może kpina? Z jego twarzy nie sposób czegokolwiek wyczytać.

– Bardzo mi przykro, jeżeli...

– To nie pani wina. Nie mogła pani wiedzieć.

Kąciki ust Franka unoszą się o milimetr, może dwa.

– Czy pan sobie ze mnie żartuje, panie Hubble?

– Nie wiem. A jak pani sądzi?

Z piersi pani Shukhov wydobywa się głębokie westchnienie.

– Dlaczego mężczyźni zawsze muszą wszystko tak komplikować?

Frankowi przychodzi do głowy zaskakująca myśl.

– Czyżby pani na mnie czekała?

– Co za rozbłysk inteligencji! A więc nie jest pan beznadziejnym przypadkiem, panie Hubble. – Zbliża się o kolejne dwa kroki. Frank nie wykonuje najmniejszego ruchu, nawet nie próbuje uczestniczyć w tym słowno-fizycznym pląsie. – Zastanawiałam się, czy pozwoli pan zaprosić się na kawę. Jeśli pan nie ma nic przeciwko temu, oczywiście – dodaje pospiesznie, widząc jego zmarszczone brwi. – Chyba że posuwam się za daleko, proszę mi powiedzieć, jeżeli to zabronione. Jeśli nie wolno wam pokazywać się w towarzystwie klientów usuniętych ze sklepu albo jeśli po prostu nie ma pan ochoty, zrozumiem to i na pewno się nie obrażę.

– Przedstawmy sprawę jasno: chce pani, żebym napił się z panią kawy?

– Albo czegoś mocniejszego, jeżeli pan woli.

– Raczej nie. Wolę kawę.

– Czy to oznacza zgodę?

– Na pewno nie oznacza odmowy.

Pani Shukhov przewraca oczami.

– Słowo daję, gdybym szukała w słowniku synonimów słowa „gbur", znalazłabym tylko jeden: mężczyzna!

17.53

Frank i pani Shukhov przechodzą przez bardzo ruchliwą o tej porze jezdnię. Mniej więcej połowa samochodów ma włączone światła. Na fioletowym niebie wisi Księżyc w drugiej kwadrze: lewa połowa jest ciemna, prawa połyskuje niczym kość słoniowa. Nie, noc nie należy do Days, myśli Frank, patrząc w niebo. Przynajmniej na razie.

W wąskiej bocznej uliczce znajdują niedużą kawiarnię. Ogródek z plastikowymi krzesłami i stolikami zajmuje ponad połowę chodnika, w środku większość miejsc jest pusta. Kelnerka jest uprzejma, ale bez przesady, pozwala im wybrać sobie stolik. Pani Shukhov decyduje się na stojący z boku, za przepierzeniem. Siadają naprzeciwko siebie na miękko wyściełanych ławeczkach z oparciami.

Frank patrzy na wiszące na ścianach oprawione plakaty zachwalające atrakcje rozmaitych krajowych i zagranicznych miejscowości wypoczynkowych, na dużą doniczkową roślinę wspinającą się na treliaż w kształcie wachlarza, na gości rozmawiających przyciszonymi głosami przy stolikach lub samotnie przeglądających popołudniowe gazety. Skłamałby, twierdząc, że czuje się tu całkiem swobodnie. Ostatnio był w kawiarni w wieku dwudziestu, może dwudziestu kilku lat.

– A więc... – mówi pani Shukhov, opierając łokcie na blacie.

– A więc... – powtarza Frank jak echo. Jego umysł pracuje na najwyższych obrotach. Rozmowa. – No cóż... – mówi, a potem: – Pani oczy. Nie są tak czerwone jak wtedy, kiedy je poprzednio widziałem. To znaczy kiedy panią widziałem.

Pani Shukhov jest zadowolona, że Frank przynajmniej patrzy mniej więcej we właściwym kierunku.

– Ta miła strażniczka... Chyba nazywała się Gould, prawda? Poszła na górę i kupiła mi płyn do szkieł kontaktowych, a nawet krople do oczu. Za własne pieniądze. Biorąc pod uwagę to, co pan zrobił dla mnie w Wydziale Dochodzeniowym... Zastanawiam się, czym sobie zasłużyłam na tyle życzliwości.

– Więc już dobrze pani widzi?

– Nic nie widzę! – śmieje się pani Shukhov. – Schowałam szkła kontaktowe do torebki. Nie zauważył pan, jak mrużę oczy i wytężam wzrok, żeby cokolwiek zobaczyć?

– Tak się składa, że chwilowo ja również mam problemy z oczami.

Nieprzyjemne swędzenie nie ustąpiło. Tak jakby ktoś nasypał mu piasku do oczu.

– Rzeczywiście są trochę zaczerwienione. Może chce pan skorzystać z moich kropli?

– Może później.

– Czy wie pan, że wszystko, co pokazujemy światu, jest martwe? Z wyjątkiem właśnie oczu. Nasza skóra, włosy, paznokcie, nawet wnętrze ust. Otaczamy się warstwami martwych tkanek po to, by chronić ciało i organy wewnętrzne przed niszczącym działaniem tlenu, a jedyną żywą cząstką naszego organizmu, którą pokazujemy bliźnim, są tęczówki. Właśnie dlatego tak ważny jest kontakt wzrokowy, zarówno między nieznajomymi, jak i między przyjaciółmi. Tylko wtedy prezentujemy prawdę o sobie, pokazujemy życie, a nie śmierć.

– To interesujące.

– Prawda? Wyczytałam to wczoraj w jakimś naukowym magazynie w Gazetach i Czasopismach.

– Dobrze wiedzieć, że nie marnowała pani czasu.

– Panie Hubble... – Pani Shukhov wzdycha głęboko i kręci głową. – Byłabym panu bardzo zobowiązana, gdyby sygnalizował pan sarkazm jakimś mrugnięciem albo w inny wyraźny sposób. W przeciwnym razie będzie mi bardzo trudno docenić pańskie żarty.

– Przepraszam.

– Nie ma za co. Ja osobiście nawet lubię takie oschłe poczucie humoru.

– Wie pani co? Chyba jednak chętnie skorzystałbym z pani kropli.

– Oczywiście. – Po krótkich poszukiwaniach pani Shukhov wyjmuje z torebki maleńką plastikową buteleczkę ze spiczastą nakrętką i wyraźnie widocznym logo Days. – I proszę mówić mi Carmen.

Frank bierze od niej buteleczkę, wstaje, idzie do łazienki.

W męskiej toalecie czuć przede wszystkim środek dezynfekujący, potem odświeżacz powietrza o zapachu sosny, a dopiero na samym końcu mocz. Frank zamyka drzwi, ostrożnie podchodzi do umywalki, pochyla głowę jakby w oczekiwaniu na błogosławieństwo, podnosi ją powoli i spogląda w zamazane, upstrzone plamami lustro.

Z lustra spogląda jego odbicie, takie samo jak z pękniętego ekranika sfinksa. Pojawia się od razu, nie musi przywoływać go siłą woli z niebytu. Solidne, nieprzezroczyste, bliźniaczo podobne do niego: odwrócony o sto osiemdziesiąt stopni Frank Hubble w skali jeden do jednego, żywy, obecny, ponad wszelką wątpliwość prawdziwy.

Patrzy na siebie z boku. Patrzy na siebie od przodu, patrzy na siebie spod brwi.

Nie chce zadawać sobie pytania, jak to się stało, w jaki sposób doszło do tego cudu, obawia się bowiem, że mógłby go unicestwić, jak mały chłopiec, który pragnąc chwycić mydlaną bańkę, nieodwracalnie kończy jej egzystencję. Wie jednak na pewno, iż ma to coś wspólnego z białą tygrysicą.

Biała tygrysica nie zignorowała go, nie potraktowała jak powietrze. Zakończone ledwo słyszalnym pieszczotliwym pomrukiem oględziny jego osoby zakończyły się pełną akceptacją. Tygrysica przyjęła go do niespokojnego zielonego świata Menażerii. Głęboki pomruk oznaczał mniej więcej tyle: „Tutaj i w dżungli, z której pochodzę, wszystko pojawia się i znika. Roślinożercy zjadają rośliny, a potem padają łupem drapieżców. Tak to już jest. Wszystko i wszyscy czemuś służą. Martwe rośliny i żywe zwierzęta – wszystko ma swoje miejsce. To, co rośnie, ulega zniszczeniu, żeby mogło wyrosnąć coś innego. Naturalny porządek rzeczy oznacza pojawianie się i znikanie, branie i dawanie, kupowanie i sprzedawanie. Wiedziałeś o tym od dawna. Może nawet od zawsze, chociaż nie zdawałeś sobie z tego sprawy".

Panna Dalloway chciała go zabić. Tygrysica zabiła pannę Dalloway.

Dawać i brać. Pojawiać się i znikać.

Tygrysica go zaakceptowała. Zrozumiała go. Pojęła.

Frank uświadamia sobie, że wbrew temu, co sądził, umiejętność wtapiania się w tło wcale nie jest przekleństwem. Dzięki swemu kamuflażowi tygrysica była niezauważalna, a mimo to potężna, silna, śmiertelnie niebezpieczna. Umiejętność dopasowywania się i dostosowywania wcale nie musi być przekleństwem, pod warunkiem że stosuje się ją w rozsądnych granicach, nie przesadzając. Należeć i równocześnie być osobno. Trzeba osiągnąć równowagę, trzeba kroczyć po wąskiej granicy między dwiema skrajnościami, pozostać w półcieniu, nie zagłębiać się w mrok ani nie wychodzić na pełne słońce. Przez trzydzieści trzy lata po prostu nie wiedział, jak tego dokonać, i to wszystko.

Wpuszcza po kropelce do oka i dokuczliwe swędzenie natychmiast ustępuje. Obrzuca swoje odbicie jeszcze jednym spojrzeniem i wychodzi z łazienki.

Tymczasem pani Shukhov zamówiła kawę. Dwie filiżanki z parującą zawartością stoją już na stoliku. Frank czegoś szuka, czegoś mu brakuje. Dopiero po chwili uświadamia sobie czego: czarno-białego logo Days. Nie ma go ani na filiżankach, ani na spodeczkach.

Siada, podnosi filiżankę do ust, z przyjemnością kosztuje gorącego napoju. Może nie jest to najlepsza kawa na świecie, z pewnością jednak najsmaczniejsza w jego życiu.

Szmer rozmów to cichnie, to znów przybiera na sile. Na ulicy szybko zapada zmrok. Uliczne latarnie rozsiewają dokoła pomarańczowy blask. Miasto szykuje się do snu, zwija się na noc jak kwiat.

Pani Shukhov - Carmen, ma na imię Carmen - siedzi wyprostowana naprzeciwko niego. Ma dobrą sylwetkę. Interesujące rysy. Czeka, aż się odezwie. Chce, aby się odezwał.

Frank postanawia opowiedzieć jej o mijającym dniu. Nawet jak na standardy Days był to piekielny dzień. Postanawia opowiedzieć jej o tym, ile trudu sobie zadał, aby dotrzymać danego słowa i odzyskać jej kartę, o pogoni za Molem Książkowym i o bombie. Kto wie? Może dzięki swemu oschłemu poczuciu humoru zdoła ją nawet rozbawić?

Jutro będzie tak samo jak dziś albo zupełnie inaczej. Jutro poleci do Ameryki albo jak zwykle przyjdzie do pracy. Na razie jednak jest dzisiaj, jest wieczór i jest kobieta, która interesuje się nim i chce go bliżej poznać. Jutro, kiedy już nadejdzie, samo się o siebie zatroszczy.

A Days będzie zawsze.

To dziwne, ale ta myśl podnosi go na duchu.

Days – stałe, niezmienne, nienaruszalne, zbyt wielkie i potężne, żeby się zmieniać – będzie zawsze.

XLIV

Szibah: w ortodoksyjnym judaizmie siedmiodniowa żałoba po rodzicach, współmałżonku lub rodzeństwie

18.00

Już szósta!

Perch zrywa się na równe nogi. Tak bardzo pogrążył się w układaniu jutrzejszego menu i przygotowywaniu listy artykułów, które powinny zostać dostarczone do kuchni, że całkowicie utracił poczucie czasu.

Pospiesznie wychodzi z biura. Kuchnia jest pusta i lśni czystością. Wieczorny posiłek bracia zwykle przygotowują sobie sami i spożywają go samotnie w swoich apartamentach; jest to całkowicie zrozumiałe, zważywszy, iż niemal cały dzień spędzają razem. Dlatego o tej porze nie ma tu już nikogo; personel kuchenny posprzątał i poszedł do domu.

O szóstej wieczorem w Biurze urzęduje zazwyczaj tylko ten z braci, który pełni tego dnia funkcję przewodniczącego. Do późnej nocy sumuje wyniki dziennej sprzedaży, następnie zaś przekazuje je agencji informacyjnej, która wysyła je mediom. Perch zamierza zapytać pana Thurstona o popołudniową eksplozję. Godzinę temu spikerka w radiu poinformowała o incydencie, jednak bez żadnych szczegółów. Te miały zostać podane do publicznej wiadomości natychmiast, jak tylko się pojawią. Zamiast czekać na oficjalne komunikaty i wysłuchiwać dziennikarskich domysłów, Perch dowie się całej prawdy bezpośrednio od jednego z braci – to jedna z drobnych korzyści wynikających z faktu stałego przebywania w towarzystwie właścicieli pierwszego i (co innego mógłby powiedzieć?) najlepszego gigamarketu na świecie.

Perch ze zdziwieniem stwierdza, że w Biurze wciąż jeszcze są wszyscy bracia, ale, rzecz jasna, w żaden sposób nie okazuje zaskoczenia.

Siedzą przy stole na swoich zwykłych miejscach. Ciemna połowa kopuły zasłania wszystkie trzy okna, oni jednak nie włączyli światła. Perch prawie nie widzi ich twarzy, bez trudu natomiast dostrzega oczy. Wszyscy spoglądają na niego, kiedy wchodzi do Biura – wszyscy z wyjątkiem pana Sonny'ego, który z opuszczoną głową ni to siedzi, ni leży na swoim tronie, jakby spał.

On też tutaj? Nadzwyczajne.

Bracia nie odzywają się ani słowem. Śledzą każdy jego ruch błyszczącymi w mroku oczami, milczą jednak jak zaklęci. W miarę jak Perch zbliża się do stołu, czuje coraz wyraźniej dziwny, ostry, metaliczny zapach. Zna go, ale choć stara się ze wszystkich sił, nie może sobie przypomnieć skąd.

Na jasnej połowie stołu dostrzega jakieś plamy. Podobne plamy zauważył na ceramicznym uchwycie tuż przy wejściu, wtedy uznał jednak, że to złudzenie spowodowane niedostosowaniem się wzroku do panujących w pomieszczeniu ciemności. Plamy na stole są jednak ponad wszelką wątpliwość prawdziwe, podobnie jak te na wykładzinie. Perch nie jest tym zachwycony. Czeka go niezła robota.

Zatrzymuje się metr od stołu, w połowie odległości między Mungiem i Sonnym.

– Przyszedłem zapytać, czy mają panowie jeszcze jakieś życzenia.

Milczenie przeciąga się, aż wreszcie przerywa je Mungo:

– Myślę, że wszyscy chętnie byśmy coś zjedli. Nic wielkiego, jakąś prostą przekąskę.

Jego głos jest tak niski i dudniący, jakby dobiegał z dna głębokiej studni.

– Przekąskę? Oczywiście, proszę pana. Jeśli się nie mylę, w lodówce jest pieczeń wołowa. Mogą być kanapki z wołowiną na zimno?

– Jak najbardziej.

– Czy podać siedem porcji? – pyta Perch, zerkając z ukosa na Sonny'ego.

Najmłodszy z braci siedzi jakoś dziwnie, ramiona zwisają mu bezwładnie po obu stronach tronu, podbródek opiera się na piersi...

– Siedem – potwierdza Thurston. – Po jednej dla każdego.

– Ponieważ jest nas tu siedmiu, nieprawdaż, Perch? – pyta Sato.

– Nie ma co do tego żadnych wątpliwości – odpowiada służący z niewzruszonym spokojem.

– Ponieważ czar Siódemki jest niezbędny dla zapewnienia pomyślności sklepowi – odzywa się Wensley. – Tak mawiał nasz ojciec.

– Rzeczywiście, proszę pana.

– I ten czar musi trwać – stwierdza Fred.

– Bez wątpienia, proszę pana.

Bracia mówią bezbarwnymi, głuchymi głosami pasażerów ocalałych z katastrofy kolejowej. Perch podejrzewa, że to spóźnione działanie szoku wywołanego eksplozją.

– Czy to wszystko?

Jego wzrok już na tyle zdążył się zaadaptować do ciemności, że odwracając się do wyjścia, może dokładnie przyjrzeć się panu Sonny'emu.

Sonny w ogóle nie przypomina Sonny'ego. Sonny jest tylko zmaltretowaną, zdewastowaną, karykaturalną podobizną samego siebie, niczym woskowa figura pozostawiona zbyt długo w pełnym słońcu. Ciało ma pokryte niezliczonymi sińcami, zwisające bezwładnie ręce są powyginane w przedziwny sposób, głowę pochylił pod kątem nieosiągalnym dla żywego człowieka. Jedno oko skryło się zupełnie pod opuchniętą powieką, drugie niemal całkowicie wysunęło się z oczodołu. Usta przypominają nabrzmiałe sine huby, nos zupełnie rozpłaszczył się na twarzy, włosy pozlepiała jakaś niezidentyfikowana substancja wymieszana z fragmentami kości.

W ciągu długich lat służby w rodzinie Day Perch do perfekcji opanował umiejętność zachowania kamiennej twarzy bez względu na okoliczności, tym razem jednak jego zdolności są wystawione na wyjątkowo ciężką próbę. Spogląda na siedzących wokół stołu synów Septimusa Daya i w ich szeroko otwartych, błyszczących oczach dostrzega strach... oraz coś jeszcze, czego nie potrafi, albo raczej nie chce, nazwać.

– Od tej pory Sonny będzie z nami codziennie – informuje go Mungo. – Rozpoczął nowe życie.

– Ja... To znaczy... Tak, proszę pana. Oczywiście.

– Będę osobiście pilnował, żeby wstawał o właściwej porze i zjawiał się punktualnie na śniadaniu. Czy to jasne?

– Tak, proszę pana.

– Doskonale. A więc, Perch? – Mungo stara się nadać swemu głosowi dawne dostojne i władcze brzmienie, służącemu wydaje się jednak, że słyszy dziecko usiłujące nieudolnie naśladować dorosłego. – Co z naszą przekąską?

Perch jeszcze raz rozgląda się dookoła, a następnie powoli zamyka oczy i równie powoli kiwa głową.

– Oczywiście, proszę pana. Siedem porcji kanapek z wołowiną. Zaraz będą.

Podziękowania

Adam Brockbank był zaangażowany w proces tworzenia tej książki od chwili jej poczęcia: pomagał nadawać kształt nie do końca sprecyzowanym pomysłom, podrzucał inne, proponował odmienne (i zazwyczaj lepsze) sposoby robienia różnych rzeczy, służył wnikliwymi uwagami i komentarzami.

Jeśli chodzi o kwestie techniczne, to porucznik Hugh Holton z policji w Chicago wprowadził mnie w tajniki posługiwania się bronią palną oraz zorganizował pamiętną i niezwykle pomocną wycieczkę po swoim komisariacie. Ian Hillier udzielił mi kilku niezwykle cennych porad w kwestii skonstruowania domowym sposobem solidnej bomby. Niech żyje Front Wyzwolenia Piwoszy!

Peter Crowther służył mi pomocą i wspierał mnie na duchu, doprowadzał do porządku celnym (choć tylko metaforycznym) pstryczkiem w ucho za każdym razem, kiedy zaczynałem się nad sobą roztkliwiać, oraz pocieszał zawsze, kiedy naprawdę tego potrzebowałem.

Dzięki doskonałej redakcji Simona Spantona z wydawnictwa Orion powieść znacznie straciła na objętości, nie tracąc nic na wartości.

John Kunzler i Lesley Plant zapewnili mi niezliczone niedzielne kolacje oraz seanse gier konsolowych. Wdzięczny jestem także chłopcom z firmy Latające Świnie, między innymi za to, że tak właśnie nazwali swoje przedsięwzięcie.

Susan Gleason z wdziękiem, zaangażowaniem i niezbędną dawką dobrego humoru wywiązała się z niewdzięcznej roli mego agenta literackiego.

To są właśnie ludzie, którym chciałbym… itd., itd.

James Lovegrove

GALERIA

w serii ukazały się

Isabel Allende
DOM DUCHÓW
PAULA
NIEZGŁĘBIONY ZAMYSŁ
MIŁOŚĆ I CIENIE
OPOWIEŚCI EWY LUNY
EWA LUNA
CÓRKA FORTUNY
PORTRET W SEPII

Niccolò Ammaniti
OSTATNI SYLWESTER LUDZKOŚCI
BAGNO

Sara Backer
AMERICAN FUJI

Karen Blixen
POŻEGNANIE Z AFRYKĄ

Martha Cooley
ARCHIWISTA

Julio Cortázar
GRA W KLASY
OPOWIADANIA ZEBRANE
KSIĄŻKA DLA MANUELA

Andre Dubus III
DOM Z PIASKU I MGŁY

Rubem Fonseca
WIELKIE EMOCJE I UCZUCIA NIEDOSKONAŁE

Carmen Martín Gaite
KAPTUREK NA MANHATTANIE

Elizabeth Hay
MAGIA POGODY

Ernest Hemingway
49 OPOWIADAŃ
STARY CZŁOWIEK I MORZE
NIEPOKONANY I INNE OPOWIADANIA

Jerzy Janicki, Andrzej Mularczyk
DOM (część pierwsza, druga, trzecia)

KWIATY ŚLIWY W ZŁOTYM WAZONIE
Powieść chińska

Marc Levy
A JEŚLI TO PRAWDA...
GDZIE JESTEŚ?

Gabriel García Márquez
MIŁOŚĆ W CZASACH ZARAZY

Terry McMillan
O DZIEŃ ZA PÓŹNO, O DOLARA ZA MAŁO

Anchee Min
MADAME MAO

Rosa Montero
CÓRKA KANIBALA

Mary Morrissy
MITOMANKA
MATKA PEARL

Wiesław Myśliwski
WIDNOKRĄG

Amélie Nothomb
HIGIENA MORDERCY
Z POKORĄ I UNIŻENIEM

GALERIA

RTĘĆ
METAFIZYKA RUR
KOSMETYKA WROGA
KRASOMÓWCA

George Orwell
WIWAT ASPIDISTRA!
ROK 1984

Borys Pasternak
DOKTOR ŻYWAGO

Arturo Pérez-Reverte
KLUB DUMAS
FECHTMISTRZ
OSTATNIA BITWA TEMPLARIUSZA
SZACHOWNICA FLAMANDZKA
TERYTORIUM KOMANCZÓW
CMENTARZYSKO BEZIMIENNYCH STATKÓW

Giuseppe Pontiggia
URODZENI DWA RAZY

Mario Puzo
OJCIEC CHRZESTNY
SYCYLIJCZYK
OSTATNI DON
OMERTÀ

Michael Ridpath
MAKLER
FINANSIŚCI
OSTATNIA TRANSAKCJA

Ulrich Schmid
CAR BROOKLYNU

Christina Schwarz
TONĄCA RUTH

Isaac Bashevis Singer
SZTUKMISTRZ Z LUBLINA

John Steinbeck
TORTILLA FLAT

Irving Stone
PASJA ŻYCIA

Peter Ustinov
MONSIEUR RENÉ

Richard Vetere
TRZECI CUD

następne książki

Rosa Montero
STĄD DO TARTARU

Książkę wydrukowano
na papierze offsetowym Amber Graphic 70 g/m²

Amber

dostarczonym przez firmę Trebruk

TREBRUK
www.trebruk.pl

Warszawskie Wydawnictwo Literackie
MUZA SA
ul. Marszałkowska 8, 00-590 Warszawa
tel. (0-22) 827 72 36, 629 50 83
e-mail: info@muza.com.pl

Dział zamówień: (0-22) 628 63 60, 629 32 01
Księgarnia internetowa: www.muza.com.pl

Warszawa 2002
Wydanie I

Skład i łamanie: MAGRAF s.c., Bydgoszcz
Druk i oprawa: P.U.P. ARSPOL, Bydgoszcz